ノーベル賞への夢を紡ぐ
もっと知りたい！
「科学の芽」の世界
PART 7
監修 筑波大学長 永田 恭介
「科学の芽」賞実行委員会 編
筑波大学出版会

**Introduction to the Bud of Science**

~Collections of Students' Work~

supervised by Kyosuke NAGATA

University of Tsukuba Press, Tsukuba, Japan


ISBN978-4-904074-56-5 C0040

ふしぎだと思うこと
これが科学の芽です
よく観察してたしかめ
そして考えること
これが科学の茎です
そうして最後になぞがとける
これが科学の花です
朝永振一郎

朝永先生の色紙。京都市青少年科学センター所蔵

朝永振一郎博士

科学する心とその喜びをやさしい言葉で見事にいい尽くしたこの有名な色紙は，1974（昭和 49）年 11 月 6 日に，国立京都国際会館で湯川秀樹・朝永振一郎・江崎玲於奈の三博士を招いて開かれた座談会「ノーベル物理学賞受賞三学者 故郷京都を語る」（主催：京都市，京都市教育委員会）で，三博士に，京都の子どもたちに向けた言葉をとの要請に応えて，朝永先生が書かれたものです。実物は，京都市青少年科学センターにあり，筑波大学ギャラリー朝永記念室にもコピーがあります。このときの講演でも述べていますが，朝永先生は，小学校の習字で先生から「お前はなんてこんなへんな字を書く」といわれて以来，字が苦手で，色紙のたぐいはだいたい断っておられたそうです。しかし，このときは断り切れなかったのでしょう。おかげで私たちはこのすばらしい言葉を受け継ぐことができました。

この言葉は，科学の心を表すと同時に，科学する心を育むには，何が大切かもよく表していると思います。朝永先生は，子どもの頃から，科学の芽となる「ふしぎ」をいっぱい見つけ，それを自分の手を動かして実験し，納得がいくまで考えました。

21 世紀の世界に生きる若いみなさんも，この色紙の言葉を胸の中にとどめて，科学する心を培ってほしいと思います。筑波大学は朝永振一郎記念「科学の芽」賞の事業を通じて“科学っ子”，“科学にチャレンジする若者”を応援しています。ぜひたくさんの方々からの応募を期待します。

# 目　次

「科学の芽」賞受賞作品は，インターネット上に全文が公開されています。
筑波大学の公式ホームページ（http://www.tsukuba.ac.jp/）から，「社会連携」→「科学の芽」賞，とたどってご覧ください。

# 「科学の芽」賞に寄せて

## ～「ふしぎ」が「ふしぎ」を生む～

永田恭介

「科学の芽」賞は2006年に第1回が開催され，2019年で14回を数えました。14年間の応募作品数は，全国の小学校，中学校，高校から合わせて28,968作品となり，参加人数は33,847人（団体で応募の人数を合わせた延べ人数）にのぼりました。こんなにも多くの児童・生徒から作品を寄せていただいたことに感謝しています。第1回の「科学の芽」賞を受けた小学生たちは，成人して仕事についている方たちもいますし，今も大学院で研究を続けている人たちもいます。

我々は様々なことを「ふしぎ」に思います。「ふしぎ」は幼い頃はもちろん，大人となっても次々と湧いてきます。知識が増えていくことで，「ふしぎ」は減りそうなものですが，知識，それは過去に誰かが見出した答えです。しかし蓄積しても「ふしぎ」は一向に減りません。物質を構成している分子は各種の原子から成り立っています。自然界の原子はそのほとんどが発見されている状態でしたが，日本の理化学研究所に命名権が与えられたニホニウム（原子番号113）が発見されたのは21世紀に入ってからのことです。原子は電磁相互作用によって互いに寄り添う原子核と電子から成り立っています。原子核は，陽子と中性子からできていて，それらはさらにクオークと呼ばれる素粒子でできています。分子，原子，電子，陽子，中性子の性質についての知識が蓄積するなかで，例えば中性子が原子核を飛び出して陽子と電子に分かれるときにエネルギー保存則が成り立っていないことの「ふしぎ」から，素粒子の一つであるニュートリノが発見されたのです。幼い頃の「これはなーに？」，「どうして？」，「なぜ？」に始まって，小学校，中学校と学びが進んでも，同じように質問や疑問が湧いてきます。高校に進むと，ますます疑問の内容は高度化します。大学に進むと，知識はさらに体系化され，少々の問題であれば自力で解決する力を身に付けることになります。そして解かれていない問題を認識し，その問題解決に向けて挑戦することになります。大学院ではさらにその能力が磨かれます。

「科学の芽」賞は，ノーベル賞を受賞された朝永先生の「全国の児童生徒の皆さんに科学者を目指してほしい」という願いを受け継ぎ，生誕 100 年にあたる 2006 年から始まりました。

朝永先生は，
「ふしぎだと思うこと　これが科学の芽です
よく観察してたしかめ　そして考えること　これが科学の茎です
そうして最後になぞがとける　これが科学の花です」
と色紙に書かれ，その言葉で子どもたちに語りかけられました。

何度読んでも，とても意味の深い言葉です。1949 年に，湯川秀樹先生が日本で最初にノーベル物理学賞を受賞され，日本が沸き返りました。続いて 1965 年には朝永振一郎先生が日本人として 2 人目のノーベル物理学賞受賞者となられ，大きな話題となりました。それ以降 2019 年までに多くの日本人がノーベル賞を受賞していきます。2019 年までに物理学賞を 11 人（米国籍になった 2 名も含む）が，化学賞を 8 人が，生理学・医学賞を 5 名が受賞しました。「ふしぎ」だと思い，「科学の芽」を育ててこられた方々です。

受賞者の多くの方々からは，賞をもらって自信になり，その後の生活が前向きになり，自分が積極的になったという声もありました。開始から 10 年という節目に受賞者にアンケートを取ったところ，将来の夢として，医療関係，科学捜査班，宇宙飛行士，先生，科学者など様々な職種が挙げられました。現在では研究や科学から遠ざかった人もいますが，生き方やものの見方は大きな影響を受けているとお伝えいただきました。

児童・生徒の皆さんが，この本から大きな刺激を受けて，様々なことに疑問を持ち「ふしぎ」を感じ，「なぜ」という問いに自ら答える努力をされることを大いに期待しています。

令和 2 年 5 月吉日

［筑波大学長］

SCIENCE

# 第Ⅰ編

# 「科学の芽」賞の作品から

CHAPTER 1 Discovery of “KAGAKUNOME”

# 第1章「科学の芽」の発見

## ～めざせ科学っ子～（小学生の部）

## 「科学の芽」賞

### ――――――――小学生の部について

「あれっ？」と思ったその一瞬が研究の第一歩です。「もしかしたら……」とあれこれ試してみると，いろいろなことが見えてきます。もちろん，インターネットや本で調べるように簡単にはいきません。いろいろな道具も必要になるし，時間だってたくさんかかります。けれど，自分で感じて，考えて，試して，確かめたことは，あなたの一生の宝物になります。

もし，途中で失敗して，それでもあきらめずにやり遂げたら，その宝物はさらに輝くことでしょう。簡単に答えにたどりつくことも，それはそれで素晴らしいのですが，自分でやってみること，失敗をしてもあきらめずにやり直すことは，それにも増して価値のあることです。つまり，たどり着いた答え以上に，やってみようと自分から動き出すこと，困ったり悩んだりしながら考えることに価値があるのです。

「あれっ？」と思ったその時，「おかしいなあ……」と首をかしげたその時，「科学の芽」が土の中から顔をのぞかせています。科学することを思い切り楽しみながら，「科学の芽」を大きく育ててください。

「科学の芽」賞の審査の観点は，次のようになっています。

**【審査の観点】**

① テーマの独創性：日常的な自然や現象の中から独創的な問題を見つけ出しているか。

② 追究力：問題を解決するための観察・実験・調査を的確に行っているか。目的を達成させるための実験観察方法を工夫しているか。

③ 表現・活用：自分なりに結果をまとめ，それをわかりやすく人に伝えるものになっ

ているか。研究成果を活かしたり，創造したりしているか。

特に①の観点は重要視しています。「あれっ？」と感じることはたくさんあると思います。しかし，それをそのままにしておくことが多いのではないでしょうか。疑問に感じることがあったらメモに書き留めておくとよいでしょう。

また研究のスタートは，「あれっ？」から始まらないこともあります。やってみたいこと，挑戦してみたいことがあったら，まず取り組んでみてください。そこから疑問や不思議に感じることが生まれて研究がスタートすることもあります。

テーマが決まったら，インターネットなどでそのテーマについて先に調べているもの，確かめているもの（先行研究）がないかを調べてみましょう。もし，先にそのことについて研究がされていたら，その研究では調べきれなかったことを参考にしたり，別のやり方を試してみたりするのも良いでしょう。先行研究がなければ，それは独創性あふれる研究テーマですから，ぜひ取り組んでみてください。

今回の研究テーマも，一つひとつ独創性にあふれた素晴らしいものばかりでした。それぞれの研究を読んでいるうちに，いつの間にかその世界に引き込まれてしまうほどです。みなさんの研究から，一番伝わってきたことは「好き」という気持ちでした。動物や植物などの生物や生活の中の不思議について，徹底的に追究しているものばかり。答えが出たと思ったら，次の不思議がすぐに出てきて，また，新しい実験が始まる……いつまでも続くそれぞれの研究に，みなさんのやる気も思いも感じることができました。

実験や観察を行う前に，自分はこう考えるという予想を立てている研究も多くありました。予想を立てることで，その実験に対する見通しがもてるようになり，実験の計画や準備の一つひとつにもこだわりをもてるようになります。さらに，実験や観察の結果と自分が立てた予想とを比べることで，自分の考えの変化にも気が付くことができます。「そうか！」と感じることで，次の予想がまた生まれることでしょう。

また，結果のまとめ方についても工夫している研究が多くありました。グラフにしたり，写真を並べたりして，結果をわかりやすく示していました。自分が感じたこと，考えたことをどのようにして伝えるのか，考えることもとても大切なことです。自分が「やっぱり！」と思ったり，「そうか！」と感じたりしたのは，この実験結果のどの部分なのかを考え，表し方を工夫しているうちに，また新しいことに気が付くことも多いでしょう。

「あれっ？」と「そうか！」を繰り返しながら，みなさんも科学することを楽しんでください。

# 地すべりが起きるのはなぜ？

太田 瑛麻（おおた えま）
[私立洛南高等学校附属小学校 3年]

昨年はとても災害が多い年でした。私も台風で家の窓ガラスが割れてしまい大変な思いをしました。土砂災害、特に地すべりがなぜ起きるのかを調べるため研究をし、また被害を防ぐための工事の方法についても建設会社を訪問して教えて頂きました。
研究を通して災害に対し前もって準備しておくことが大切だとよくわかりました。

# Ⅰ 研究の概要

## 研究のきっかけ

西日本豪雨や台風では，大雨が何度も降りました。大雨によって起こる土砂災害で，多くの方が亡くなったというニュースが放送されました。土砂災害とはどのようなもので，どうして日本では土砂災害が起こりやすいのか疑問に思い，調べてみることにしました。

## 調査1　地盤って何？

地盤とは，辞書によれば「家や建物を支える地面」とありました。日本は，ねんどでできた固い地盤の上に，砂でできたやわらかい地盤が重なっているところが多く，大雨が降ると砂でできた地盤が水をふくんでとてもやわらかくなり，地面がくずれたり，建物がたおれたりします。この状態を「地盤がゆるむ」というそうです。

## 調査2　土砂災害の種類

土砂災害には，いくつか種類があります。

①がけくずれ

急な斜面が，大雨や地震でくずれ落ちること。突然起こるため，家の近くで起こると，逃げ遅れる人も多く，被害をおよぼします。日本で最も多いのがこの土砂災害だそうです。

②地すべり

斜面の一部が広い範囲にわたって動き出す現象です。がけくずれに比べて規模が大きく，ゆるやかな斜面でも動き出すのが特徴です。幅 1 km を超える範囲が数m動くこともあり，大きな被害をおよぼします。

③土石流

山からくずれてきた土や石や木が水といっしょに流れて下っていきます。谷を削りながら木をたおし，谷の出口から広がって街をおそいます。流れが速く，時速 20～40 km で一瞬のうちに家や畑をつぶしてしまいます。

この中でも，地すべりのようにとても広い範囲で一気に動くということが起こる理由がよく分かりませんでした。そこで，地すべりを起こす実験をして，これが起きる原因について調べてみようと思いました。

## 実験の方法

アクリル板と黄色と青色の発泡スチロールの板を使って模型を作り，雨で地すべりが起こる様子を調べる実験をしました（図 1）。

## 実験と結果

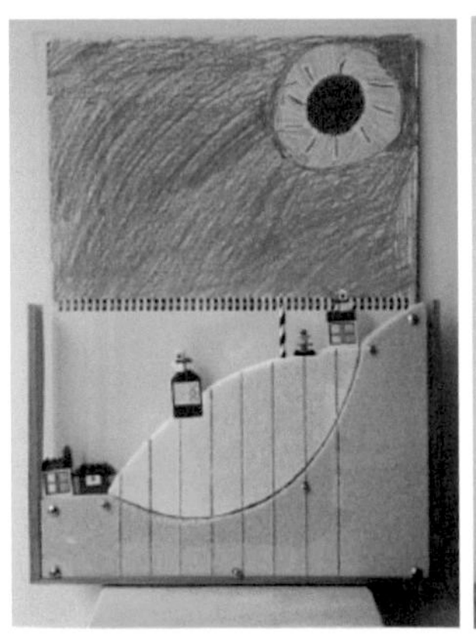

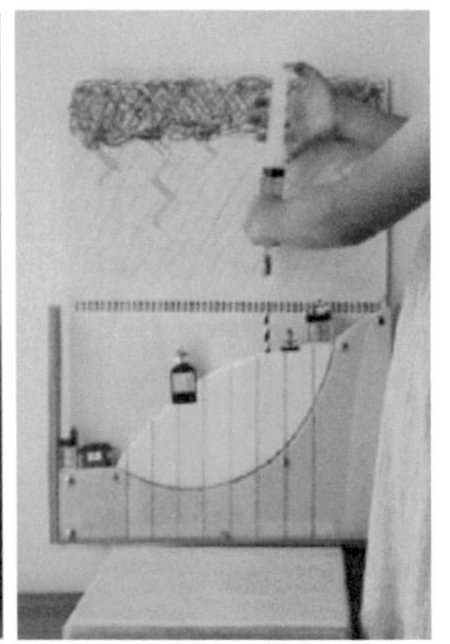

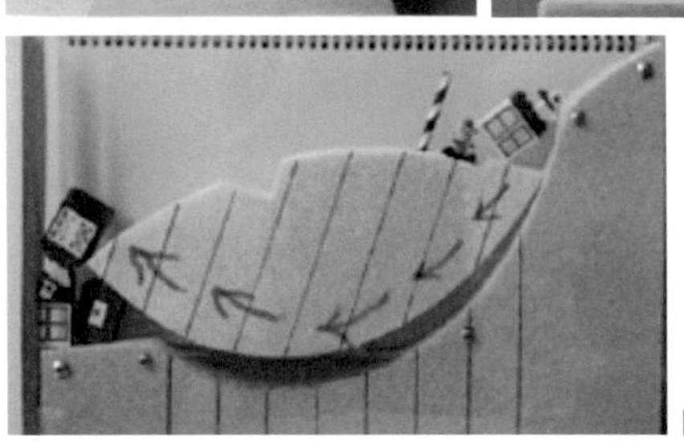

図１ 実験の様子

青い発泡スチロールが固い地盤で，黄色い発泡スチロールがやわらかい地盤を表しています。黄色い発泡スチロールにはストローが刺してあり，地盤に水が貯まるようになっています。

晴れた状態での地盤の様子から，大雨の代わりにストローで色水を注いでいきます。

水を注いでみると，地盤が赤色の矢印のように移動しました。斜面の下側の家は地盤に押されて倒壊し，上側の家はかたむきました。地すべりの発生です。

## 考察：大雨で地すべりが起きる理由と防ぐ方法

雨が降ると，地盤の中に水が貯まってきたときに，浮力が働いて地盤が軽くなり，境界部分でふんばる力が弱くなって山がすべってしまいます。かたむいた地盤が水につかり，地盤全体を支えられなくなって，地すべりが起こることが分かりました。

模型のアクリル板の周りに防水テープをはって水がもれないようにしていましたが，地すべりを防ぐためにテープに穴を開けて水がもれるようにしたら，ストローへ水を注いでも地盤の中に水が貯まることはなく，地すべりは起こりませんでした。実際には，水抜きボーリングといって，地盤に細長い穴を開けて，水が貯まらなくなる工事をするそうです。

## まとめ

土木会社の専門家の方に話を聞いてみると，地すべりの対策はお金がかかるので，日本の交通が絶たれるような大きな道路には税金でいろいろな対策がとられていますが，策がとられていないところも多いことを教えてもらいました。

今回の実験で，自然の力はすごく強いと分かりました。山の近くに住む人もそうでない人も，何が起こるか分からないので，早めに自分たちの身を守る対策や，何かが起きた場合の手段を考え，行動につなげられるようにしたいです。

# 作品について

土砂災害の中でも，地すべりについて起きる原因と防止策を調べた研究です。研究にもあったように，日本は土砂災害の多い国です。そこで，土砂災害をテーマとして，どのようなことが原因で災害が発生するのかを模型で調べています。また，模型で調べる前には，土砂災害について，その種類を明確に整理できていました。このような調査が，今回の研究の成果につながっています。土砂災害について調べて分かったことから，不思議なことを見つけ出し，それを実験で明らかにして，また分かったことが増えたという一連の流れが科学の面白さであり，その流れがよく分かる研究でした。

また，研究の中では，ただ模型を作って水を流した実験で終わるのではなく，それらの模型が実際の場面だとどのような意味をもつのかについても考えられています。例えば，模型で地すべりが起こったときに，その原因についてまとめるだけでなく，地すべりを防止する策として，模型では防水テープに穴を開けておくということが，実際の場面では水抜きボーリングという技術があることを明らかにすることができました。このように，模型で起きていることと，実際の場面で起きていることとをつなげて研究することは，模型を使う研究が実際の場面で起きていることに役立つための大切な方法です。

そして，この研究では模型についてもよく考えられていました。実験前の調査で，日本の地盤の特徴（とくちょう）について明らかにしており，そこで分かったことから，やわらかい地盤と固い地盤とで，発泡スチロールの色を変えて斜面を模型に再現したことはもちろんですが，大雨が降ったときの地盤の様子を再現するために，ストローを使ってやわらかい地盤に水が貯まるようにした工夫は見事でした。

さらに，まとめるときには，専門家の話も交えながら，地すべりが起こる原因だけでなく，その防止策についても調べることができました。また，自分のことに置（お）き換（か）えて考え，大雨や台風で災害が起きそうなときに，自分だったら，どのように行動すればよいのかについても考えることができました。

この研究の最後にもあるように，「自然の力はすごく強い」です。こうしたことをもっと広く知ってもらい，災害のときに，どのような行動をとればよいのかを考えるきっかけとするためにも，このような研究を続けていって「科学の芽」を育て，災害を防いだり，被害を最小限に抑（おさ）えたりすることにつなげていってください。

# 金魚はかしこいのか？

## 〜えさをもらうために人間をよぶのか〜

まつもと　ななせ
**松本 七星**

［大阪教育大学附属池田小学校３年］

私は、金魚はかしこいのかを調べました。きっかけは、金魚が水はねをするのが、私がえさをやり忘れている時だと気づいたからです。
毎回水はねした時、チェックしないといけないところが大変でしたが、予想以上に結果に差があったので面白かったです。
今後は、金魚が芸をできるかをためしてみたいです。

## I 研究の概要

### 調べてみようと思ったきっかけ

1年前から金魚を飼っている。水そうの前を通るとき，水そうの前がたまにぬれていることがあった。そのときは，たいていえさをやり忘れていたので，水そうの前がぬれているとえさをやっていた。このことから，金魚が水そうの前がぬれていたらえさがもらえると考えて，わざと水はねしているのかもしれないと，私は考えるようになった。

図1　金魚が水そうの水を飛ばした後の様子

調べてみると，食べ物が後ろにある明るい戸と食べ物がない暗い戸の前にねずみを置いてえさをやり続けると明るい戸を選ぶようになるという有名な実験があることも分かった。金魚も学習したのか調べてみたい。

### 実験方法

① 最初の1週間は定期的にえさをやる。(朝夕7時ごろ　約1g) それ以外にも，水面に浮上(ふじょう)してえさを欲しがるそぶりを見せたときには，約0.1gのえさやりをする。

② 次の1週間は，水はねをするまでえさやりをしない。ただし，丸2日水はねをしない場合は，えさやりをする。

① ②の期間で，金魚が水はねをした時間や回数を記録する。すいみん中や外出中は，水はねをしたか分かるように，水そうの前にティッシュをひいておく。

### 実験結果 (次ページ)

### 感想

私は，えさやりをしない1週間のほうが水はねをすると思っていた。結果は，私が思っていた以上に定期的にえさやりをする1週間とえさやりをしない1週間の差が大きかった。また，水はねをするときは，必ず人がいるときだったことから考えて，金魚は人を呼んでいると思った。金魚はとてもかしこいかもしれない。今度は，しつけをしたら，金魚は芸をすることができるのか試してみたい。

## 実験と結果

表１　えさを定期的にあげた１週間

| 日付 | 0 1 2 3 4 5 6 7 8 9 10 11 12 13 14 15 16 17 18 19 20 21 22 23 | えさをあげた時間 | 水を飛ばした時間 | 人の出入り |
|---|---|---|---|---|
| 8月3日 | | 8:15<br>21:30 | | 8:20～11:00<br>不在 |
| 8月4日 | | 7:30<br>15:15<br>19:00 | 12:12 | |
| 8月5日 | | 6:51<br>20:00 | 6:50 | 11:00～20:00<br>不在 |
| 8月6日 | | 7:26<br>15:07<br>19:43 | | |
| 8月7日 | | 7:16<br>14:49<br>20:32 | | 10:00～11:00<br>不在 |
| 8月8日 | | 6:59<br>13:00<br>18:27 | | |
| 8月9日 | | 7:55<br>13:37<br>17:06 | 17:05 | |

●＝えさ（1g）、◎＝えさ（0. 1g）、●＝水を飛ばす（人がいる時）、●＝水を飛ばす（人がいない時）

表２　えさをきちんとあげなかった１週間

| 日付 | 0 1 2 3 4 5 6 7 8 9 10 11 12 13 14 15 16 17 18 19 20 21 22 23 | えさをあげた時間 | 水を飛ばした時間 | 人の出入り |
|---|---|---|---|---|
| 8月10日 | | 17:28 | 16:20<br>16:30 | 9:00～15:00<br>不在 |
| 8月11日 | | 8:47<br>21:30 | 8:47<br>21:30 | |
| 8月12日 | | 7:50 | 7:50 | 14:15～17:30<br>不在 |
| 8月13日 | | 12:29<br>14:20<br>20:08 | 12:29<br>14:20<br>20:08 | 15:15～19:30<br>不在 |
| 8月14日 | | 8:47 | 8:47 | |
| 8月15日 | | 9:00<br>21:05 | 9:00<br>21:03 | 15:15～19:30<br>不在 |
| 8月16日 | | 8:58<br>18:15<br>21:15 | 8:57<br>18:10<br>21:10 | 19:30～21:00<br>不在 |

●＝えさ（1g）、◎＝えさ（0. 1g）、●＝水を飛ばす（人がいる時）、●＝水を飛ばす（人がいない時）

えさをきちんとあげなかった１週間は，定期的にあげた１週間より約５倍の水はねをした。水はねをする時間はいつもえさやりをする時間に近い。

# 作品について

何かに興味をもったり，愛情をもって育てたりするからこそ，見えてくることがあります。金魚の水そうの前がぬれていることと金魚がえさを欲しがる気持ちを結びつけて考えることができたのも，愛情をもって育てていたからこそできたことだと思います。愛情の証拠は，研究の様々な部分に見られました。その一つが，水はねをしたらえさやりをする条件でも，金魚のために例外条件を設定して実験に取り組んでいるところです。

「科学の芽」はどこにでもありますが，漠然と見ていたり，無関心でいたりすれば，そのほとんどがベールに包まれてしまい，見つけることができません。愛情や興味をもつことで，そのベールをはがすことができるのだと思います。金魚の水はねとえさの関係を調べた２週間は，金魚との愛情がさらに深まったことでしょう。

金魚の水はねとえさの関係を見つけ出す方法にも興味をひかれました。水はねをする行動が，別の起因ではなく，えさとの関係であることを明確にすることができました。もし，定期的にえさやりをする期間の水はねのデータがなければ,別のことが水はねの原因かもしれないと考えることもできます。例えば,人を見ると喜んで水はねをしているかもしれないと考えることだってできます。しかし，基礎的なデータがあり，えさやりだけを変化させた条件のもとで，右グラフのように明確な違いが見られました。

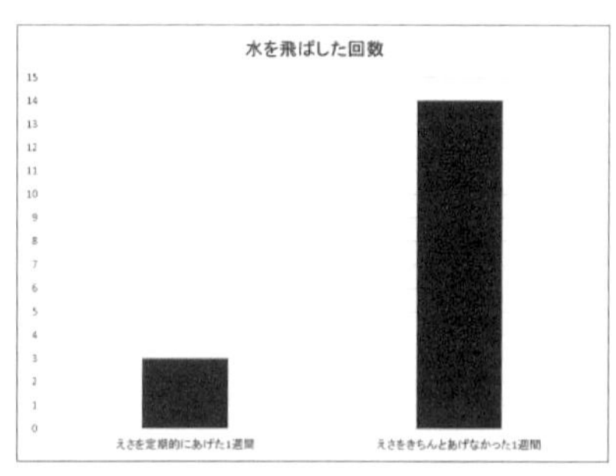

図２　金魚が水を飛ばした回数

この１週間目と２週間目のデータがあることで，一気にデータの信ぴょう性が高まっています。

生物を相手にした実験は，物理的実験に比べて，条件制御が難しいものです。それを考えると，今回の実験方法はよく考えられています。

実験結果の表し方もとても分かりやすいものでした。１日のうちのどの時間に水はねをしたのかを分かりやすく表しているので，１週間目と２週間目のデータの比較をしやすいです。誰が見ても，結果が一目で分かるよいまとめになっています。

# ぴったりうちわを探れ

丸山 紗楽（まるやま さら）
[筑波大学附属小学校 3年]

この研究は、自分にぴったりの風を起こせるうちわを作りたくて始めました。まず、自分にちょうどいい風を調べて、次に、どんな形や材料がよいのか、たくさん実験をしました。その結果から、うちわの風の法則がだんだん分かってきて、わくわくしました。出来上がったうちわは、軽くて、気持ちよい風を送ってくれます。ぜひ皆さんも、ぴったりうちわを探してみてください。

## 研究の概要

### 研究の動機・目的

暑がりの汗っかきで夏にうちわは欠かせない。今年は，成長とともに，いつも使っていたうちわが小さく感じるようになったので，母のうちわを借りてみた。しかし，大きすぎるためか，風が上手く当たらなかったり，うちわが体にぶつかったりした。きっと，人によって，自分に合ううちわは違うのだと思い，実験や観察を通して，自分にぴったりのうちわを探すことにした。

### 実験方法および結果

**実験１：どこに風が当たると涼しいか？**

**【実験方法】**うちわで全身に風を当て，体のどこに当てると涼しく感じるかを確かめる。

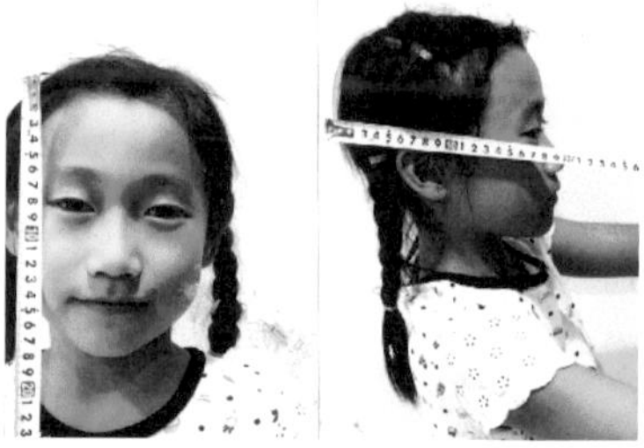

図１　実験１の結果

**【結果】**風が当たると涼しく感じるのは，頭のてっぺんから首の根本まで。うちわの風が当たるのは顔の横から。

頭から首……23 cm　横顔の幅……20 cm

※うちわで扇いだ風は縦 23 cm　幅 20 cm のところに当てればよい

**実験２：気持ち良い風の強さは？**

**【実験方法】**縦 23 cm × 幅 20 cm に合わせた風を測れる装置を作成。さらに分度器とスズランテープを使って風の強さをスズランテープの上がる角度で測るようにした。

**【結果】**強すぎず，弱すぎず，気持ち良いのは，40 度の風。

★うちわは，これまで通りの大きさが良いと思ったが，小さいとやはりたくさん扇がなくてはならない

図２　実験２の結果

図３　風を測れる装置

**実験３：大きさを変えると風は変わるか？**

同じ力でも，うちわの大きさが変われば風の強さは変わるはず。それを確かめるために，うちわの大きさを変えて起こせる風がどのくらい違うのかを調べた。

図４　半径の大きさを変えたうちわ

【実験方法】人の手の力ではどうしても力がバラバラになってしまうので，装置を製作。扇ぐ力が一定になるようにした。うちわは，半径 3 cm ～ 15 cm までのものを用意し，風の強さ（スズランテープが上がる角度）を測った。

【結果および考察】

表 1　実験 3 の結果

| 半径(cm) | 3 | 4 | 5 | 6 | 7 | 8 | 9 | 10 | 11 | 12 | 13 | 14 | 15 |
|---|---|---|---|---|---|---|---|---|---|---|---|---|---|
| 角度 | 8 | 10 | 15 | 19 | 25 | 29 | 33 | 40 | 45 | 49 | 54 | 58 | 62 |

図 5　半径と角度のグラフ

うちわの半径を大きくすれば，その分だけ風が強くなる。でも，大きなうちわは私には使えないので，次はうちわの材料を変える。

### 実験 4：材料によって風は変わるか？

【実験方法】扇ぐ力を変えずにうちわの材料を変えて風はどう変わるか調べる。

色々な材料で直径 20 cm の円を作って自動扇ぎ装置で風の強さを測る。手元からほおまでの距離（きょり）がちょうど良い直径 20 cm にした。

図 6　色々な材料のうちわ

【結果および考察】

段ボール，発泡（はっぽう）スチロール，スポンジシートなど，かたいものが強い風を起こせる。

表 2　実験 4 の結果

| 材料 | ダンボール | 発泡スチロール | コルク | ポリプロピレン板 | スポンジシート | 石板 | 厚紙 | ハンカチ |
|---|---|---|---|---|---|---|---|---|
| 角度 | 58° | 45° | 20° | 33° | 43° | 重すぎてうごかない。 | 38° | 8° |
| 重さ | 39g | 9g | 60g | 21g | 16g | 437g | 14g | 15g |

### 実験 5：うちわの形を変えて風の強さと幅を調べる実験を行った

【実験方法】面積が全て 144 $cm^2$ になるように正三角形，扇形，円を作り風の強さと幅を調べる。

【結果および考察】

※考察は図 7

表 3　実験 5 の結果

| 結果 | 扇形 | | | | | | 円 | 正三角形 | |
|---|---|---|---|---|---|---|---|---|---|
| 形 | ① | ② | ③ | ④ | ⑤ | ⑥ | ⑦ | ⑧ | ⑨ |
| 角度 | 51° | 45° | 41° | 35° | 34° | 30° | 43° | 43° | 23° |
| 幅(cm) | 11 | 14 | 15 | 18 | 19 | 21 | 13 | 17 | 14 |

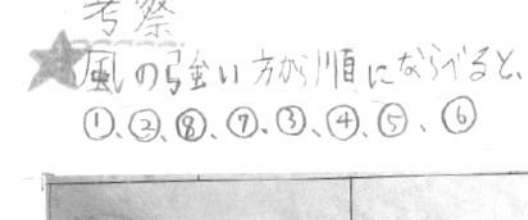


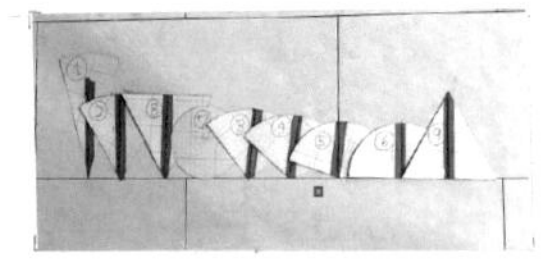

図 7　実験 5 の考察
たてに長いほど風が強いことがわかった

## 考察

私にちょうどいいうちわは，直径 20 cm の発泡スチロールのものだった。使いやすくて涼しいうちわだった。自分にぴったりなうちわを探す様々な実験を通して，色々な特徴を持つうちわを作れることが分かった。

# 作品について

暑い夏に自分にぴったりのうちわを探すという着眼点がユニーク。涼しく感じるために，風はどこに当たると良いのか，その場所にどのくらいの強さの風が当たると良いのか，そのためにはどのように扇ぐと良いのか……と一つの問題を解決するたびに新しい疑問が次々と生まれています。問題を解き明かすたびに生まれる疑問に，一つの答えでは満足せず，さらに追究しようという意欲を感じます。

図８　自動扇ぎ装置

特筆すべきは，疑問を明らかにしていく２つの実験装置。一つは巨大な分度器とスズランテープを使い，テープが舞い上がる角度で風の強さを表すことができる。曖昧な風の強さを数値にすることで，風の強さを比較することが可能になっています。

もう一つは，うちわで扇ぐ力が人によって違ってしまい，比べることが困難になるので，お父さんと作った自動扇ぎ装置（図 8）。この装置で，疲れることなく，同じ強さで扇ぐことができるようになります。どちらも疑問を解き明かすのに必要になった時点で装置を製作していたのが良いですね。

このように，大きさ，形，面積，材質を変えて，様々なうちわが作る風について徹底的に調べたからこそ，「直径 20 cm の発泡スチロールのうちわが自分にぴったりだった」という結論を導き出せたのでしょう。

実験で調べた結果を表に表すだけでなく，グラフを作成し，そこから考察や結論を導き出す姿勢も素晴らしいです。表では見えにくかったものも，グラフにして視覚的にとらえやすくすることで，考えをより分かりやすく伝えることができています（右グラフはうちわの縦の長さと風の強さの関係を表したもの）。

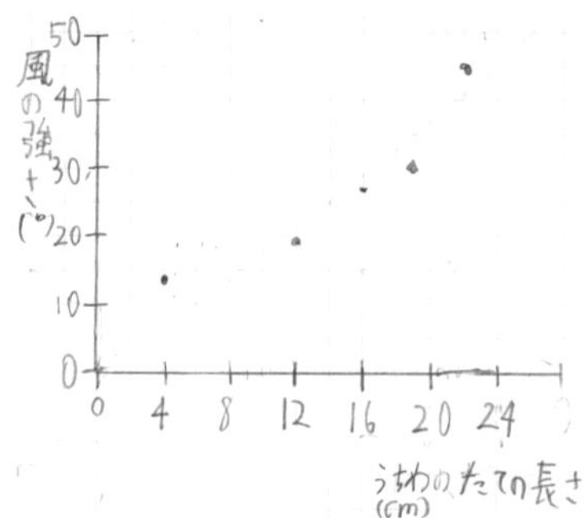

図９　うちわの縦の長さと風の強さのグラフ

作品の最後に，うちわの骨や持ち手，長持ちについてなど，今回の調査では足りなかったものを挙げています。さらに追究したいという思いの表れです。

一つひとつの実験を根気よく行ってきたその素晴らしさで，これからも研究を継続させていってほしいと感じています。

# ザ・塩 Part3

加藤 恵硫（かとう めぐる）
［刈谷市立住吉小学校 5年］

3年生から塩の研究を続けてきた。塩の結晶作りは大失敗に終わった。夏休みの時間だけでは少ないと感じた。観察する時間を少し長くしてみた。その時見た事もない事が起きていた。いつもの塩ではない感じがした。それから毎日塩の変化を観察するのが楽しくなった。
変化のない物を毎日観察すると、おどろきを発見できた。

## I 研究の概要

### ア 研究のきっかけ

塩の結晶（けっしょう）作りに失敗し，1年間塩水の観察を続けてみたところ，月日が経つと大きな結晶がコップの中にできていた。さらに，塩が生き物のようにコップの内側を登り，外へあふれ出していた（図1）。このような現象から，なぜ生き物でない塩が，コップの内側を登れるのかについて調べることとした。

図1　コップにできた塩が外にあふれ出す様子

### イ 確かめること

塩水は，どうしてコップの外まではみ出るのか。また，塩水以外でも，塩水と同じようにコップからはみ出るのか。以上の2点について調べていく。

### ウ 実験1とその結果

塩水以外のものとして，コーヒーとアクエリアスを準備し，それぞれのコップがどのように変化するのかを観察した（図2）。

図2　実験1で準備した塩水，コーヒー，アクエリアス

実験の結果，1日目では，塩水とアクエリアスのコップのかべに，粒（つぶ）が見られた。それ以降，塩水のコップでは，1日目に見られた粒が，どんどん大きくなっていく様子が観察できた（図3）。しかし，アクエリアスのコップとコーヒーのコップについては，粒が見られるようになったものの，粒の大きさは塩水ほどの大きな変化は見られなかった。

【1日目の様子】　【2日目の様子】　【5日目の様子】

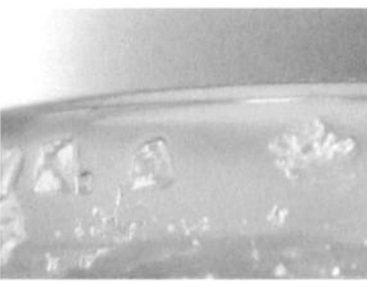

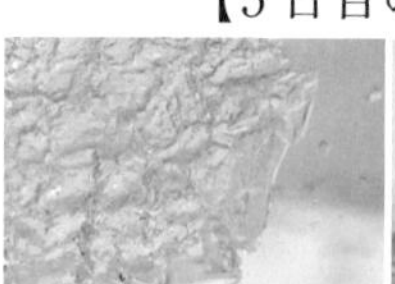

図3　1，2，5日目の様子

また，塩水の結晶が大きくなった段階で，結晶を見たり触（さわ）ったりしながら観察してみると，結晶とコップのかべの間がぬれている状態であったことが確認できた。このことから，塩水がコップと結晶のすきまを登っているのではないかと考え，

・塩水のコップの中に絵の具で色を付けてコップのかべと結晶の間を登っているのかを確かめる実験
・水をはじく油をコップのかべにぬり，塩の結晶が登ってくるかを確かめる実験

という2つの実験を行うこととした。

## 実験２（塩水に色を付ける実験）とその結果

【５分後の様子】

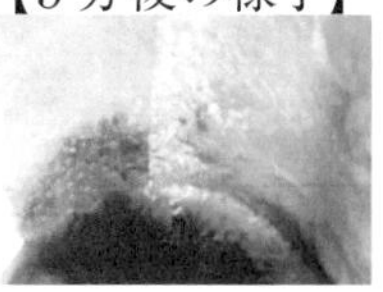

図４　実験２の様子

塩水に色を付け，コップにどのような変化があるかを観察したところ，わずか５分で結晶に色が付いた。色が付いたのは，結晶とコップのすきまだけだった（図４）。

## 実験３（コップのかべに油をぬった実験）とその結果

塩水を入れたコップのかべに油をぬって，観察を続けたところ，10日目になっても，塩の結晶が登ってくる様子は観察できなかった。

## 考察

これらの実験から，塩の結晶がコップの上のほうへ登ってくる現象について，次のような説明ができる。

図５　塩の結晶がコップの上のほうに登ってくる様子

コップの中の塩水が①上にまでくる。そして，②水がかわき，③とけていた塩が結晶になって，コップのかべにくっつく。これらを①→②→③の順番にくり返していき，コップの外側へあふれると言える。

また，アクエリアスとコーヒーの塩水以外のものについては，結晶はできたものの，20日を過ぎても，小さな結晶がコップのかべにできただけだった。

## 実験４（コップに人工的なすきまを作った実験）とその結果

コップのかべと結晶のすきまを塩水が登っていくことが分かった。そこで，キッチンペーパーで人工的にコップのかべにすきまを作り，塩水が登っていくかどうかを観察することとした。同様の実験をアクエリアスとコーヒーで行った。

図６　実験４のアクエリアスとコーヒーの様子

実験の結果，アクエリアスとコーヒーは，キッチンペーパーを入れても，塩水が登ってくることはなかった。

しかし，塩水は１日もかからずにすごい速さでコップから塩がはみ出てきた（図７）。

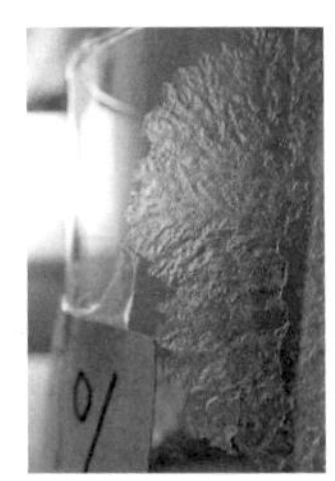

図７　実験４の塩水の様子

# 作品について

塩水に見られた面白い現象の謎を解き明かした研究です。塩水が，生き物のようにコップの上のほうに登っていく現象を取り扱っていますが，このような現象を見つけるために，1年もの間，塩水の観察を続けています。これは，並大抵のことではなく，塩への強い関心がうかがえます。塩の研究は，塩の結晶のことを取り扱った実験をはじめとしてたくさん見られますが，このような根気強い観察の結果，見出された現象について取り組んだ研究は他になく，研究の独自性があると言えます。

このような現象の謎を解き明かすための方法として，塩水以外のコーヒーやアクエリアスといった他の飲み物を使用して実験を行っています。これにより，生き物のように上のほうに登っていく現象は，塩水のみに見られることを明らかにしています。そして，塩水の結晶の様子を単に見るだけの観察にとどめず，触ってみて確かめることで，上に登っていく現象の解明のきっかけとなる，塩の結晶とコップのかべの間がぬれていることを見つけています。このような鋭い観察眼も，この現象の解明につながっています。そして，その発見から，塩水がコップと結晶の間を登っているのではないかという予想に基づき，複数の実験で確かめようとしています。具体的には，塩水に色を付け，実際に塩水がコップのかべと結晶の間を登っていくことを可視化させて確かめるだけでなく，コップのかべに油をぬって水をはじくようにすると，塩水がコップのかべを登らなくなるという実験を行っています。このような複数の実験により，現象の解明をより確かなものにしており，優れた追究をしている研究であると言えます。

さらに，塩が生き物のように上に登っていく現象を実験で解明するだけでなく，人工的にすきまを作り，塩水が上に登っていく現象をより早く再現することにも成功しています。このようなことから，塩水に見られた現象の解明という基礎的な研究から，人工的にすきまを作って，塩の結晶がより早く生き物のように上に登っていく現象を再現させるという応用的な研究へと発展していることも，この研究の優れた部分であると言えます。

塩への強い関心から生まれたこのような優れた研究を今後も継続し，研究する力を高めていって，「科学の芽」をますます育てていってほしいと思います。

# カレーのカビが生える条件を調べよう

金城 凜子（かねしろ りんこ）
[私立洛南高等学校附属小学校 5年]

夏はカレーにカビが生えやすい。条件を変えればカビの生え方は変わるのかと考えました。辛さ・温度・具の種類・保存料などの違いでカビ方に差があるか調べてみました。
臭くて大変でしたが、実験結果から夏はじゃがいもなしの辛口ルーをオススメします。又、保存料なしルーは腐りやすい分、体に良い事が分かりました。

# I 研究の概要

## 研究の動機・目的

梅雨の時期，カレーにカビが生えてしまい食べられなくなった。テレビでは1日1回火にかけないと食べられなくなると言っていた。そこで，腐(くさ)りにくいカレーはどんな材料で作ったのか，どのように保管したのかを調べてみることにした。

## 実験と結果

### 【実験1：具材や保管場所とカビの生える様子を調べる】

3種類のカレールー（保存料なし甘口(あまくち)，甘口，辛口(からくち)）にそれぞれ肉，肉＋玉ねぎ，肉＋じゃがいも，肉＋にんじん，肉＋玉ねぎ＋じゃがいも＋にんじん（全て）の材料を入れて作る。それぞれ常温（室温30℃，湿度(しつど)65％），冷房室(れいぼうしつ)（室温25℃，湿度40％），冷蔵庫（室温5℃，湿度20％）に保管し，何日でカビが生えるか，どんなカビが生えるかを観察する。予想では，常温保存料なし→常温甘口→常温辛口→冷房室保存料なし→冷房室甘口→冷房室辛口→冷蔵庫保存料なし→冷蔵庫甘口→冷蔵庫辛口の順にカビが生えると考えた。具材では，肉入りカレーはカビが生えにくく，全て入っているものが一番カビは生えやすく，玉ねぎ，じゃがいも，にんじん入りはカビの生えやすさは同じくらいだと考えた。

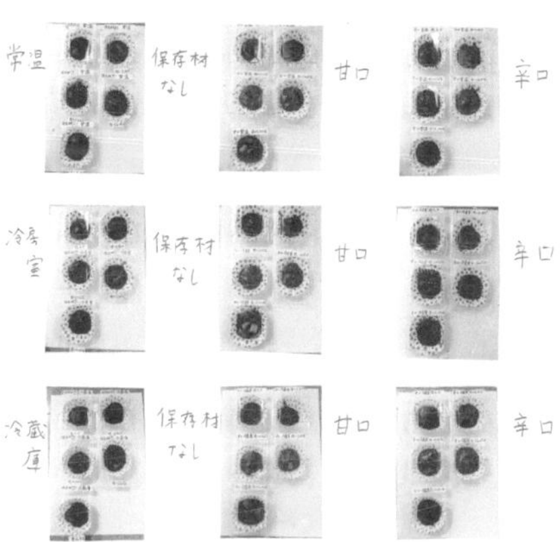


図1　上記の種類を6時間かけて作る

### (1) 常温で保管した結果

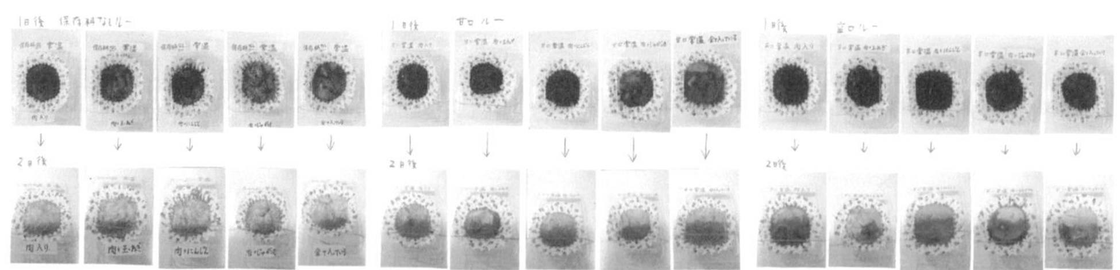

図2　実験1の常温の結果

18時間後から保存料なしのじゃがいも入りと全ての具入りのカレーからカビが生え始めた。見た目が大きく変化したのは24時間後ぐらいだった。辛口カレーだけは，36時間後くらいから見た目が変化した。

表1　常温の結果

| 常温 30℃ 65% | 1日後（24時間後） | 2日後（48時間後） |
|---|---|---|
| 肉 | 保存料なし → 変化なし<br>甘口 → 変化なし<br>辛口 → 変化なし | 保存料なし → 表面に白いカビ<br>甘口 → 表面に白いカビ<br>辛口 → 表面に[illegible]白いカビ |
| 肉＋玉ねぎ | 保存料なし → 少しだけカビ<br>甘口 → 変化なし<br>辛口 → 変化なし | 保存料なし → 表面に白いカビ<br>甘口 → 表面に白いカビ<br>辛口 → 表面$\frac{1}{2}$に白いカビ |
| 肉＋にんじん | 保存料なし → 少しだけカビ<br>甘口 → 変化なし<br>辛口 → 変化なし | 保存料なし → 表面に白いカビ<br>甘口 → 表面に白いカビ<br>辛口 → $\frac{1}{2}$青いカビ＋$\frac{1}{2}$白いカビ |
| 肉＋じゃがいも | 保存料なし → 表面全体にカビ<br>甘口 → 少しだけカビ<br>辛口 → 変化なし | 保存料なし → 表面に白いカビ（多）<br>甘口 → 表面に白いカビ（多）<br>辛口 → 表面$\frac{1}{2}$に白いカビ |
| 全て入っている | 保存料なし → 表面$\frac{1}{2}$にカビ<br>甘口 → 表面$\frac{1}{2}$にカビ<br>辛口 → 変化なし | 保存料なし → 表面に白いカビ（激多）<br>甘口 → 表面に白いカビ（激多）<br>辛口 → 表面に白いカビ（多） |

### (2) 冷房室で保管した結果

カビは3.5日くらいから生え始め，見た目が大きく変わったのは4日後くらいだった。甘口と辛口は冷房室の1段目に，保存料なしは2段目に置いた。1段目のカレーにカビがたくさん生えた。

表2　冷房室の結果

| 冷房室 25℃ 40% | 4日後 | 5日後 |
|---|---|---|
| 肉 | 保存料なし→変化なし<br>甘口→白いカビが数ヶ所<br>辛口→白いカビ3ヶ所 | 保存料なし→変化なし<br>甘口→白いカビが数ヶ所(大)<br>辛口→白いカビが(多) |
| 肉+玉ねぎ | 保存料なし→変化なし<br>甘口→白いカビが2ヶ所<br>辛口→白いカビがぽつぽつ | 保存料なし→変化なし<br>甘口→白いカビが数ヶ所(大)<br>辛口→白いカビが(激多) |
| 肉+にんじん | 保存料なし→うっすら白いカビ<br>甘口→白いカビがぽつぽつ<br>辛口→白いカビ1ヶ所 | 保存料なし→本に白いカビ<br>甘口→白いカビが(激多)<br>辛口→白いカビが$\frac{1}{3}$ |
| 肉+じゃがいも | 保存料なし→すにうすら白いカビ<br>甘口→うっすら白いカビ<br>辛口→白いカビがぽつぽつ | 保存料なし→すにに白いカビ(大)<br>甘口→うっすら白いカビ(大)<br>辛口→白いカビ(激多) |
| 全て入っている | 保存料なし→表面白いカビ<br>甘口→うっすら表面に(多)<br>辛口→うっすら白いカビ | 保存料なし→表面に白いカビ(多)<br>甘口→表面に(激多)<br>辛口→表面に白いカビ(多) |

### (3) 冷蔵庫で保管した結果

冷蔵庫で保管したカレーは10日経ったが，どの具材のルーもカビは生えてこなかった。

表3　冷蔵庫の結果

| 冷蔵庫5℃ 20% | 7日後（写真はなし） | 10日後 |
|---|---|---|
| 肉 | 保存料なし→<br>甘口→変化なし<br>辛口→ | 保存料なし→<br>甘口→変化なし<br>辛口→ |
| 肉+玉ねぎ | 保存料なし→<br>甘口→変化なし<br>辛口→ | 保存料なし→<br>甘口→変化なし<br>辛口→ |
| 肉+にんじん | 保存料なし→<br>甘口→変化なし<br>辛口→ | 保存料なし→<br>甘口→変化なし<br>辛口→ |
| 肉+じゃがいも | 保存料なし→<br>甘口→変化なし<br>辛口→ | 保存料なし→<br>甘口→変化なし<br>辛口→ |
| 全て入っている | 保存料なし→<br>甘口→変化なし<br>辛口→ | 保存料なし→<br>甘口→変化なし<br>辛口→ |

### 【実験2：1日1回火にかけたときと，そうでないときのカビの生える様子を調べる】

1日1回火にかけたものと，ずっと冷蔵庫で保管したものでは，火にかけずに冷蔵庫に保管した保存料なしのルーと甘口ルーでカビが生えると予想していた。結果は，冷蔵庫に保管していたものも，火にかけたものもカビが生えなかった。

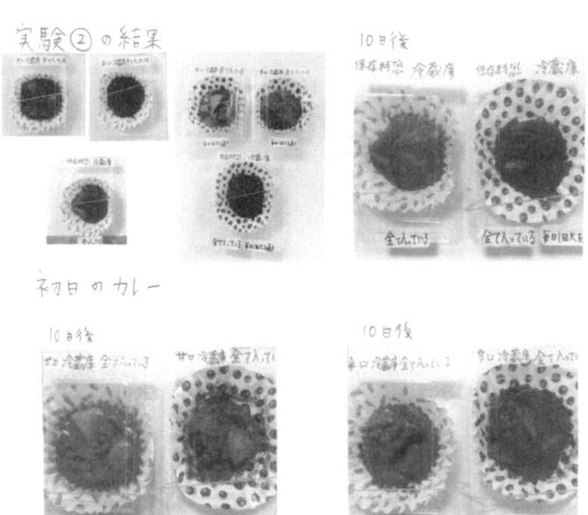

図3　実験2の結果

### 考察

野菜が入っているものはカビの発生時期は同じだと思っていたが，じゃがいも入りは生えやすい。じゃがいもにはデンプンと糖質というカビの好物の栄養分が含まれていることが分かった。辛口ルーには，とうがらしの成分のカプサイシンとコショウが多く含まれており，その成分（香辛料（こうしんりょう））がカビの発生を抑制（よくせい）しているのではないか。冷蔵庫で保管しているものは10日経ってもカビが生えなかったので，室温5℃湿度20%という条件がカビの発生を抑（おさ）えていることが分かった。1日1回火にかけたカレーは水分が蒸発し色が濃くなった。カビの好きな水分が減ることで，カビは生えにくいのではないか。今回調べた結果，夏場のカビが生えやすい時期にはじゃがいもを入れずに辛口ルーを使うと腐りにくいこと，保管するときは冷蔵庫に入れ1日1回火にかけるのがよいことが分かった。

# 作品について

梅雨の時期にカレーにカビが生えてしまった。そんな日常の出来事をきっかけに実験を始め，ルーを変えたり具材を変えたりしながら実験しているところが面白かったです。

概要（がいよう）のカレーの写真は一部ですが，実験した全てのカレーを写真にとっていて，そこからもカビの増えていく様子がよく分かりました。結果を写真だけでなく表にもしたことでより分かりやすくまとめられていて，適切に記録し，表現できていることが素晴らしいです。

冷房室での結果が常温での結果と違（ちが）っていたときに，自分なりに理由を考察していたところにも感心しました。置く段数が違えば高さや周りの環境（かんきょう）も変わることがあります。金城さんは近くに置いてあった甘口カレーと辛口カレーを同じ段に置いたことで，写真撮影（さつえい）のときなどにカビが入ったのではないかと考えていました。これは，カビについて自分なりに調べたからこそもてる考えです。「カビは子孫を残すために胞子（ほうし）を飛ばす」ということを知り，その知識をつかって実験結果を考察できていました。さらには，カビの発生条件は温度，酸素，湿度，栄養分に関わるということを調べていたからこそ，じゃがいも入りのカレーでカビが生えやすいということ，冷蔵庫ではカビは生えにくいということを，実験した結果と，調べて得た知識を結び付けて考えられたのでしょう。

ルーを選ぶ際に，甘口と辛口以外に，保存料の入っていないルーを選んでいました。保存料のないルーはカビが生えやすいという予想を立て，実験で確かめたことで，やはりこうしたルーはカビが生えやすいけれど，それは体には安全だということを考察していました。カレーひとつを作るにしても，体への安全をとるか，保管しやすさをとるか，考えさせられるところです。

日本の夏は気温も湿度も高いからこそ，1日1回火にかけるだけでなく，ルーや具材選びも工夫する，という発想は，夏にカレーを作り置きするときの新たな視点です。暑い夏においしいカレーが安心して食べられる，日常で大いに生かしていける発見ができましたね。

# 継母のひみつ。

村上 智絢（むらかみ さあや）
[私立洛南高等学校附属小学校 5年]

クロオオアリは、女王アリと娘の働きアリたちだけで暮らしています。1つのコロニーには実の親子しかいません。血縁と親子の関係を実験してみると、女王アリは誰の子供でも大切に育て、アリは血縁よりも一緒に暮らすことで家族になることがわかりました。
アリたちは栄養交換で、養分だけでなく「愛情」も交換しているのではないかと思います。

## I 研究の概要

### 研究の動機・目的

クロオオアリの女王アリを15匹もらい，女王アリを同じ巣で2匹ずつ飼うことにした。一緒にするとすぐに女王アリが大げんかをしたので，1匹ずつに分けて育てることにした。そのとき，どちらの女王アリの子どもか分からなくなったが，女王アリたちは普通に子育てしていた。途中で2匹の女王アリが死んでしまったので，他のコロニーに卵や幼虫を入れたところ，他の女王アリの子どもであるにも関わらず，卵も幼虫も自分の子どものように育てていた。

そこで，女王アリは実子（自分で産んだもの）も養子（他の女王アリが産んだもの）も分け隔てなく育て優しい継母になるか，「シンデレラ」のように姉妹と一緒に養女をいじめるのか，また，養子の働きアリは産みの親を覚えていて「みつばちハッチ」のような感動のご対面をするのか，調べることにした。

### 実験と結果

アリの見分けをつけるために巣に消しゴムを入れ，その名前で管理する（緑ポスト，青ジンベイ，さる，くま，ピンクジンベイ，青ウミガメ他）。

**【実験１：実子と養子を混ぜると，継母は育てるか】**

女王アリがなくなってしまったコロニーの卵や幼虫，繭を他のコロニーに入れてみる。女王アリにとっては実子か養子のどちらを育てているか分からないが，どちらも分け隔てなく育てることが分かった。

図１　脱皮の手伝いをする緑ポスト

図２　子育てをする青ジンベイ

実子と養子が混ざったから育てたのではないかと考え，実験２をすることにした。

**【実験２：養子だけを，継母は育てるか】**

コロニーの卵，幼虫，繭を全部入れ替え，養子の子育てを女王アリがするか観察する。結果は，入れ替えてすぐに卵，幼虫，繭とも全員育てていた。１週間経っても，養子の数は見たところ減っていなかった。

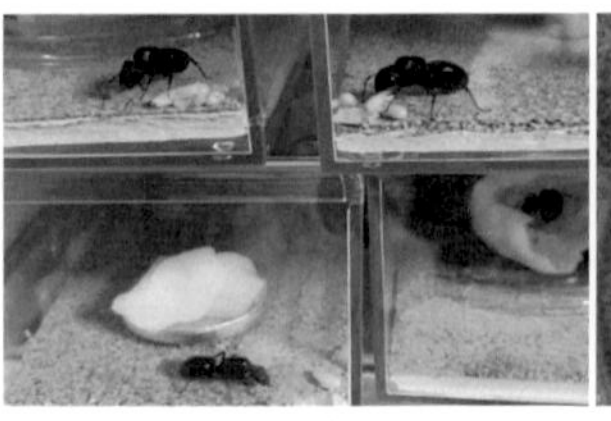

図３　４匹とも子育てをしている

図４　子育てをするくま

**【実験３：女王アリは，実子と養子を見分けられるか】**

コロニーの卵を半分入れ替えると，実子養子ともに区別なく育てていた。

**【実験４：養子に出した働きアリを，実母は覚えているか】**

卵を全て入れ替えたコロニーの働きアリに色をつけて，実母と養子のコロニーに戻(もど)すことで，女王アリが覚えていて実母と継姉妹と一緒に暮らすか観察した。実子を１匹戻したところ，入れた直後からずっと逃(に)げまどい，実子は継姉妹たちに攻撃(こうげき)されて次の日には殺されてしまったが，女王アリは無反応だった。女王アリは攻撃していなかったので，女王アリは実子を覚えているのではないかと考えて実験５を行うことにした。

図５　色を塗ったさるの働きアリ

図６　殺されてしまった

**【実験５：実子と実母だけで対面させる】**

卵を全て入れ替えたコロニーの女王アリを交換(こうかん)する（女王アリと実子の正しい組み合わせに戻す）。２コロニーで観察したところ，２コロニーとも，女王アリと働きアリは，はじめうろたえていたが，女王アリの近くにくると感動のご対面をして，すぐに栄養交換をした。働きアリは実母を覚えていた。この実験から，コロニーの違(ちが)うアリを見分けているのは働きアリだけで，女王アリは誰の子でも育ててくれるのではないかと考えた。

図７　感動の親子の再会

図８　ピンクジンベイも栄養交換

**【実験６：血のつながらない母子を対面させる】**

実験５と結果は同じで，栄養交換をして仲良くなった。働きアリは実母を覚えているわけではなかった。

図９　青ウミガメの栄養交換
入ってすぐに栄養交換をした

## 考察

女王アリは実子・養子の区別なく大切に子育てすることが分かった。女王アリが入れ替わったときも，入れ替わったことに気付いたが，攻撃しようとはせず栄養交換をした。今までコロニーの違う働きアリを入れると殺されてしまうことは知っていた。コロニーの違いで攻撃するのは働きアリだけで，意地悪なのは継姉妹だと分かった。サムライアリにコロニーを乗っ取られてもオオヤマクロアリは受け入れるので，働きアリは女王アリが変わったことに気付いても仲良くなるのではないか。「みつばちハッチ」みたいにお母さんを探し，再会してお母さんが分かる働きアリはいなかったし，「シンデレラ」みたいに養子をいじめる継母もいなかった。アリの社会は血のつながりは関係なく，育ての親でも産みの親でもなくて，一緒に暮らしたら本当の親子になれることが分かった。

# 作品について

1年生からアリを飼ってきた村上さんだからできる，アリへの愛着にあふれた研究です。たくさんもらった女王アリを2匹ずつ飼うことにしたけれど，けんかを始めたところから研究がスタートします。アリの様子をよく観察していたからこそ，けんかに気付くこともできたのでしょう。そこで分けてあげることにしたものの，どれがどちらの卵か分からない。そこで実子と養子という発想が生まれています。女王アリの立場になった発想で，個性が光ります。

実験を進めながら新たな疑問をもち，次の実験に取り組んでいきました。試してみて分かることや考えることは多いですが，結果から生じた疑問をもとに，実験をして記録をとっていくところに感心しました。とくに，実母のところに実子を戻した際に，継姉妹の働きアリに攻撃されますが，実母は攻撃しなかったところをしっかりと観察していました。ここで，「実母と実子だけならば覚えているかもしれない」と次の実験をしています。じっくり観察できているからこそ湧(わ)いてきた疑問ですね。概要(がいよう)には載(の)せきれなかったことがあります。関西大学の北條准教授(ほうじょうじゅんきょうじゅ)に女王アリについて質問をしていたことです。専門家に聞くことは，勇気のいることですが，聞いたことで女王アリや働きアリのとった行動の理由を説明することができました。また，村上さんの実験によって，働きアリが実母でも育ての親でもない女王アリを受け入れたという，説明できない現象を発見することができました。疑問をもち追究を続けたことが，新たな現象の発見につながったのでしょう。

15匹もの女王アリを観察し，他の女王アリでは子育てするのに，なぜか働きアリが死んでしまう（殺してしまったのではとも考えた）巣がありました。継続(けいぞく)して観察したことで，その巣の女王アリは，子育てが苦手なのだろうと，村上さんは考えています。他の女王アリと比べながら働きアリが死んでしまった理由を考える，この「比べる」視点は科学では大切なことです。

また，「人間でも……」と考えをつなげ，私たち人間の生活と照らし合わせているところもこの研究の面白さです。

# スーパーボールを水面で弾ませたい！パート3

坂崎 希実（さかざき のぞみ）
[多治見市立根本小学校 5年]

スーパーボールを水面で弾ませたいと思い、一昨年から研究を続けてきました。何度も失敗し、落ち込むこともありました。でも、あきらめずに続けた結果、スーパーボールを水面で弾ませることができました。
何度もスーパーボールを飛ばし、集めなくてはいけないので大変でしたが、弾みやすい条件が分かり満足しています。

# I 研究の概要

## 研究の動機・目的

お風呂の床ではよく弾むスーパーボールが湯船では弾まないことに疑問を感じ，水面でスーパーボールを弾ませることはできないかと，一昨年より追究を続けている。昨年は，おもちゃの弓矢を使った発射台で，スーパーボールを水面で弾ませることができた。発射台の力がスーパーボールに上手く伝わることと，投げ込む角度が重要であることがよく分かった。3年目となる今回の実験では，発射台の力がスーパーボールに上手く伝わるように改良し，水面と平行にスーパーボールを勢いよく飛ばし，球体のスーパーボールよりも厚みを薄くしたスーパーボールがよく弾むことを証明する。

## 実験方法および結果

どのような発射台を使うと良いかを思案していたところ，所属する「小泉ジュニア卓球クラブ」で使用されていた卓球マシンから出てくる玉の回転の変化，スピードの変化に気付いた。スーパーボールもこのように飛び出すスピードを速くすれば，発射台から水平に玉が飛び出すのではないかと思い，卓球マシンの動く様子を観察し，発射台を作ることにした。

図１　卓球マシン

厚さの違うスーパーボール（図3）を製作した発射台で飛ばしながら，モーターを変えるなどの改善を重ねた。ラジコンで使用されているモーターを使用し，発射台3号ができあがった（図2）。発射台3号の実験では，予想に反して厚さ1.5 cmのスーパーボールの距離が長く，安定した飛び方をしていた（図4）。

図２　発射台３号

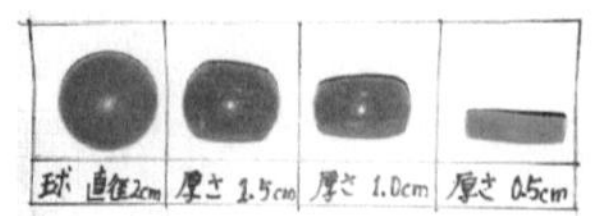


図３　実験に使ったスーパーボールの形

これは，モーターのパワーが伝わりやすいサイズの物が安定して飛び，水面で弾みやすいのではないかと考えた。そこで，私の予想である「スーパーボールの厚さを薄くしたほうがよく弾む」を証明するために追加で実験を行うことにした。

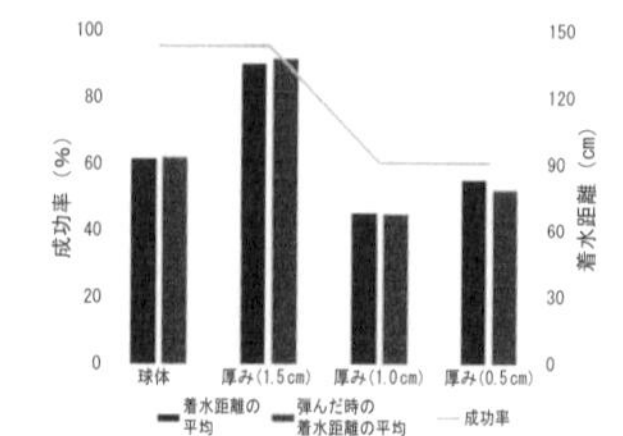


図４　発射台３号
厚さごとによる平均距離と弾んだ割合

昨年の「科学の芽」賞の表彰式で京都の高校の生徒の皆さんが水切りをする際は，底が平らよりも丸いほうが良い結果が出たと話していたので，スーパーボールの上のみを平らにして実験を行った（図5）。その結果，弾む成功率，着水距離は表のようになった（表1）。

図5　実験に使ったスーパーボールの形

この結果から，着水距離が長ければ弾む成功率が高くなるわけではないことが分かった。また，上下を平らにしたスーパーボールと比較すると，厚さ1.0 cm，0.5 cmでは底が丸いほうがよく弾むという結果になった。これは，京都の高校生の研究と同じ結果となった。しかし，厚さ1.5 cmのスーパーボールでは，上下を削ったもののほうがよく弾むという結果となった。着水距離については，15 cm前後の差があるだけであった。

表1　弾む成功率と着水距離

| 厚さ（cm） | 1.5 | 1.0 | 0.5 |
|---|---|---|---|
| 成功率（%） | 55 | 75 | 60 |
| 着水距離（cm） | 111.3 | 76.4 | 74.0 |

次に，京都の高校生の研究によると，水面に入るときの角度と出るときの角度が関係すると述べられていたため，スーパーボールの形を変えて実験した。

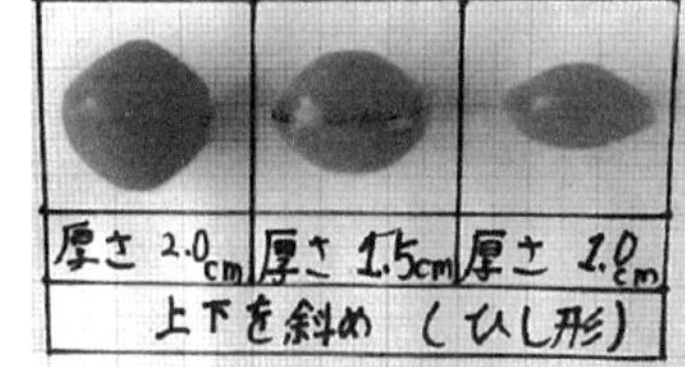


図6　実験に使ったスーパーボールの形

上下を斜めにしたひし形のスーパーボール（図6）は，厚さ1.0 cmのものが着水距離が長かったものの，弾む成功率はすべて95％であった。ひし形のスーパーボールは，厚みは関係ないということが分かった。ひし形に削ったスーパーボールの弾む成功率が高いのは，水面に滑るように入り，滑るように出ていくからだと考えた。

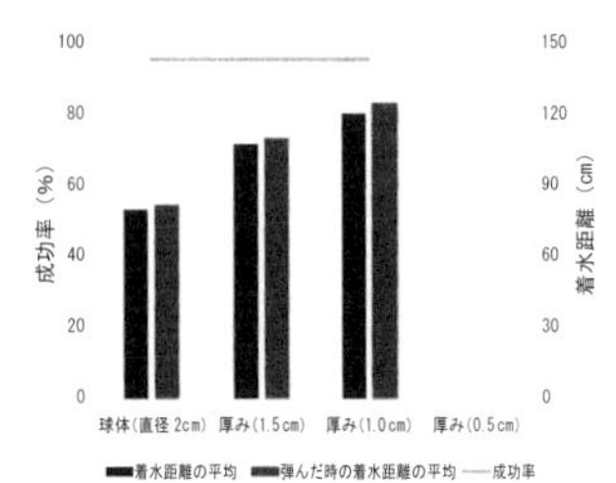


図7　発射台3号
厚さごとによる平均距離と弾んだ割合

この後，上は平らで底を斜めにしたスーパーボール（図8）でも試したところ，厚さ1.5 cmのものは100％の成功率となった。

## 考察，感想

スーパーボールを弾ませたいと思い，3年生から続けてきた。途中で何度も失敗したが，あきらめずに続けた結果，スーパーボールを水面で弾ませることができた。弾みやすい条件や，形についても調べることができ，満足している。何度も飛ばし集めるのは大変であったが，今はすがすがしい気持ちである。これからも生活で感じた疑問をテーマに実験し，調べていきたい。

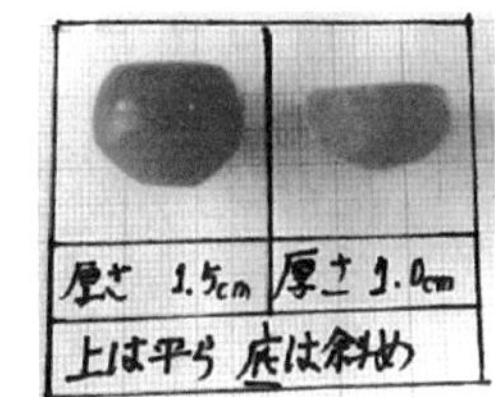


図8　実験に使ったスーパーボールの形

# 作品について

小学校 3 年生から 3 年間の研究をついにまとめあげたこの研究は，何よりも粘り強い追究にその特徴があります。スーパーボールを発射するための発射台を試行錯誤を繰り返しながら作り，それを使って何度も何度もスーパーボールを発射する。発射した数だけ，スーパーボールを拾っているはずなので，20 回ずつ行った本研究では，発射しては拾い，拾っては発射するという作業を少なくとも 600 回以上行っています。その間に，上手くいったと感じたときの喜びや，思うような結果が出ないときの苦悩があったのかと思います。その飽くなき探究心に敬意を表します。

図 9　手作りプール

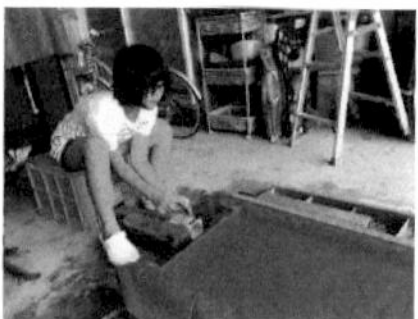

図 10　実験の様子

また，発射台だけではなく，実験のためにプールを自作したところも素晴らしい。スーパーボールの形だけを変え，他の条件は極力同じにして実験を行いたいという思いがこの手作りプールや実験の様子に表れています。

また，前頁では紹介できませんでしたが，最後の実験に学校のプール（長さ 12 m）を借りて調べています。これまでの実験成果をもとにしながら選んだ 9 種類のスーパーボールで，何度弾んだのか，弾んだ際の着水距離，着水するときの角度など，詳細に調べたところは圧巻です。動画を撮影し，スロー再生やコマ送りを使って弾むときの角度まで調べる方法は，ICT 機器も活用した素晴らしい分析です。

図 11　小学校のプール

図 12　実験の様子

表 2　弾んだ割合，跳ねた回数，平均距離

| | 球体（直径2.0cm） | 厚さ1.0cm | | | | 厚さ1.5cm | | | |
|---|---|---|---|---|---|---|---|---|---|
| スーパーボールの形 | 直径2.0cm | 上下，平ら | 上平　下丸 | 上平　下斜め | ひし形 | 上下，平ら | 上平　下丸 | 上平　下斜め | ひし形 |
| 成功率(%) | 40 | 70 | 70 | 85 | 85 | 90 | 30 | 95 | 85 |
| 水面で跳ねた平均回数（回） | 2 | 3 | 2 | 4 | 3 | 3 | 3 | 2 | 2 |
| 着水距離の平均（cm） | 276 | 305 | 291 | 232 | 270 | 246 | 244 | 223 | 198 |
| 跳ねた時の着水距離の平均（cm） | 269 | 299 | 299 | 238 | 291 | 245 | 228 | 222 | 203 |
| 弾まなくなった距離の平均（cm） | 435 | 598 | 526 | 544 | 587 | 465 | 448 | 397 | 415 |

最後に研究を始めたきっかけに立ち返り，湯船で実際にスーパーボールを弾ませる最終実験をして，研究の目的を達成させたことも素晴らしいと思います。

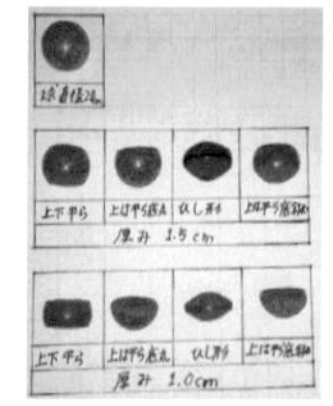

図 13　小学校プールで使ったスーパーボールの形

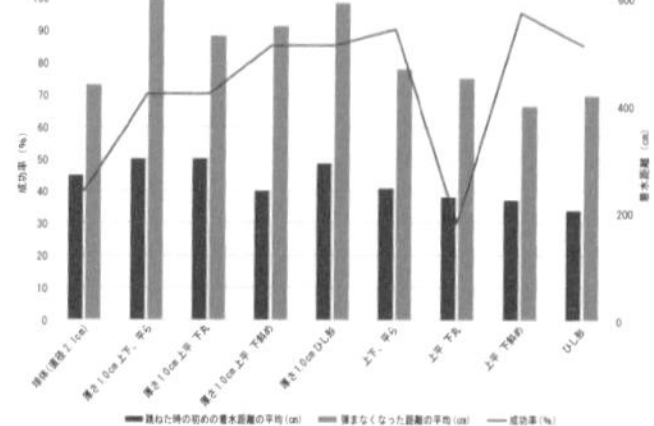

図 14　発射台 3 号　小学校プール形ごとによる平均距離と弾んだ回数

# 天下一の『通し矢』の記録を生み出した三十三間堂の秘密

## ～120mの距離を射通す驚異の成功率の謎を解く～

雨宮（あめみや） 龍ノ介（りゅうのすけ）
［筑波大学附属小学校 6年］

三十三間堂の軒に刺さった1本の矢を発見し、「何だろう?」「いつからあるのだろう?」と興味がわき、江戸時代に行われた『通し矢』についての謎を解明したいと思い、実験を行いました。
最大の謎は、なぜ広い鴨川の河川敷ではなく狭い三十三間堂の縁側で行ったのかということでした。
ぼくの推測ですが、三十三間堂が選ばれた理由は、様々な周囲の環境により無風状態になるからです！

## 研究の概要

### 研究の動機・目的

図1　三十三間堂
長さ120 m，軒下から床までの高さは5.5m，縁側の幅は約1 m。とても長細い空間で矢を射るので，座って射るほうが良かったのかもしれない

京都の三十三間堂を訪れ，江戸時代の「通し矢」を見つけた。「通し矢」とは，24時間，三十三間堂の西側の縁側で幅1 mの空間から矢を射り，120 m先の的に何本当たったかを競う競技であった。よく調べてみると，6秒ごとに1本ずつ矢を射るほどの速さで，合計1万本も射られていることが分かった。しかし，どうして三十三間堂で行われたのか知りたくなり，実験をして調べることにした。

### 調査1

三十三間堂にどのような風が吹き込むかを，気象庁の58年分のデータから明らかにした。その結果，北側から吹いてくる風が南側から吹いてくる風より圧倒的に多いことが明らかになった。また，北側から吹いてくる風のなかでも，東寄りに吹く北風が西寄りに吹く北風よりも多いことが分かった。

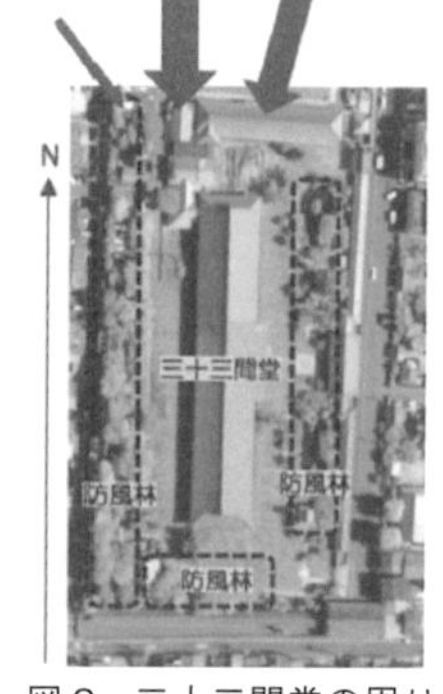


図2　三十三間堂の周りの様子
三十三間堂の周りにはたくさんの防風林が植えられている

### 調査2

「通し矢」は，午後4時ごろから西側の縁側で開催されている。京都に吹く風について調べた京都大学の大学院生のレポートによれば，午後4時に，京都盆地に強い東風が吹き込んでくることが明らかになった。

三十三間堂では，東からの風には，防風林だけでなく，養源院の森や音羽山によって防風対策がなされており，かつ，屋根の形状からその先端がとがっており，東から来た風が上に巻き上げられると考えられる。このため，西側の縁側では風をよける対策がなされていることとなり，午後4時に開催されていたと考えた。

図3　三十三間堂の屋根

### 実験1：東側の大きな森（養源院の森）は，東側からの横風を防いでいるか

三十三間堂の東側にある大きな森により，風が防がれているかを模型を用いた実験で確かめた。実験では，森がある場合と森がない場合とで，風の強さを変えながら調べた。

実験の結果，風上に森があると，風を防ぐ効果が十分に認められ，特に弱風のときよりも強風のときのほうが風を防ぐ効果が高いことが明らかになった。また，三角屋根のとがった部分で風の流れが変わっており，東側と西側では風の吹き付け方が違っていた。

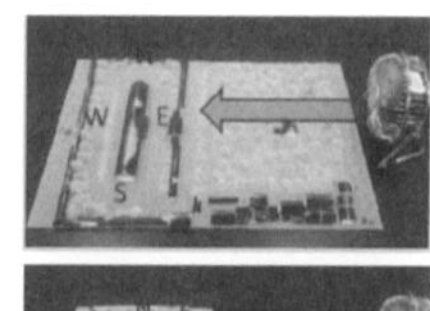


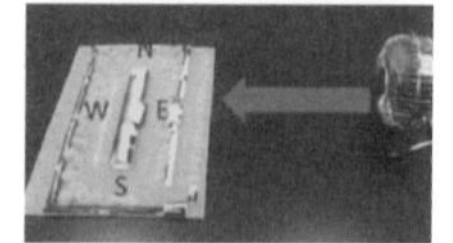


図4　実験1で用いた模型

### 実験2：三十三間堂の周りで吹く風は，どのくらい西側の縁側に影響を与えるか

東西南北それぞれの風が，西側の縁側にどの程度影響を与えていたかを模型を用いて確認した。その結果，西風は西側の縁側に影響があったが，東風については屋根のとがった部分のおかげで縁側に風の影響はほぼないと考えられる。また，北風と南風については，屋根の下までは風が入り込まないと考えられる。

図5　実験２の考察

### 実験3：三十三間堂の周りの防風林は風を防ぐ効果があるのか

実験１の森と同じように，三十三間堂の防風林にも風を防ぐ効果があるのかを防風林の有無という条件を変えながら模型を用いて調べた。その結果，各防風林の役割がそれぞれ認められた。

### 実験4：縁側の下が閉じていると，風の影響はどのように変わるのか

三十三間堂の建物の下には「亀腹」があり，かなり詰まった状態になっている。この「亀腹」が西側の縁側の風に影響があるのかを模型を用いて調べた。その結果，縁の下を閉じたほうが西側の縁側で東風をさえぎることができていることが分かった。

### 実験5：矢の重心によって，飛び方は変わるのか

「通し矢」で用いられる矢は，ふつうの矢よりも重心が後ろ側にあることが分かった。そこで，矢の重心の違いによって，矢の飛び方がどのように変わるのかを実験で確かめた。その結果，重心を前から真ん中の間でできるだけ後ろ側にしたほうが，直線的に進むことが分かった。これは，放物線のように飛んでしまうと，軒に当たってしまうことからこのようになったのだと考えられる。

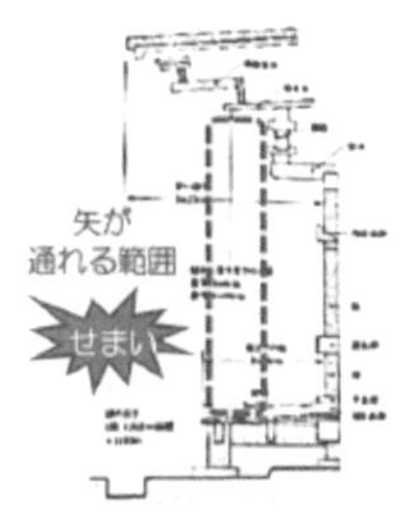

図6　矢の通る範囲

### 実験6：風の影響によって，矢の射通し率は変わるのか

様々な風の条件下での矢の命中率を調べた。その結果，追い風よりも向かい風が有利であることが分かった。また，横風は矢の射通し率に影響があった。

### 実験のまとめと感想

これまで，京都の建物について調べ，昔の人の知恵のすごさに驚かされてきた。三十三間堂で行われていた「通し矢」は，狭い空間で行われ，高い射通し率を誇る難しい競技であったが，そのため人々の関心も高かったと考えられる。現代は，コンピュータなどが正確な計算を瞬時に行うため，人間の能力の一部が退化してしまう恐れもあるが，コンピュータや昔の人たちに負けないように，自分にしかできない何かを見つけて世の中の役に立つことをしたいと思う。

# 作品について

三十三間堂で行われている「通し矢」に科学のメスを入れて，多面的な追究がなされた研究です。風に注目してそのデータを調べるために，気象庁のデータを 58 年分調べたり，京都に吹く風の研究についての先行研究を探したりするのは，そう容易なことではありません。根気強く追究する熱意が伝わってきます。また，風に注目するだけでなく，矢の形状や矢の重心の位置の違いに着目し，条件を整えて実験していることから，問題を解決しようとするための着眼点の鋭(するど)さも素晴らしいものがあります。

概要(がいよう)では触(ふ)れることはできませんでしたが，雨宮さんの実験にはいろいろな工夫が見られます。例えば，「通し矢」への風の影響を調べるために，濡(ぬ)らした建物の乾き方を調べました。その際，水で書いて乾くと消える習字練習用紙を用いて，乾き方が可視化される工夫がなされています。このような工夫を凝(こ)らすことで，三十三間堂の建物の模型の乾く時間が測れるだけでなく，建物のどの部分が乾きやすく，どの部分が乾きにくいのかといった，より詳細(しょうさい)なデータを得ることができました。それにより，風の通り方が可視化され，三十三間堂の西側の縁側が，「通し矢」に適していることを確かな証拠(しょうこ)に基づいて明らかにすることができました。また，実際に弓矢の模型を作って実験する際にも，単に弓矢の模型を用いるだけでなく，「通し矢」を行ったときの空間と似た条件にするために，距離(きょり)の比を考えています。さらに，実験 6 で放たれた矢の横風による影響について調べるためには，弓矢を安定して同じような条件で発射する必要があります。そのために，発射台に工夫を凝らし，ストローを使ってぶれないように矢が射られるようにしています。

「通し矢」が行われていた三十三間堂や，雨宮さんがこれまで研究してきた清水寺(きよみずでら)や五重塔(ごじゅうのとう)は確かに昔の建物ですが，これらには昔の人の知恵が詰まっています。それらは，現代のように理論化，法則化されているものばかりではありません。そこを題材として科学的な追究を行っていくことは，独創性だけでなく，研究に新規性があります。さらに，緻密(ちみつ)で膨大(ぼうだい)なデータを得ることができた追究方法も素晴らしいものがあります。この研究にとどまらず，昔の人の知恵をこれからも科学的に追究していくことを通して，「科学の芽」を育てていってほしいと思います。

# デントコーンはなぜキセニアをおこさないのか

小野（おの） 琴未（ことみ）／坂部（さかべ） 汐梨（しおり）
[矢板市立片岡小学校 6年]

トウモロコシの実は違う品種の花粉を受粉すると、種の形や色が変わってしまうキセニアという現象を起こします。ところが、デントコーンという品種の実だけは、この現象が起こらないことに気付き、研究を始めました。
研究に3年かかりましたが、キセニアを起こさない原因を見つけることができました。

## 研究の概要

### 研究の動機・目的

色々な品種のトウモロコシを育ててきたときに，キセニアという現象が起きた。キセニアとは，違(ちが)う花粉が飛んできて雌穂（め花）に受粉されてしまうと，実の色や形状が変わる現象である。スイートコーンはキセニアをよく起こすが，家畜(かちく)の飼料などに使われるデントコーンでは起きない。そこでトウモロコシ他品種間でのキセニアが起こる現象を観察し，デントコーンでキセニアが起きない原因を見つけることにした。

### 実験と結果

**【実験１：1年目 キセニアの起きやすさは品種によってどのように違うのか】**

５種類の品種を交配させてキセニア現象が起きるか調べた。使用した苗はデントコーン（デント），もち種黒色・白色（もち），スイートコーン黄色・白色（スイート）である。

白スイートの実では全ての品種でキセニアが起きた。花粉にはキセニアを起こす強い花粉と弱い花粉があり，色では黒＞黄＞白，胚乳の形状ではデント＞もち＞スイートの順に強い。色と胚乳の形状は別々の情報のようで，白もちと黄スイートの交配では，できた実の色は全て黄色だった（表1）。

表１　５種類の実に付くキセニアの有無

| 実＼花粉 | デント | 黒もち | 白もち | 黄スイート | 白スイート |
|---|---|---|---|---|---|
| デント | ＼ | △ | × | × | × |
| 黒もち | △ | ＼ | × | × | × |
| 白もち | ○ | ○ | ＼ | △ | × |
| 黄スイート | ○ | ○ | ○ | ＼ | × |
| 白スイート | ○ | ○ | ○ | ○ | ＼ |

○　花粉側の全ての形質がキセニアした
△　花粉側の一部の形質がキセニアした
×　キセニアが起きなかった

**【実験２：1年目 デントコーンに他花粉を受粉させる】**

スイートの花粉はデントに受粉しないのではないか，と仮説を立て，デントの雌穂にスイートの花粉を付けた。すると受粉し，実を収穫してみると黄デントができた。白色スイートの情報は消えてしまった。

**【実験３：2年目 白色やスイートの情報が完全に消えてしまったか調べる】**

１年目に交配させたデントを栽培(さいばい)して実を収穫(しゅうかく)する。結果は，４種類の種ができた。

黄デント 350 粒　白デント 108 粒　黄スイート 127 粒　白スイート 45 粒

黄色やデントの強い情報は多く出て，弱い情報の白色やスイートが再び出てきた。

**【実験４：2年目 1年目で，キセニアを起こした黄色スイートを栽培する】**

白スイートの実に黄スイートの花粉をつけてキセニアを起こし，全て黄色の実になったものを栽培し，どうなるか調べた。すると黄スイートがキセニアを起こしても翌年は黄色い実も白い実もできた。では，どうしてキセニアを起こしても２年目には白色も復活するのか，植物の交配にはメンデルの法則という遺伝の法則が関わっているらしいので調べた（図1，図2）。調べて分かったことは以下の通りである。

2種類のトランプで実験

図１　２種類のトランプで実験

優性の法則→花粉にはキセニアを起こすのに強い花粉と弱い花粉がある。
分離(ぶんり)の法則→キセニアで一度消えた性質が2代目で少し復活する。
独立の法則→キセニアが起きても種の色と形質の情報は別である。

図2　4種類のトランプで実験

メンデルの法則のような比率になるのか，実を数えて調べると以下の（表2，表3）ようになった。

表2　実験4でのトウモロコシの黄色と白色の数と比率（トウモロコシA～F）

| 種＼トウモロコシ | A | B | C | D | E | F |
|---|---|---|---|---|---|---|
| 黄色 | 385 | 229 | 289 | 412 | 141 | 365 |
| 白色 | 127 | 88 | 82 | 141 | 45 | 116 |
| 比率　黄：白 | 3.10：1 | 2.60：1 | 3.52：1 | 2.92：1 | 3.13：1 | 3.15：1 |

6本を平均すると 3.07：1になった。

表3　第二世代でできたトウモロコシの種の数と比率（トウモロコシG～J）

| 種の種類＼トウモロコシ | G | H | I | J |
|---|---|---|---|---|
| 黄デント① | 350 | 197 | 388 | 367 |
| 白デント② | 108 | 81 | 50 | 74 |
| 黄スイート③ | 127 | 108 | 122 | 160 |
| 白スイート④ | 45 | 31 | 27 | 39 |
| 比率①：②：③：④ | 7.8：2.4：2.8：1 | 6.4：2.6：3.5：1 | 14.3：1.9：4.5：1 | 9.4：1.9：4.1：1 |

4本を平均した比率は　9.17：2.20：3.64：1　だった

トウモロコシにもメンデルのエンドウ豆と同じような遺伝の法則があることが分かった。黄色とデント種が優性，白色とスイート種が劣性遺伝子になっているようだ。

## 【実験5：3年目 2年目で収穫した4種は次の世代でどんな実になるか】

黄デント，白デント，黄スイート，白スイートの次の世代を，メンデルの法則を使って予想する（図3は黄デント）。

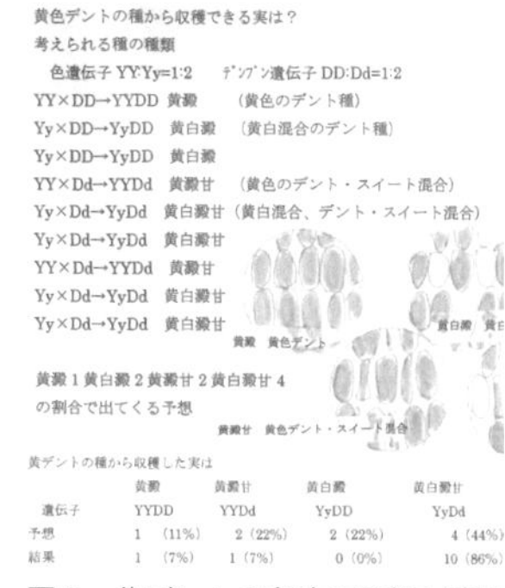


図3　黄デントの実験の予想と結果

結果を予想と比べると，2代目の4種はほぼ予想通りの実の数だった。しかし黄デントで出てこなかったものもあり，数が少なかったため栽培する苗を増やさないと結論付けられない。2代目黄デントからのYyDdから，デントの2色の中間の薄黄色が出てきた。この薄黄色はデント種しか起きておらず，全体が薄黄色の実と，種の頭だけ薄黄色の実があった。これには以下の原因が考えられる。一つは，キセニア現象の中には色を途中で止めてしまうことがあるので，同じことが起きたということである。自家受粉に失敗し，多くが他家受粉したためキセニアが起きていた。もう一つは，デント種では優性の法則が当てはまらないのではないかということである。優性の法則の場合，色優性遺伝子が一つでもあれば黄色になる（YY→黄　Yy→黄　yY→黄　yy→白）。しかし，デント種では実に劣性(れっせい)のyをもっていると花粉からYを取り入れたときだけ薄黄色になるのではないか。

## まとめ

花粉にはキセニアを起こす強さの順があることや，調べた結果がメンデルの法則で説明できることが分かった。しかし3代目から中間色が出てきたことで，メンデルの法則が当てはまらなくなった。トウモロコシで遺伝の法則を見つけようとすると複雑な現象が起き，原因を追究することが難しかった。違う品種を栽培するときは受粉時期をずらしたり，距離(きょり)を置いたりすることが必要だ。

# 作品について

3年間をかけてトウモロコシの遺伝について調べるという力作です。

トウモロコシの品種によってキセニアの起きやすさが違うことをきっかけに研究を始め，調べていくことで小野さん，坂部さんは，「メンデルの法則」を知ります。

概要には写真でしか掲載できませんでしたが，トランプを使って優性・劣性の法則が本当に3：1になるか，独立の法則が9：3：3：1になるか調べていました。本当にそうなるか自分で試してみる，という姿勢に強い探究心を感じました。トランプで調べた遺伝の法則を，自分たちの採集したトウモロコシの実で当てはめて考えたことで同じことが言えることを見つけたこと，次の世代の予想をする際に遺伝の法則から予想を立てたところなど，帰納法と演繹法を使って論理的に研究を進めていたところが素晴らしいです。

メンデルの法則を知らなかったときはトウモロコシの実が中間色になることは気にならなかったけれど，メンデルの法則を知ったことで1年目の結果（黒色の花粉から薄灰色，紫色，黒色の実ができたこと）がメンデルの法則には当てはまらない現象であることに気付いていきます。その上で，なぜ中間色になったのか考察していました。3年間というスケールの研究で，しっかりと記録を残していたからこそ過去の記録も合わせて考えることができたのだと感心しました。また，知ることで事実の捉え方や考え方が変わっていった様子がよく伝わってきました。

概要には載せきれなかったのですが，実の色やデンプンなどによる長所と短所なども調べていて，育ちやすさや害虫の被害，甘さなどについてまとめていました。熱意をもって3年間の研究に取り組んでいたことと思います。これからも「科学の芽」を伸ばしていってください。

図4　小野さん，坂部さんの3年間の研究の概要図

# カマキリの眼

## 〜カマキリが見ている世界〜

出口 周陽（でぐち しゅうや）
[熊本市立帯山小学校 6年]

昆虫が見ている世界を体感することを目標に、この研究を進めた。カマキリの眼の特徴である複眼を、12複眼模型で表現した。また、カマキリはどの方向から見ても、観察者とカマキリの黒目がピッタと合う。ストローで複眼のモデル化を試みたが、成功したと思う。
今後は医療ロボットエンジニアを目指して努力したい。

# I 研究の概要

## はじめに

ぼくの家の庭は，夏になると草がしげり昆虫がやってくる。カマキリは8月くらいから見かけるようになる。そのカマキリの眼はほぼ360度見渡せる視界だと聞いたことがある。

ぼくは，「カマキリの眼はどんな構造か？　カマキリが獲物を見るときの動作や眼の動きはどんな動きか？」「カマキリには世界がどんな風に映っているのか，模型が作れないか」と考えた。

## 実験方法と結果

### ① 調査

**【調査 1】** 図鑑やインターネットで調べる。

数万個の個眼が集まった複眼であること，カマキリの視野はほぼ360度であることが分かった。

**【調査 2】** カマキリを捕まえて観察，スケッチをする(図1)。

図1　オオカマキリ

### ②観察

**【観察 1】** カマキリを正面・後ろ・左右90度の方向から見て，カマキリの黒眼がどこにあるかを観察する。

・どの方向から見ても黒眼はぼくを見ている（図2)。

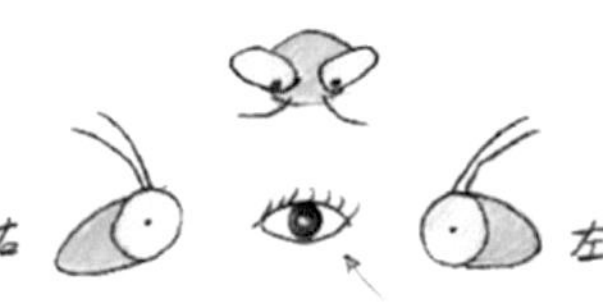

図2　カマキリの前・後・左・右から見る

**【観察 2】** 昼間と夜間のカマキリの眼の様子を観察する。

・夜，眼は全体が黒くなっていた。夜でも虫を捕らえることができる。

**【観察 3】** 虫かごにおおいをかぶせて，10分ごとに眼を観察する。

・うす緑色の透明の眼が少しずつ黒くなっていき，30分で目全体が黒くなった。

**【観察 4】** カマキリにバッタを近づけて，頭と黒眼の動きを観察する。

・左右の獲物を見るとき，頭を40～80度動かし，6～8 cmに獲物が近づくと反応する。

**【観察 5】** 昆虫やカマキリをほ食するときの眼の様子を観察する。

・昆虫を捕まえたり，別のカマキリと戦ったりするときも黒眼はぼくを見ていた。

**【観察 6】** 二人（ぼくと兄）で1匹のカマキリの黒眼を見る。

・顔の正面は，明るいところにいるぼくのほうを向いていて，兄のほうを向くことはなかった。二人がどこから見てもカマキリの黒眼と目が合う。

### ③ 実験

複眼の模型を作り，カマキリが見ている世界を体験する。

芝(しば)の上に目印となるグッズを三脚(さんきゃく)を中心として2mのところに置く。三脚の上に透明全球を置き，スマートフォンの自撮(じど)り機能で写真をとる。写真を透明球の内側にはり付ける。

単眼から2，4，6，12複眼を作った。眼が多くなるにつれて景色が広がることが分かった。

図3　12複眼の模型

### ④工作

カマキリの眼の作りを想像して模型を作る。

①調査から④工作までをまとめると，次のようなイメージになる（図4）。

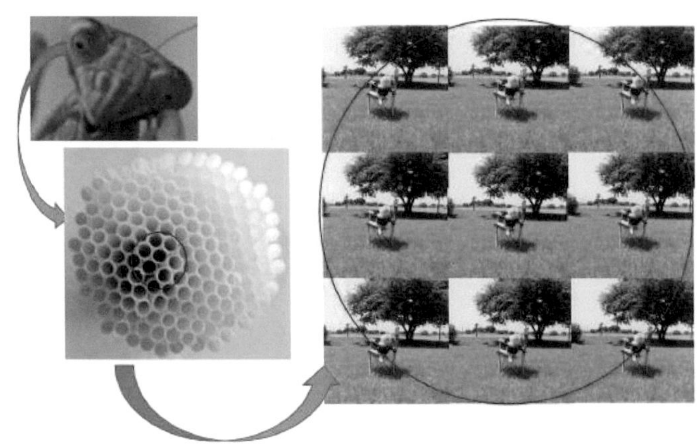

図4　調査から工作までのイメージ

## 感想

○カマキリは予測が難しい動きをするチョウやバッタをどうして簡単に捕まえるのかなと思っていたけれど，この研究で複眼の構造は視野が広いことが分かった。普段(ふだん)何となく見ているカマキリのことをじっくり調べていくと，ペットみたいにかわいくなった。カマキリがもっている性質を知ることができてうれしかった。

○現在の内視鏡の視野は170度と聞いた。ぼくは将来，医療(いりょう)用のロボットを作る研究者になりたい。ぼくは，カマキリの複眼の作りを，人の体の中を調べるための内視鏡の視野を広げるのに役立てられないかと考えた。

# 作品について

カマキリは誰(だれ)もが見慣れた昆虫ですが，黒眼の動きまで観察したことがある人はそれほどいないと思います。カマキリの眼を中心にして様々な設定で観察を１～６まで行い，それをまとめていました。右図は，様々な方角からえさとなる昆虫を近づけ，カマキリの顔と黒眼の動きを捉(とら)えて記録したものです。

10 度ごとに線を引いた円の中にカマキリの頭を描(えが)き，黒眼の動き，顔の向きがすぐ分かるように記録されていました。

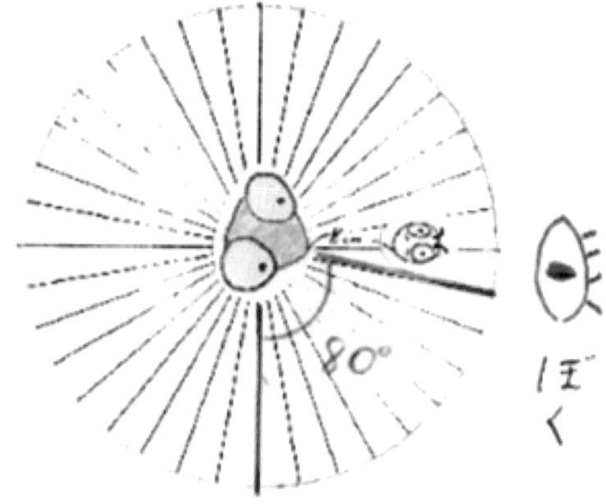

図５　カマキリの顔と黒眼の動きの記録

カマキリが実際にどのような光景を見ているのかは分かりません。観察の積み重ねから推察することになりますから，多面的な観察と観察記録のまとめが重要な役割を果たすことになります。

この研究の醍醐味(だいごみ)は，調査や観察したことをもとにして製作したカマキリの複眼の模型です。透明半球を使って，単眼で見られる景色から，2，4，6 複眼と増やしていき，12 複眼で見られると考えられる景色を模型で作りあげました。そして，ストローを束にして，カマキリの眼の一部に見立て，黒眼の動きを再現させています。そして，どこから見てもカマキリの黒眼と目が合う仕組みも解明しています。

図６　カマキリの眼の模型

医師であるおじさんから内視鏡の現在の視野を聞き，カマキリの眼の研究を活かして，さらに視野を広げられないかと考える出口さん。

研究が人の役に立つことほどうれしいことはないと思います。現在は，まだ壮大(そうだい)な夢の段階ですが，これだけ地道な観察ができ，豊かな発想をもった出口さんには限りない可能性を感じます。夢を失わず，これからも地道な研究を続けて，ぱっと「科学の花」を咲(さ)かせてほしいと思います。

# 街にある虹

松本 晴人（まつもと はると）
[筑波大学附属小学校３年]

ぼくは、学校に通うとき、駅の駐輪場の地面に、虹があるのを見つけました。そして、虹ができる原因を調べてみました。そのうち、街には、いろんな虹があることに気づきました。ファミマの看板や道路標識は、プリズムです。
でも、エスカレーターのスロープやCDは、プリズムじゃないことがわかりました。それは一体…何？

# Ⅰ 研究の概要

## 研究の動機・目的

学校の行き帰りによる駐輪場に虹ができている（図1)。なぜできているのか。また，街にもあるのか，調べてみたいと思った。

図1 駐輪場で見つけた虹

## 実験と発見

**【実験1：虹ができる原因は何か？】**

虹ができることには，自転車，太陽の光，陰，気温が関係あると予想を立てた。

自転車を揺らすと，虹も揺れた。自転車のどこかに虹を作る原因があることが分かった。

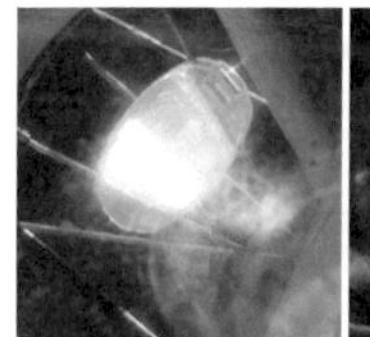

図2 そのままのリフレクタ(左)と手で隠したとき(右)

リフレクタ（光る部分）を発見，虹色に光っていて，いかにも関係がありそうだった。リフレクタがそのままのときは虹ができたが，リフレクタを手で隠すと虹が消えたので，リフレクタが虹のもとだと分かった(図2)。自分の自転車で試してみても同じようになった（リフレクタがあれば，自分で虹が作れる!!)。

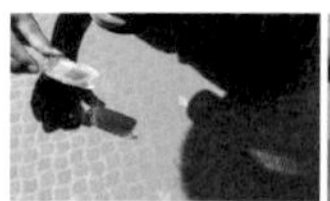

図3 太陽が出ているとき(左)と雲で隠れたとき(右)

リフレクタを手に持って，太陽が出ているときと雲で隠れているときで，虹ができるか試した。太陽が出ているときに虹はでき，出ていないときには虹はできなかったので，太陽の光が強いときに虹ができると分かった(図3)。

**【発見！：ものさしでも虹はできるのでは⁉】**

リフレクタをのぞくと虹が見えた。ものさしの斜めの部分をのぞいても虹が見えることを偶然発見！ ものさしでも虹ができるかもと考えて，太陽の光を当ててみると地面に虹を作ることができた。斜めの部分が虹を作っていそうだと気づいた。

**【実験2：どんな形のものが虹を作れるのだろう？】**

アクリル板（角が直角)，虫眼鏡（丸い形)，プラスチックちりとり（半透明)，水晶（斜めの形がたくさんある)，カセットテープのケース（いろいろな形がある）を使って，虹ができるか調べた（図4)。

アクリル板では虹はできなかった。虫眼鏡，プラスチックちりとり，水晶では，白い光はできるが虹はできなかった。カセットテープのケースでは，斜めの形の部分で虹ができた。斜めの部分を指で隠すと，そこだけ虹が消えた。

ものさし

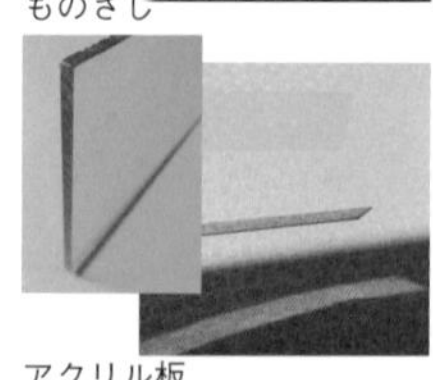
アクリル板

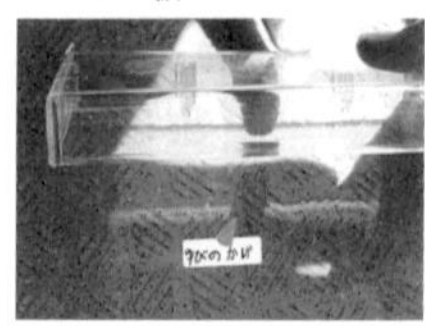
カセットテープケースの真ん中だけを指で隠した様子

図4 実験2の様子

透明で斜めの形があるもので虹はできるが，直角の形，丸い形，半透明なものではできないことが分かった。水晶でなぜ虹ができなかったのかは不明。

**【実験３：リフレクタは何でできているのか？】**

リフレクタを分解したら，中はでこぼこしていた。でこぼこの形は立方体を斜め半分に切った形で，その形が平らな面にたくさん並んでいた（図5）。この形が虹を作っている原因だと思った。

図５　分解したリフレクタの中(左)と外(右)

**【発見！：他の街の虹を見つけた！】**

ビルの壁に映る虹を見つけた。虹色に光っている標識が犯人だ（図6）。標識にも斜めの形があると思った。

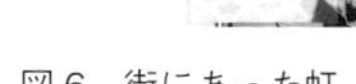

図６　街にあった虹

**【実験４：街の虹は透明で斜めの形の物（プリズム）でできているのか？】**

虹色に光って街の虹を作りそうな物を，デジタル顕微鏡で見てみた。

すると，虹ができる形は，今のところ５つあり，プリズム形，アルミホイルをしわくちゃにしたような形，線（迷路）形，丸いつぶつぶ形（雨つぶ形），でこぼこしている物だった（表1，表2）。

表１　デジタル顕微鏡で見た様子

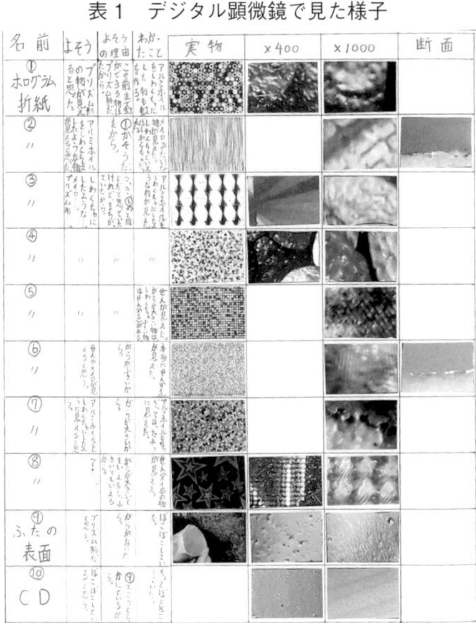

| 名前 | ようす | ようすの理由 | わかったこと | 実物 | ×400 | ×1000 | 断面 |
|---|---|---|---|---|---|---|---|
| ①ホログラム折紙 | [illegible] | [illegible] | [illegible] | | | | |
| ② 〃 | [illegible] | [illegible] | [illegible] | | | | |
| ③ 〃 | [illegible] | [illegible] | [illegible] | | | | |
| ④ 〃 | 〃 | 〃 | 〃 | | | | |
| ⑤ 〃 | 〃 | 〃 | [illegible] | | | | |
| ⑥ 〃 | [illegible] | [illegible] | [illegible] | | | | |
| ⑦ 〃 | [illegible] | [illegible] | [illegible] | | | | |
| ⑧ 〃 | [illegible] | [illegible] | [illegible] | | | | |
| ⑨ふたの表面 | [illegible] | [illegible] | [illegible] | | | | |
| ⑩CD | [illegible] | [illegible] | [illegible] | | | | |

プリズム以外の形で虹を作るものは，でこぼこしていることが特徴だと思う。光がでこぼこに当たって分光して反射することで，他のでこぼこに当たって分光して反射した光と重なって，重なった光が赤と赤や緑と緑同士だとその色が濃く見えるから，虹に見えると思う（図7）。

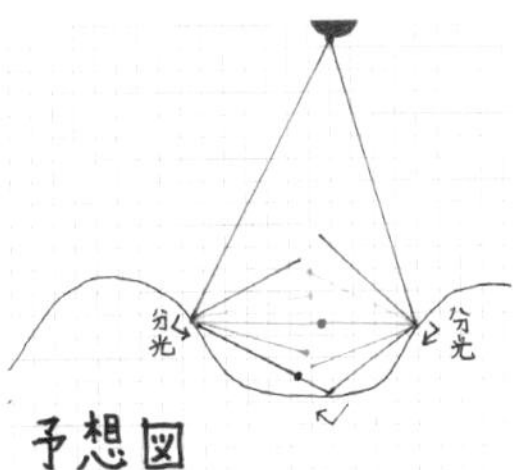


図７　虹を作る仕組みの予想

## さらに研究したいこと

分からないことがあったので文京区教育センターの森先生に聞いてみたら，ぼこぼこしているものが虹を作る現象のことを「干渉」と言うと教わった。新しい疑問は，プリズムと干渉以外にも虹を作る形（こと）はあるのか？ 分光以外に虹を作ることはあるのか？だ。

小学生の部

## 作品について

いつも通る道のいつも見る景色。あるとき突然(とつぜん)，今まで見えていなかったものが見える，気付きの瞬間(しゅんかん)があります。キンモクセイの香(かお)りや桜の開花のように，季節を感じるものがすぐに思い当たるものかもしれません。肌(はだ)で感じる気温や頬(ほお)に当たる風と一緒(いっしょ)に気付くこともあるでしょう。

松本さんの気付きは，駐輪場でふと目に入った虹でした。いつも通る道にある駐輪場での発見。そして自転車を揺らしてみたら虹も動いた。自転車の部品の中に原因を求めると……。追究が進むにつれて，はじめはただ不思議だったものの理由が一つずつはっきりと明らかになっていく過程が，読み手に分かりやすくまとめられています。写真資料が豊富で，リフレクタを手で隠したときとそうでないとき，太陽の出ているときと隠れているときの虹の様子など，比較(ひかく)できるように並べていたところが丁寧(ていねい)です。

透明で斜めの形が虹を作っているのだろうと予想を立てて，半透明なもの，丸いもの，斜めではなく直角のものなど，身近にある様々な道具で試していました。子どもらしい素朴(そぼく)さが微笑(ほほえ)ましかったのと同時に，似ているけれど少し違(ちが)うものを見つけ，試そうとした発想力にも驚(おどろ)きました。

デジタル顕微鏡で見た様子は，概要(がいよう)には載(の)せきれなかったので残りをこちらに載せています（表2）。街で見つけた虹を参考に道路標識なども拡大し，ミクロな世界を覗(のぞ)く面白さが表れています。

調べたことをもとに，最後に虹ができる仕組みについて予想を立てています。３年生の理科で扱(あつか)わない分光についても触(ふ)れていました。本当に関心が高まったときには自分から進んで調べ，自分自身で使える知識として身に付けていくことを松本さんが体現していたように思います。これからも自ら学ぶ姿勢を大切にしてください。

表２　デジタル顕微鏡で見た様子（表１の続き）

| 名前 | よそう | よそうの理由 | わかったこと | 実物 | ×400 | ×1000 または×400 | 断面 |
|---|---|---|---|---|---|---|---|
| ⑪ 反射板 黄・青 | ？…。 | 前とせいへいがちがうから。 | プリズム形だった。だん面から見ると[illegible] |  |  |  |  |
| ⑫ 〃 赤・白 | プリズム形。 | ⑪と色がちがいだから。 | 〃 |  |  |  |  |
| ⑬ 〃 | プリズム形以外だと思う。 | さわりごこちもつるつるだし，あも見えないから。 | 〃 |  |  |  |  |
| ⑭ 〃 | プリズム形だと思う。 | さわりごこちもざらざらだし，もようが見えるから。 | 丸いつぶつぶがあった。 |  |  |  |  |
| ⑮ 〃 | プリズム形だと思う。 | 見ためが⑪ににているから。 | ⑪のわかったことと同じで，プリズム形。 |  |  |  |  |
| ⑯ 〃 | 〃 | 〃 | 〃 |  |  |  |  |
| ⑰ 道路標識 | 〃 | ⑭と同じもようなので，せいしつも同じだと思う。 | 長方形のプリズムが見えた。 |  |  |  |  |
| ⑱ 〃 | 〃 | 〃 | 〃 |  |  |  |  |
| ⑲ コンビニ看板 | 〃 | 〃 | 長い六角形が見えた。 |  |  |  |  |
| ⑳ エスカレーター | プリズム形ではない形だと思う。 | きんぞくだから光を通さないから。 | せんのすじがいっぱい見えた。 |  |  |  |  |

# バッタランド 生息地によって ちがいがあるのか？

井上 雄翔（いのうえ ゆうと）
[名古屋市立猪高小学校３年]

いつも友達と近所の空き地（バッタランド）でバッタとりをしています。他の場所だったらもっと大きいショウリョウバッタがいるかも。トノサマバッタや新種が見つかるかもと思って他の場所に採集にいきました。5ヶ所で15匹ずつ75匹。家の中をとび回るバッタを追いかけながら計測したり、植物を同定するのは大変だったけど、バッタと植物の関係に気づけて楽しかったです。

# Ⅰ 研究の概要

## 研究の動機・目的

近所にある空き地で友だちとバッタ採りをして遊んでいる。夏休みにいろいろな所へ行ったことをきっかけに，広場の大きさや，草の長さを見て，バッタは生息地によって大きさや形，オス，メスの数の違い（ちが）があるのかな，と疑問が出てきて調べることにした。

## 実験方法

以下の5カ所でバッタを15匹（ひき）ずつつかまえる。

名東警察署の前の空き地／岐阜（ぎふ）公園／川名公園／小ばた緑地／おばあちゃんの家の庭

- バッタの種類とオス，メスの数を調べる。
- バッタの全長，触角（しょっかく），後ろ足の長さ①②を計測する。
- 生えている草や長さなどを調べる。

図1　つかまえたバッタ

## 結果と考察

表1　場所の特徴（とくちょう）

| | 名東けいさつしょの前の空き地 | 岐阜公園 | 川名公園 | 小ばたりょく地 | おばあちゃんの家の庭 |
|---|---|---|---|---|---|
| 日にち | 8月15日(木) | 8月13日(火) | 8月17日(土) | 8月17日(土) | 8月18日(日) |
| 時間 | 10:30〜11:30 | 14:00〜15:00 | 10:45〜11:4 | 12:45〜13:10 | 14:30〜15:10 |
| 温度 | 32.3℃ | 35℃ | 33℃ | 34℃ | 34℃ |
| 湿度 | 64% | 47% | 60% | 54% | 54% |
| 天気 | 晴 | 晴 | 晴 | 晴 | 晴 |
| 場所 | ○まわりは、住宅 中学校 ちゅう車場 | ぎふ公園のすみっこ。 ○人けの少ない所。たてもののかげになっている | ○まわりは木がはえていて ゆうぐのある大きな公園 | ○小ばたりょく地の東園 ○木がいっぱいはえていて小かげがあった。 | ○まわりは、住宅地。 |
| 広さ（25mプール8コース） | 12こ分 | 2こ分 | 10こ分 | 4こ分 | 1/4こ分 |
| 草・木のしゅるい | ○シマススズメノヒエ ○オヒシバ ○オオアレチノギク ○エノコログサ | ○メヒシバ ○エノコログサ | ○シロツメクサ ○オオアレチノギク ○ハルジオン ○シマススズメノヒエ ○エノコログサ | ○シマスズメノヒエ ○オヒシバ ○エノコログサ ○ | ○シマスズメノヒエ ○シロツメクサ ○エノコログサ ○サルスベリ ○ヤスデのバラ ○ソテツ ○さくら |
| 草の長さ | 手前15cm おく1m | ○15cm | ○25cm | 40cm | 30〜50cm |
| その他の生き物 | ○オオカマキリ ○シオカラトンボ ○ギンヤンマ ○トノサマバッタ赤ちゃん ○キリギリス赤ちゃん | ○シオカラトンボ ○ケラ ○アオマツムシ ○イナゴ | ○シオカラトンボ ○イナゴ ○クマゼミ ○アブラゼミ ○ナツアカネ ○モンシロチョウ | ○イナゴ ○エンマコオロギ ○ナツアカネ ○アブラゼミ ○クマゼミ | ○アブラゼミ ○クマゼミ ○カマキリ ○アゲハ ○ナツアカネ |
| 特ちょう | ○ショウリョウバッタが多い おくのかは、草が長いからバッタが多かった。 | ○地面は、土がみえ、まばらにはえている所と草が多くはえている所がある。 ○草はみじかい | ○人があんまりこない草むらでとっていた。 ○しばふの上にいっぱいざっそうがはえていた。 | 草は、カットされている所がある。2か所の所でバッタをとった。 | ○10しゅるい以上の木や花がうえてある。 夏休み前から草をのばしてくれていう |

表2　場所ごとの種類とオス，メスの数

| | 名東けいさつしょの前の空き地 | | | 岐阜公園 | | | 川名公園 | | | 小ばたりょく地 | | | おばあちゃんの家の庭 | | |
|---|---|---|---|---|---|---|---|---|---|---|---|---|---|---|---|
| | ♂ | ♀ | 計 | ♂ | ♀ | 計 | ♂ | ♀ | 計 | ♂ | ♀ | 計 | ♂ | ♀ | 計 |
| ショウリョウバッタ | 7 | 5 | 12 | 1 | 1 | 2 | 11 | 3 | 14 | 13 | 1 | 14 | 1 | | 1 |
| オンブバッタ | | | | 7 | 8 | 13 | | 1 | 1 | | | | 4 | | 4 |
| ショウリョウバッタモドキ | | | | | | | | | | | 1 | 1 | | | |
| マダラバッタ | 1 | 1 | 2 | | | | | | | | | | | | |
| クサキリ | | ? | 1. | | | | | | | | | | 1 | 1 | 2 |
| カヤキリ | | | | | | | | | | | | | | ? | 7 |
| ツチイナゴ | | | | | | | | | | | | | | ? | 1 |
| 合計 | 8 | 6 | 15 | 7 | 8 | 15 | 11 | 4 | 15 | 13 | 2 | 15 | 6 | 1 | 15 |

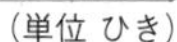

（単位 ひき）

種類について　ショウリョウバッタは全ての場所に生息していることが分かった。とくに多かったのは，川名公園，小ばた緑地，名東警察署の前の空き地だった。岐阜公園はオンブバッタが多く，おばあちゃんの家の庭にはいろいろな種類のバッタが生息していた。このことから生息地によって種類の違いがあることが分かった。この違いはその場所に生えている草が関係しているのではないかと考えた。

ショウリョウバッタが多く生息していた名東警察署の前の空き地と川名公園，小ばた緑地には，シマスズメノヒエやエノコログサなどイネ科の植物が一面に生えていた。

実験①の結果からショウリョウバッタがイネ科の植物の葉を食べていることが分かったので，ショウリョウバッタはイネ科の植物が多く生えているところに生息していると考えられる。

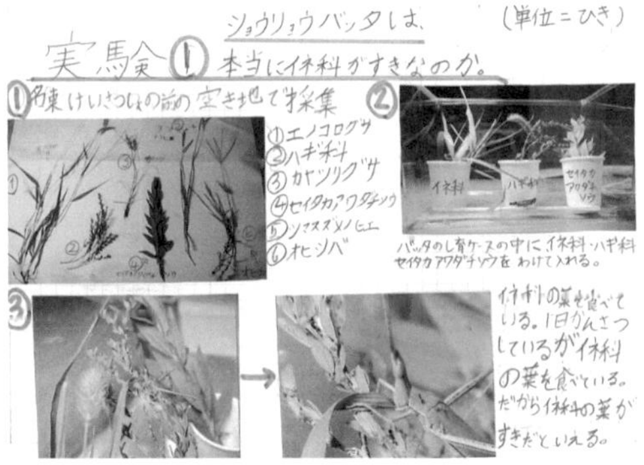

図２　実験①の様子

岐阜公園でもメヒシバやエノコログサなどのイネ科の植物が生えていたが，建物の陰（かげ）で日が当たりにくく，背の低い植物が多く生えていたので，小型のオンブバッタが生息していたのではないかと推測した。

おばあちゃんの家の庭には小さい面積に10種類以上の木や花が植えてあるから，いろいろな種類のバッタが生息しているのだろう。

表３　ショウリョウバッタオスの計測値

| | 名東けいさつしょの前の空き地 | | | | 岐阜公園 | | | | 川名公園 | | | | 小ばた緑地 | | | | おばあちゃんの家の庭 | | | |
|---|---|---|---|---|---|---|---|---|---|---|---|---|---|---|---|---|---|---|---|---|
| | 全長 | しょっ角 | 後ろ足① | ② | 全長 | しょっ角 | 後ろ足① | ② | 全長 | しょっ角 | 後ろ足① | ② | 全長 | しょっ角 | 後ろ足① | ② | 全長 | しょっ角 | 後ろ足① | ② |
| 1 | 45 | 13 | 23 | 22 | 50 | 10 | 28 | 27 | 50 | 15 | 25 | 24 | 45 | 15 | 25 | 25 | 50 | 15 | 27 | 26 |
| 2 | 45 | 13 | 25 | 24 | | | | | 50 | 15 | 27 | 26 | 49 | 15 | 26 | 25 | | | | |
| 3 | 46 | 14 | 24 | 23 | | | | | 50 | 15 | 25 | 24 | 49 | なし | 25 | 25 | | | | |
| 4 | 45 | 14 | 24 | 23 | | | | | 50 | 12 | 25 | 25 | 50 | 15 | 25 | 27 | | | | |
| 5 | 45 | 12 | 24 | 23 | | | | | 45 | 14 | 25 | 24 | 50 | 15 | 27 | 27 | | | | |
| 6 | 50 | 14 | 25 | 24 | | | | | 48 | 15 | 25 | 25 | 50 | 15 | 27 | 27 | | | | |
| 7 | 45 | 12 | 25 | 24 | | | | | 48 | 14 | 25 | 24 | 50 | 15 | 27 | 27 | | | | |
| 8 | | | | | | | | | 45 | 10 | 23 | 23 | 50 | 14 | 27 | 26 | | | | |
| 9 | | | | | | | | | 51 | 15 | 27 | 26 | 50 | 14 | 25 | 25 | | | | |
| 10 | | | | | | | | | 41 | 12 | 25 | 24 | 50 | 15 | 25 | 25 | | | | |
| 11 | | | | | | | | | 50 | 13 | 25 | 24 | 45 | 15 | 24 | 24 | | | | |
| 12 | | | | | | | | | | | | | 45 | 13 | 24 | 24 | | | | |
| 13 | | | | | | | | | | | | | 50 | 15 | 26 | 26 | | | | |
| さい大 | 50 | 14 | 25 | 24 | 50 | 10 | 28 | 27 | 51 | 15 | 27 | 26 | 50 | 15 | 27 | 27 | 50 | 15 | 27 | 26 |
| さい小 | 45 | 12 | 23 | 22 | 50 | 10 | 28 | 27 | 41 | 10 | 23 | 23 | 45 | 13 | 24 | 24 | 50 | 15 | 27 | 26 |
| 平均 | 46 | 13 | 24 | 23 | 50 | 10 | 28 | 27 | 48 | 14 | 25 | 24 | 49 | 15 | 26 | 26 | 50 | 15 | 27 | 26 |

（単位 mm）

これらのことから生息するバッタの種類の違いには，生えている植物の種類や長さ，日当たりなどが関係していることが分かった。とくにオンブバッタとショウリョウバッタに注目して，バッタの種類と日当たりの関係についてもっと観察したい。

**大きさについて**　場所ごとの違いはなかった。

**オス，メスの数について**　ショウリョウバッタはオスの割合が大きかった。オンブバッタはオスもメスも同じくらいであった。バッタ目の中でも種類によってオスとメスの割合が違うということが推測できる。

**形について**　種類によって場所ごとの形の違いはなかった。

足の長さについて：計測の結果，後ろ足の①と②を足すとおおよそ全長になる。でもショウリョウバッタモドキは①と②を足しても全長にならない。だから足が短いと言える。

触角について：ショウリョウバッタの触角は太くて短く，根元から動かしていた。長さは，オスは全長の３分の１，メスは４分の１だった。キリギリスの仲間の触角は毛のように細く，全長より長く，先だけがぴくぴくとセンサーのように動いていた。細くて長いほうがより敏感（びんかん）に危険を察知できるのではないかと考えた。

# 作品について

自然の豊かな場所では様々な遊びを見つけることができます。この研究を行った井上さんは，草原でバッタを見つけて採って遊んだこと，夏休みにいろいろなところへ出かけたことをきっかけに，場所によるバッタの違いに関心をもって追究をしています。

題名である「バッタランド」からも分かる通り，バッタへの愛着やこだわりが表れている研究です。

場所によるバッタの種類の違いだけなく，オスやメスの数，そこに生えている草や日当たりを関係付けて考察しているところが面白かったです。その視点を持つことによって，ショウリョウバッタがイネ科の植物を食べること，同じイネ科の植物が生えていても日当たりによって生息するバッタの種類が異なるということなどをつかむことができていました。

図 3　バッタを採集した場所の地図

モンシロチョウがアブラナ科の植物の近くを飛んでいる，ヤゴが水中で暮らしているなどのように，生き物は周りの環境と密接に関わりながら生きています。生き物と周りの環境について疑問をもって調べたことはもちろんですが，数を決めて調べたところがより科学的です。井上さんは，バッタを捕まえる場所を 5 カ所，それぞれの場所で 15 匹という数を決めて捕まえています。また，標識再捕法により，名東警察署前の空き地にはおおよそ 175 匹のバッタが生息していることを発見しています。今後，算数の「割合」などの考え方を使うことで，さらに科学的な研究ができるでしょう。

概要には載せられませんでしたが，右上の図 3 のように，バッタを採集した場所の位置や様子が伝わる資料も揃えてありました。一見するとどこも草の生えた似た場所です。しかし，この 5 カ所に生えている草の種類や日当たり，さらには生息するバッタの様子など，たくさんの違いを見つけたことは，熱意をもって詳しく調べた成果です。

今後も，好きや楽しいという気持ち，追究していく姿勢を大事にしていってください。

参考文献

WONDA昆虫（ポプラ社），NEO昆虫，植物（小学館），MOVE植物（講談社）

# ハンミョウはさい速の虫か
## ～虫の走る速さの研究～

鈴木 健人（すずき けんと）
［大阪教育大学附属天王寺小学校 3年］

みなさんはハンミョウという虫を知っていますか？ 3cmくらいのとてもきれいな甲虫です。とてもすばしっこくてつかまえにくいので、最速の虫ではないかと考えて調査してみました。
また虫が人間の大きさならどのくらいのスピードになるのか計算してみました。ハンミョウ VS ほかの虫 VS ぼく。前代未聞の対決が今、始まります。

# I 研究の概要

## 研究の動機・目的

ささ山で，ハンミョウの足の速さにひかれて，ハンミョウのことが好きになった。そこで，ハンミョウ以上に足の速い虫がいるのか，知りたくなった。また，虫が同じ大きさだったとき，人間と比べてどちらが速いのか，どのくらいのスピードかを調べたくなった。

## 予想

大きさがそのままのときの速さは，人間が断然速い。その次はハンミョウで，ダンゴムシがいちばん遅（おそ）い。人間大のときの速さは，ハンミョウがいちばん速い。人間は真ん中より下位。ダンゴムシはやはりいちばん遅い。

## 実験方法

右の写真にある道具を使いながら，身近な昆虫（こんちゅう），トカゲ，クモなどの足で移動する生き物を対象にして速さを調べる。比較（ひかく）として，自分が走る速さと歩く速さを計る。

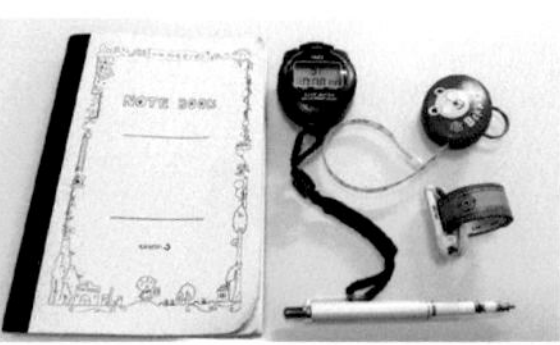

図1　実験1で使う道具

## 調査結果

### 【調査1：そのままの速さ　順位別結果　※32のデータに基づく】

表1　調査1の結果

| 順位 | 名前 | 速さ（m/分） |
|---|---|---|
| 1 | 自分（走） | 280.64 |
| 2 | 自分（歩） | 78.39 |
| 3 | ショウリョウバッタ（オス・成虫） | 55.26 |
| 4 | オンブバッタ | 42.58 |
| 5 | ニホントカゲ | 19.4 |

表2　調査1の32のデータ

<調さ結果>

| 番号 | 名前 | 大きさ(mm) | きょり(cm) | 時間(秒) | 速さ(m/分) | 順位 | 場所 | 日付 |
|---|---|---|---|---|---|---|---|---|
| 1 | ノコギリカミキリ | 55 | 30.7 | 2.00 | 9.21 | 11 | のせ | 7/21 |
| 2 | ハイイロゲンゴロウ(オス) | 13 | 7.5 | 4.42 | 1.02 | 28 | 家 | 7/24 |
| 3 | [illegible]クワガタ(メス) | 45 | 8.8 | 2.84 | 1.86 | 25 | ↓ | ↓ |
| 4 | コハンミョウ | 15 | 40 | 1.92 | 12.50 | 10 | 星田園地 | [illegible] |
| 5 | クロヤマアリ(星) | 10 | 10 | 2.03 | 2.96 | 21 | | |
| 6 | ニホントカゲ | 65 | 48.5 | 1.50 | 19.40 | 5 | | |
| 7 | ハサミムシ | 12 | 21 | 2.96 | 4.26 | 17 | | |
| 8 | トノサマバッタ(幼虫) | 28 | 33.1 | 1.11 | 17.89 | 6 | | |
| 9 | ヤブキリ(メス) | 70 | 25 | 2.28 | 6.58 | 13 | | |
| 10 | アブラゼミ(幼虫) | 32 | 10 | 4.84 | 1.24 | 27 | ↓ | ↓ |
| 11 | クロヤマアリ(大) | 5 | 17 | 1.78 | [illegible] | 15 | [illegible]緑地 | [illegible] |
| 12 | オンブバッタ | 20 | 22 | 0.31 | 42.58 | 4 | | |
| 13 | 自分（走） | 1320 | 5000 | 10.69 | 280.64 | 1 | | |
| 14 | 自分（歩） | 1320 | 5000 | 38.27 | 78.39 | 2 | | |
| 15 | アブラゼミ(成虫) | 42 | 6 | 7.63 | 0.47 | 31 | ↓ | |
| 16 | エンマコオロギ(メス) | 45 | 28 | 1.05 | 16.00 | 8 | [illegible] | |
| 17 | オオヒラタシデムシ | 25 | 16 | 1.59 | 6.04 | 14 | | |
| 18 | キマワリ | 25 | 12 | 2.02 | 3.56 | 20 | | |
| 19 | ハラビロカマキリ(幼虫) | 30 | 31 | 1.09 | 17.06 | 7 | | |
| 20 | マツムシ(オス) | 25 | 12 | 1.95 | 3.69 | 19 | ↓ | ↓ |
| 21 | ナミハンミョウ | 20 | 20 | [illegible] | 13.48 | 9 | ささ山 | 8/2 |
| 22 | アオカナブン | 25 | 8 | [illegible] | 1.67 | 26 | ↓ | ↓ |
| 23 | ミンミンゼミ(成虫) | 37 | 1 | 2.75 | 0.22 | 32 | ささ山 | 8/2 |
| 24 | ショウリョウバッタ(オス)(成虫) | 105 | 35 | 0.38 | 55.26 | 3 | | |
| 25 | クロオオアリ | 14 | 8 | 1.22 | 3.93 | 18 | ↓ | ↓ |
| 26 | ダンゴムシ(小) | 5 | 3 | 2.37 | 0.76 | 29 | 家 | 8/3 |
| 27 | ダンゴムシ(大) | 10 | 13 | 3.09 | 2.52 | 22 | ↓ | |
| 28 | マダガスカルオオゴキブリ | 60 | 13 | 3.98 | 1.96 | 23 | みのお | |
| 29 | ムネアカオオアリ | 8 | 14 | 1.81 | 4.64 | 16 | | |
| 30 | クモ | 5 | 6 | 1.87 | 1.93 | 24 | | |
| 31 | アリジゴク | 14 | 5 | 4.28 | 0.70 | 30 | ↓ | ↓ |
| 32 | ハエトリグモ | 9 | 23 | 1.71 | 8.07 | 12 | 家 | 8/6 |

### 【調査2：人間大の速さ　順位別結果　※32のデータに基づく】

表3　調査2の結果

| 順位 | 名前 | 速さ（km/時） |
|---|---|---|
| 1 | オンブバッタ | 168.62 |
| 2 | ハエトリグモ | 91.31 |
| 3 | クロヤマアリ（大） | 90.77 |
| 4 | コハンミョウ | 66 |
| 5 | ナミハンミョウ | 53.39 |

表4　調査2の32のデータ

<人間大の速さ　順位別結果>

| 人間大順位 | 名前 | 大きさ(mm) | 人間大倍数 | 人間大速さ(km/時) |
|---|---|---|---|---|
| 1 | オンブバッタ | 20 | 66.00 | 168.62 |
| 2 | ハエトリグモ | 7 | 188.57 | 91.31 |
| 3 | クロヤマアリ(大) | 5 | 264.00 | 90.77 |
| 4 | コハンミョウ | 15 | 88.00 | 66.00 |
| 5 | ナミハンミョウ | 20 | 66.00 | 53.39 |
| 6 | トノサマバッタ(幼虫) | 28 | 47.14 | 50.61 |
| 7 | ムネアカオオアリ | 8 | 165.00 | 45.94 |
| 8 | ハラビロカマキリ(幼虫) | 30 | 44.00 | 45.05 |
| 9 | ショウリョウバッタ(オス・成虫) | 105 | 12.57 | 41.68 |
| 10 | クモ | 5 | 264.00 | 30.49 |
| 11 | エンマコオロギ(メス) | 45 | 29.33 | 28.16 |
| 12 | ハサミムシ | 12 | 110.00 | 28.09 |
| 13 | ニホントカゲ | 65 | 20.31 | 23.64 |
| 14 | クロヤマアリ(星) | 10 | 132.00 | 23.41 |
| 15 | クロオオアリ | 14 | 94.29 | 22.26 |
| 16 | ダンゴムシ(大) | 10 | 132.00 | 19.99 |
| 17 | オオヒラタシデムシ | 25 | 52.80 | 19.13 |
| 18 | 自分(走) | 1320 | 1.00 | 16.84 |
| 19 | ノコギリカミキリ | 55 | 24.00 | 13.26 |
| 20 | ダンゴムシ(小) | 5 | 264.00 | 12.03 |
| 21 | マツムシ(オス) | 25 | 52.80 | 11.70 |
| 22 | キマワリ | 25 | 52.80 | 11.29 |
| 23 | ヤブキリ(メス) | 70 | 18.86 | 7.44 |
| 24 | ハイイロゲンゴロウ(オス) | 13 | 101.54 | 6.20 |
| 25 | アオカナブン | 25 | 52.80 | 5.28 |
| 26 | 自分(歩) | 1320 | 1.00 | 4.70 |
| 27 | アリジゴク | 14 | 94.29 | 3.97 |
| 28 | [illegible]クワガタ | 45 | 29.33 | 3.27 |
| 29 | アブラゼミ(幼虫) | 32 | 41.25 | 3.09 |
| 30 | マダガスカルオオゴキブリ | 60 | 22.00 | 2.59 |
| 31 | アブラゼミ(成虫メス) | 42 | 31.43 | 0.89 |
| 32 | ミンミンゼミ(成虫オス) | 37 | 35.68 | 0.47 |

## 考察

**【調査１の結果から】**

・バッタが虫のなかでは速かった。トカゲなどの捕食者から逃げるためだろう。

・トカゲも速かった。鳥やヘビから逃げるためと，虫などを追いかけて捕食するためだろう。

図２　調査したコハンミョウ

・ハンミョウは今回つかまえた甲虫のなかでいちばん速かった。

・主に地上で生活する虫は速い。

・木，水中，地中で生活する虫は遅い。

・ダンゴムシのように防御力のある虫も遅い。

・クワガタはあごで反撃できるし，木にしがみつく力も強いから，走る必要がないのかもしれない。

・跳ねる虫を除いて，上位に多いのは，足の回転が速い虫，歩幅が大きい虫だった。

図３　調査した虫たち

**【調査２の結果から】**

・上位に大きさ 30 mm 以下の虫が集中している。それは小さい虫のほうが大きくなったときの移動距離も大きくなるから。

・ハンミョウ以外の甲虫は真ん中より下位にいる。

・今回調べた甲虫のなかでは，ハンミョウが断然速い。

・下位には主に，木の汁を吸う虫が集まって，真ん中から上位にかけては，主に雑食，肉食の虫が集中している。

・自分の速さの順位は予想通りだった。

## 感想

・残念ながら，ハンミョウは最速の虫ではなかった。ちょっと悔しい。

・虫の足の速さは，エサや生息する場所に関係していると思う。

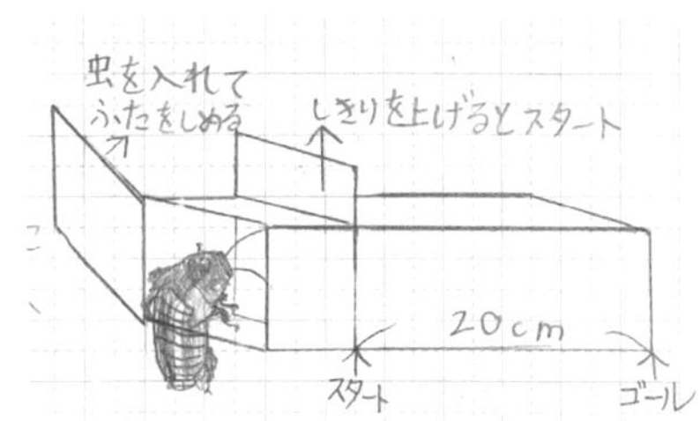


図４　実験道具の構想

・夏なので走る虫がたくさん見つかると思ったが，意外と苦労した。

・１種類につき，１回のデータしかとれなかったので，より正確なデータをとるためにも，もっと多くのデータをとりたい。

・虫の足の速さをもっと正確に簡単に調べるために，実験道具を作りたい。右のような道具だと，同じ距離で計測できて便利。

# 作品について

昆虫などの生き物の速さに疑問を持ったという点が，独創的だと感じました。また，いろいろな生き物の速さを調べることで，生き物の多様性に触れるだけでなく，肉食，草食といったエサや，地上，地中，水中といった住む場所にも注目しながら，調べた生き物の共通点を見出している点も素晴らしいと感じました。そして，考察では，単に自分の予想と比較するだけでなく，先ほどの住む場所や食性に踏み込んで考え，順位ごとに見られる昆虫の傾向についても表や図を使いながら分かりやすく表現しており，しっかりまとめられた研究と言えるでしょう。

さらに，この研究では，人間大に置き換えて，速さを測定するというとてもユニークな試みもなされています。自分の速さと比較するというところから生まれた視点だと思いますが，着眼点がとても面白かったです。人間大の虫などいるはずがありませんが，あえて「いる」と仮定して，考えているところに，単なる調査で終わることなく，豊かな創造力を科学に取り入れた研究になっています。

調査では，実際に虫をつかまえてきて，自分で虫の速さを計測してデータをとっています。観察や実験で大切なことは，データの「質」と「量」を高めることです。これだけたくさんの種類の虫のデータを一つひとつとることはとても大変だったと思います。しかし，そのような調査データをたくさん集めることでデータの「量」が高まった結果，素晴らしい研究となりました。さらに，「1 種類につき，1 回のデータしかとれなかった」と振り返っていることから，データの「量」の大切さに気付いているところも見逃せません。

データの「質」については，この研究では，「虫の足の速さをもっと正確に簡単に調べるために，実験道具を作りたい」と振り返っています。この「正確に測定する」ということが，データの「質」を高めることにつながります。そして，改善のアイディアも具体的になっていて，大変素晴らしいです。この他にも，同じコハンミョウの調査でも，コハンミョウを 1 匹捕まえてきて調査するのと，2 匹捕まえてきて調査するのとでは，データの「質」も「量」も変わってくると思います。このようなこともヒントにしながら，今後もデータを充実させたうえで，継続的な研究を行ってほしいですね。

# 不思議だな、カニの巣穴

高橋 真湖（たかはし まこ）
[私立学校法人鶴学園なぎさ公園小学校 3年]

私の住んでいる広島市には川がいくつか流れていて、たくさんのカニに出会えます。そこにはたくさんの巣穴もあります。私は寒天と石こうを使った実けんを行い、カニはしゅるいによって穴の深さ・大きさ・形・ほり方がちがう事が分かりました。
暑い中、干がたでカニのかんさつをしたのは大変でしたが、予想外の結果が出た時は楽しかったです！

## I 研究の概要

### 研究の動機

広島市さえき区には，八はた川が流れている。その川は家のすぐ近くで流れているので，よく家族で川遊びに出かける。そのようなとき，ふと目線を下に向けると，そこにはたくさんの穴がある。これらの大きな穴や小さな穴をのぞきこんで見ると，カニが穴に入っていくのを見ることができた。そこで私は，カニの巣穴の中はどうなっているのか，カニの種類によって巣穴は違うのか，ということを疑問に思い，カニの巣穴について調べてみようと思った。

図1　ハクセンシオマネキ

### 実験方法及び結果

◇寒天を使った実験で調べること

①カニは寒天に穴を掘るのか　②穴の形と深さ　③穴の掘り方

**【予想】** 寒天が地面と同じくらいの硬さなら掘るが，軟らかすぎたり，硬すぎたりしたら掘らないだろう。

**【準備】** 水 1500 CC　こな寒天 10 g　海水の素（塩）10 g　2 L のペットボトル

カニの種類・アカテガニ・アシハラガニ・クロベンケイガニ・スナガニ・チゴガニ
・ハクセンシオマネキ・フタバカクガニ・タカノケフサイソガニ
・ケフサイソガニ・ユビアカベンケイガニ

**【方法】** 水，粉寒天，海水の素をなべに入れ，火をかけ透明になるまでゆっくりかき混ぜる。できあがったものを空のペットボトルに流し込み，熱をよくとって，冷蔵庫で冷やし固める。そこにカニを入れ，巣穴を掘るかを観察する。巣穴を掘ったら，穴の大きさと深さを観察する。

**【結果】** 10 種類のカニのうち，寒天に穴を掘ったのは①アシハラガニ　②チゴガニ　③ハクセンシオマネキの3種類であった。

- 同じハクセンシオマネキでも掘らないものがいた。
- ユビアカベンケイガニは，何 mm か掘ったが，巣穴を掘るという動きではなかったので，数えていない。
- 3種類のカニが掘った巣穴は図2のような深さになった。左からアシハラガニ，チゴガニ，ハクセンシオマネキである。

表1　寒天実験の結果

| カニの名前 | 1回目 | 2回目 | 3回目 |
|---|---|---|---|
| アカテガニ | × | × | |
| アシハラガニ | ○ | ○ | |
| クロベンケイガニ | × | × | × |
| スナガニ | × | × | × |
| チゴガニ | ○ | ○ | |
| ハクセンシオマネキ | × | ○ | ○ |
| フタバカクガニ | × | × | |
| タカノケフサイソガニ | × | × | |
| ケフサイソガニ | × | × | |
| ユビアカベンケイガニ | △ | × | |

**【考察】**・穴を掘らないカニもいた。これはもともとカニがすんでいる場所と土の硬さが違うからだろう。

・種類によって穴の形や深さに違いがあることが分かった。ハクセンシオマネキは野外での深さより浅いことが分かった。ハクセンシオマネキは，やや硬いところに穴を掘るので寒天は軟らかすぎるのだと思う。

・穴の太さは，チゴガニが細長く，アシハラガニは太く，ハクセンシオマネキは中ぐらいでそれぞれの体の大きさと同じだった。つまり，穴が自分の体とぴったりで無駄がないほうが敵が入りにくいからだと思う。

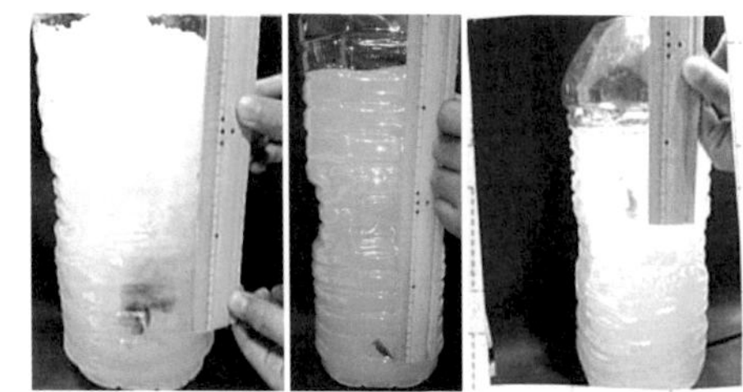

図２　カニが寒天に掘った巣穴

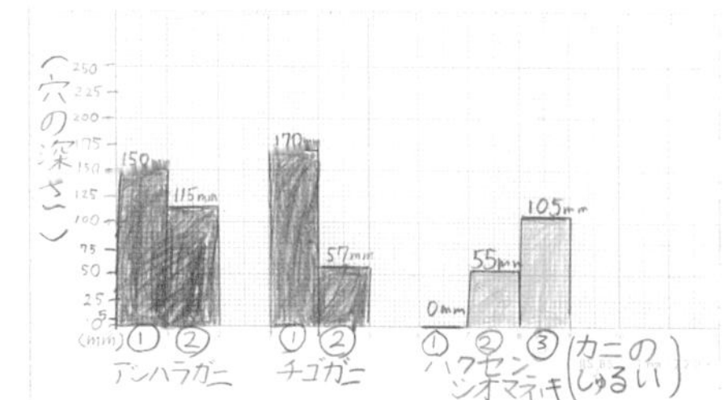


図３　カニが寒天に掘った穴の深さ

◇石こうを使った実験で調べること

①野外の巣穴の深さ　②野外の巣穴の形

**【準備】**　石こう，水，バケツ，割りばし，計量カップ，ハブラシ

**【方法】**　石こうと水を混ぜて溶かす。巣穴のカニの種類を見極めてから，石こうを流す。１時間ほど置いて，巣穴の周りを慎重に掘る。石こうが見えたら，手でやさしく抜く。乾かして，砂を丁寧にハブラシでとる。

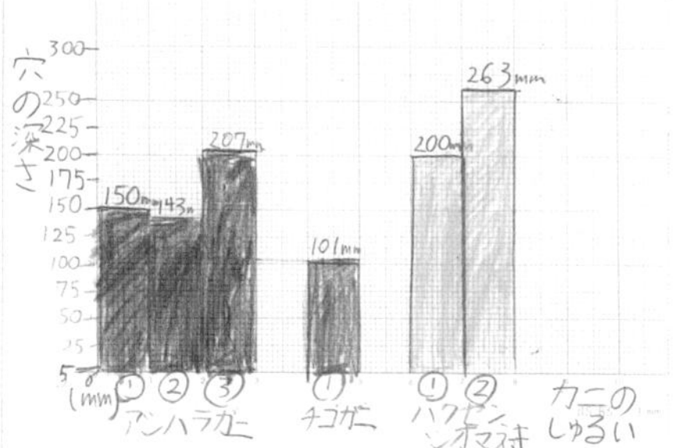


図４　石こうで調べた穴の深さ

## 結果及び考察

巣穴の深さでは，ハクセンシオマネキが263 mmもあった。これは，水際から遠いところだったので，巣穴の乾燥を防ぐためだと思われる。チゴガニは水際から近いのであまり深く掘らないのだと思う。

アシハラガニは横幅が広く入口の穴も大きい。チゴガニは入口も小さく細長い。ハクセンシオマネキは入口が小さく，どんどん太くなっていちばん奥にふくらみがある。これは休む部屋だと思う。チゴガニは隠れるための穴だが，アシハラガニとハクセンシオマネキの穴はいろいろな使い方がされていると考えられる。

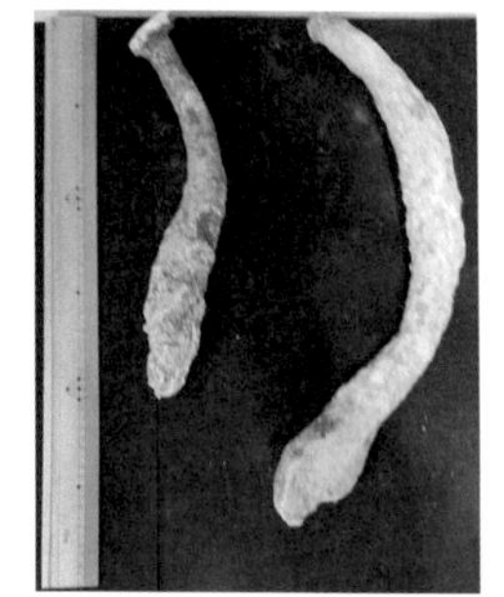

図５　ハクセンシオマネキの巣穴（石こう）

# 作品について

家の近くの川にすむカニに興味を持ち，カニの巣穴を徹底的に調べたこの研究からは，高橋さんのあきらめない気持ちや，もっと調べたいという探究心が伝わってきました。川，とくに河口付近は木陰もほとんどないので，きっと実験や観察は炎天下のなかで行われたのだろうと思うとさらに頭が下がります。高橋さんのさらに深く追究したいという思いは，ハクセンシオマネキの巣穴よりも奥深いものになりましたね。

この研究のなかで，とくに着目したいのは，実際の砂地でカニがどのように過ごしているのか，砂地での巣穴の特徴は何かをしっかりと捉えたうえで実験や観察を行っているところです。それには，深い洞察力だけでなく，これまでに積み重ねてきたカニの観察から得られた事実が必要です。家の近くの川でこれまで何度もカニを見てきたことがこの研究につながっているのだと思います。

前頁までの概要では紹介できませんでしたが，研究のなかにこのような考察が書かれていました。

「穴の掘り方はハクセンシオマネキとアシハラガニは野外と同じで掘り進みながらかすを外に捨てていました」

これは，寒天にカニが穴を掘る様子を観察した結果をもとに書かれた考察ですが，この考察はハクセンシオマネキやアシハラガニが，実際に川で穴を掘っている様子を観察した人にしか書けません。

他にも，ハクセンシオマネキとチゴガニの巣穴の深さの違いは，巣を作る場所によるものではないかという考察もありました。水際からの近さと乾燥のしやすさとをつなげていたのです。つまり，穴を深く掘るのは乾燥から身を守るためだという高橋さんの考えをしっかりと述べたのです。これにも驚かされました。川でしっかりと巣穴の位置を確認していない人は，このように考えることはできません。実際の自然と目の前の実験の結果とを結び付けているからこその考察だと感心しました。

石こうや寒天を使って作った，カニの巣穴の大きさ，形，深さから，カニの暮らし方について考えることができたのは，このように目の前の実験結果と川での観察とを比較して，考えることができたからだと思います。これからの高橋さんのさらなる研究に期待しています。

# 3本足のひみつ

菊地 灯(きくち あかり)
[筑波大学附属小学校 4年]

夏休みに起きたある事件をきっかけに、この研究を始めました。3本足でものを支えるために「何か条件があるのか?」、「あるとしたらどんな条件なのか?」、その答えを見つけるため、実験をしてみました。実験をしている時、本当に答えにたどり着けるのかとても不安でしたが、最後に分かったことがあります。
それは…。

##  研究の概要

### はじめに

図1　補助ペダル

私はピアノをひくとき，写真のような補助ペダルを使っている。夏のコンクールの前日，この足台を支える4本の部品のうちの1本が見当たらなくなってしまった。支える部品が3本しかないと，体重をかけたときに足台が崩れてしまうのではないかと不安になった。それで，おそるおそる3本足のまま足台を使ってみると，意外と安定していた。そのとき，「あれっ，3本足でもちゃんと支えることができるのかな」と思った。

### 疑問1　3本足でも支えることができるのだろうか。支えられるとしても，何か条件があるのだろうか。

**【実験1】** 長方形の板の4角の下に円柱の積み木を置く。その後，▲の部分の積み木を取り除き（図2），板の上から力を加えてみる。同じように円すいの積み木でもやってみる。

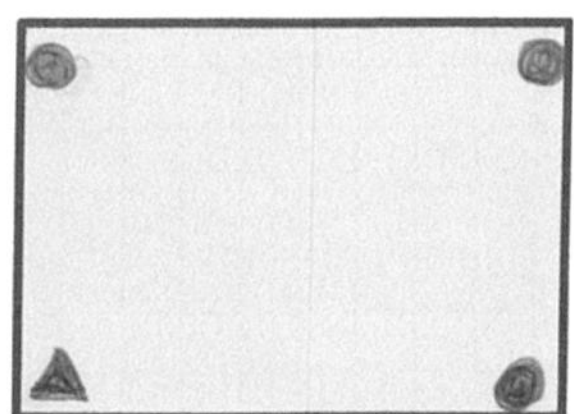

図2　▲の積み木（取り除く）

図4　実験1の様子（円柱）

図5　実験1の様子（円すい）

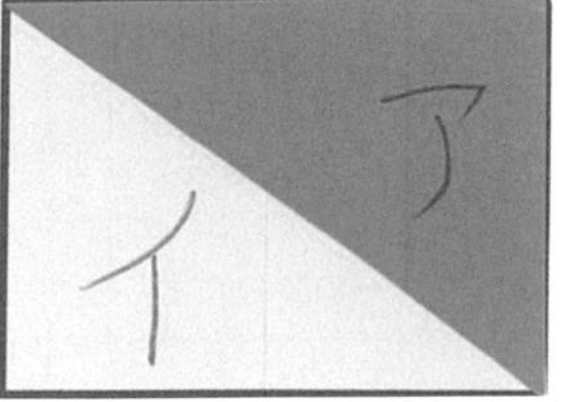


図3　力を加えた部分

アの部分に強い力を加えても崩れないが，イの部分に力を加えたら崩れた（図3）。円柱と円すいの違いは，崩れるときの加える力の強さだ。円すいはほんの少し指がふれただけで崩れた（図5）。上の板に接している広さが広いほど，崩れにくくなることが分かった。私のピアノの足台も支える部品が太い四角柱なので安定していたのだと思う。

### 疑問2　3本足で上の板を支えるとき，足の位置を変えてみたらどうなるのか。板を支えるためには，足の位置に決まりや条件があるのではないか。

**【実験2】** 3本の足の位置を少しずつずらしながら，足がどの位置にあるときに上の板を支えられるか実験する。板の上から足の位置を確認したいので，上の板は透明なアクリルの板を使うことにした。

4つの円すいを足にしてテーブルの形を作る。次に▲の足を外す。そして，◎の足を少しずつずらして（図6），台が崩れない場所を探す。崩れなかったときの足の場所に赤いマーカーでしるしをつけていく（図7）。

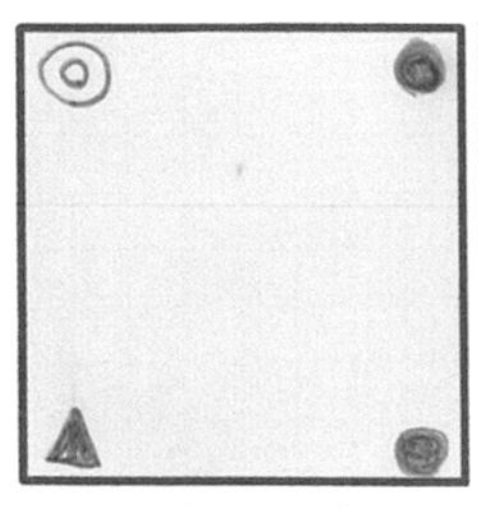
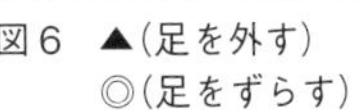

図6 ▲（足を外す）
◎（足をずらす）

図7 実験2の様子

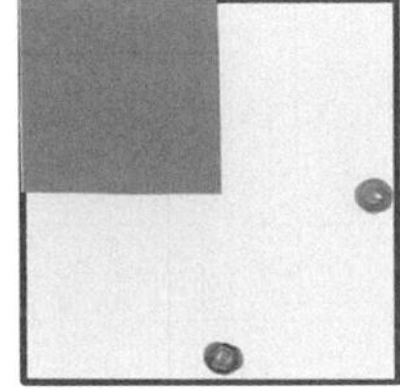

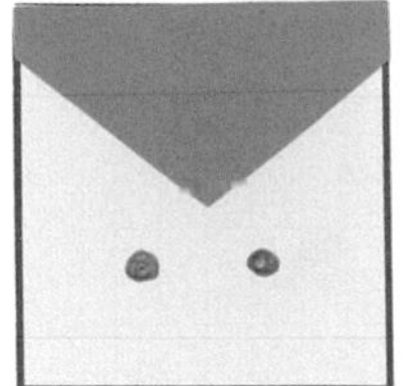

図8 ▲の足を外し◎の足をずらしてできた図形

四角板を支える実験ではきれいな図形ができたが（図8），上の板を円形に変えても，きれいな図形ができるのだろうかと考えた。そして，円形の板で実験したものを方眼紙にのせてみた。

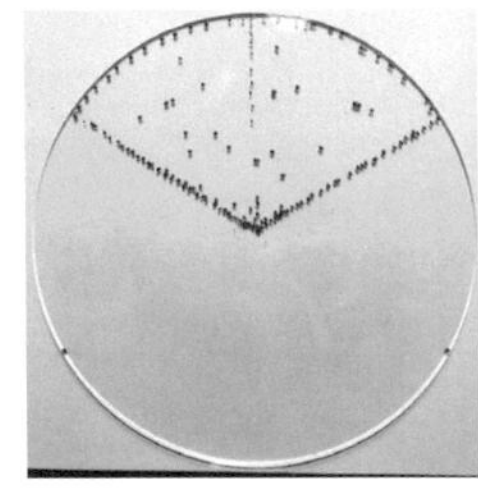
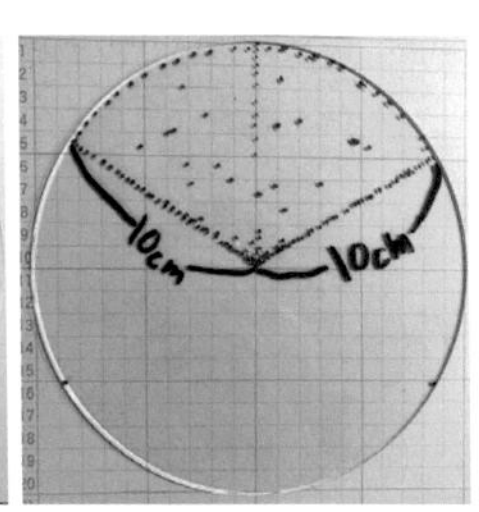


図9 円形の板での実験

すると，おうぎ型のとがった部分から円の縁（ふち）までの長さはどこも10 cmだった（図9）。これは円の半径になる。つまり，おうぎ型のとがった部分は円の中心点になる。これは支える足を他の位置に置いたときも同じ結果になった。

そして，円すいの足を置いた位置から中心点を通るように直線をひいた先に，赤いおうぎ型の図形ができていた（図10）。

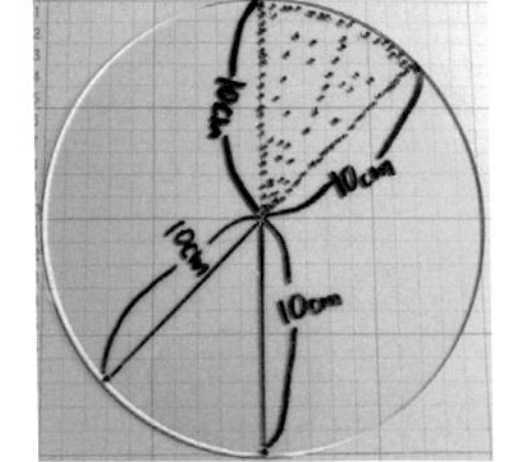


図10 円の中心点

さらに，これまでできた図形も調べてみると，同じようになっていることが分かった。

## 結論

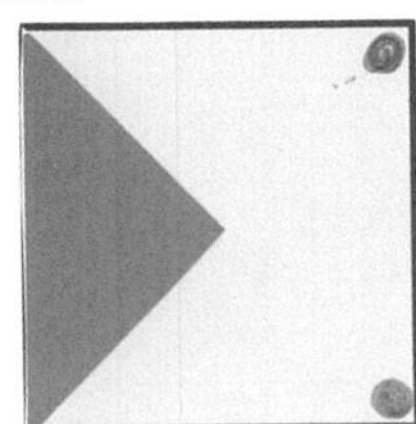
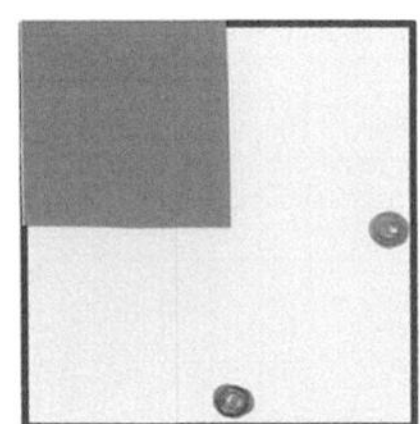

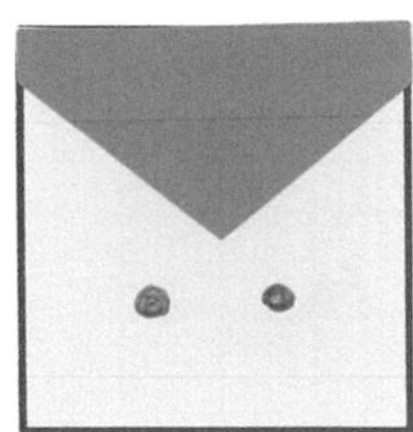

図11 図形の中心点を通る直線の先にできる範囲内（はんいない）の3本目の足

平らな板を3本足で支えるためには，2本の足から図形の中心点を通る直線を引いて，その先にできる図形の範囲内に3本目の足を置くようにする（図11）。

# 作品について

「実験はたくさんやってみるものだ」これは，菊地さんの研究のまとめに書かれた言葉です。四角形の板を使った実験の初期段階は，きれいな図形ができることに面白さを感じ，実験を繰り返すことになりました。この実験を繰り返していくうちに，何か３本足で支えるための条件があるのではないかと思い始めます。そして，実験の大きな転機は，四角の板を円形にしたときに訪れます。上にのせる板を円形にしたこと，実験をして描くことができた図形を方眼紙にのせてみたことで，一気に支えるための条件が見えてきました。

菊地さんが感じたように，たくさんの実験を繰り返すという利点はたくさんありますが，それだけでは新展開が生まれてこないことも多いでしょう。それでも，「こうしてみたらどうなるのだろう」と，ふと思ったことを試してみることで，それが生まれてくることがあります。これこそ多面的な見方です。同じ実験でも違う見方をしてみる，材料を変えてみる，方法を少し変えてみるということで，新しい発見が生まれることがあるのです。

また，この「ふと思う」というのは偶然のようでいて，そうではないのです。何かに没頭してみたり，気持ちが深く入り込んだりすることによって生まれてくるように思います。何となく見ていたり，取り組んでいたりするときにはないものでしょう。有名な発見をした人の伝記を読んだり，お話を聞いたりすると，必ずその世界にのめり込んでいるときがあるものです。こうしたときを過ごすからこそ，ひらめいたり，他の人には見えないものが見えてきたりするのです。

このように考えてみると，最初に書いた菊地さんの言葉「実験はたくさんやってみるものだ」には，とても深い意味があるように思います。この研究のまとめには次のような言葉もあります。

「私は今回の結果が得られたこともうれしかったが，実験はたくさんやってみるものだという発見ができたこともとてもうれしかった」

このまとめの言葉を見て，菊地さんは研究者の扉を開いて，その第一歩を踏み出したのではないかと感じました。

自分もその一歩を踏み出してみたいと考えている人は，もう一度自分の周りを見回してみると，その導火線の役割を果たしてくれる何かがあるかもしれませんよ。

図 12　研究のきっかけとなったペダル

# 新聞紙の底力

鶴丸(つるまる)　梓(あずさ)
［筑波大学附属小学校 4 年］

夏の暑い日、ペットボトルの水を凍らせて新聞紙で包んだところ、予想以上に氷が長持ちしました。氷の解ける様子を観察し、さらに包み方を工夫すると…
私たちの身の周りにある空気と冷たいペットボトル、そして新聞紙が間にあるだけで、水の循環が生まれます。電気はなくても保冷できる、まるで自然の冷蔵庫のような仕組みを作った新聞紙の力に驚きました！

## Ⅰ 研究の概要

### 研究の動機・目的

夏休み，祖父母に会うためにフランス中部の町に行った。今年のヨーロッパは記録的な暑さで，7月25日は祖父母の住む町でも42℃まで気温が上がった。ヨーロッパは緯度が高くて涼しいので，エアコンをつけている家は少ない。町には日本のように飲料を売る自動販売機もない。旅行中に私が苦労したのは冷たい水を持ち歩くことだった。困っていたところ，祖父が「凍らせたペットボトルを新聞紙で包むといいよ」と教えてくれた。試してみると凍らせた2本のうち，新聞紙で包んだほうは半日近く氷が残っていて，もう一方の包んでいないほうはすっかり溶けていたので，その違いにびっくりした。そこで家に帰った後で，本当に新聞にそんな力があるのか，調べてみたいと思った。

### 実験方法及び結果

**実験１「本当に新聞紙に保冷効果があるのか？」**

**【方法】** 水を凍らせたペットボトル（500 mL）をいろいろな素材で包んで，どのように氷が溶けるか観察する。

**包むもの** ①なし　②新聞紙１枚　③アルミホイル　④梱包保護シート
⑤保冷ホルダー（100均）⑥フェイスタオル

**【予想】** ①は気温が直に伝わりすぐに温まると思う。③や④は保冷ホルダーの材料で，③は暑さを跳ね返し，④は厚みがあるから冷たさを守りそう。
（長く冷たさを保つ　←⑤④⑥③②①→　すぐ温まる）

**【結果】** 水を冷たく保った順は，⑤④⑥②③①であった。どの素材でも氷が溶けきるときの温度は10℃以下だった。ボトルは冷凍庫から外に出すとすぐに水滴がついた。アルミホイルの外側にもたくさんの水滴がついた（図1参照）。①と③以外は始めは低い温度で横ばいが続き，氷が溶けきる頃から急激に温度が上がった。

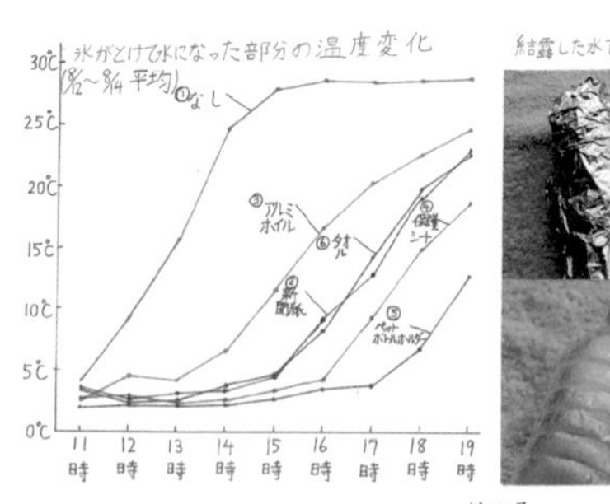


図１　実験１での温度変化と結露の様子

**【考察】** 新聞紙は，空気中に含まれている水蒸気がボトルで冷やされてビシャビシャになってしまったので，濡れたときに取り替えた。次は新聞紙を２枚にしたり濡れたりしないような工夫をしたい。

### 実験２「新聞紙の巻き方を変えるとどうなるか？」

**【方法】** 氷の溶け方を観察する。

図２　新聞紙で包んだペットボトル

**包むもの**　①なし　②クシャクシャにして包む　③新聞紙２枚　④アルミホイル＋新聞紙１枚　⑤ボトルに触らないように筒にして被せる　⑥保冷ホルダー

**【予想】** ④は保冷ホルダーに似ているから冷たさを保ちそう。⑤はボトルと筒の間にある空間に冷たい空気が閉じ込められるはず。
（長く冷たさを保つ　←⑥④⑤②③①→　すぐ温まる）

**【結果】** ③が予想外で⑥を上回った。氷が溶け切ったのは，実験開始から７時間後ぐらいだった。

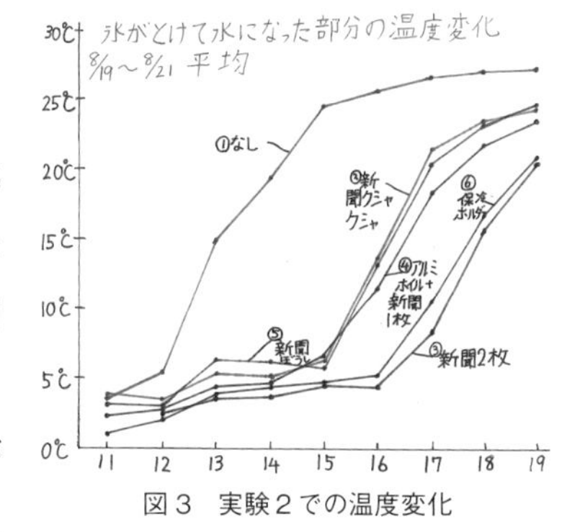

図３　実験２での温度変化

**【考察】** ③が⑥を上回ったのはなぜか。③は新聞紙が破れないように温度を測った後，結露で濡れた内側の新聞紙を外側に，乾いている外側の紙を内側にして巻いた。１時間ごとに繰り返していると，濡れた紙がちょうどいい感じで乾いて包むことができた。それが氷が長持ちした理由ではないか。

本などで調べると，水は蒸発するときに接しているものの熱を奪うことが分かった。実験２の結果から，新聞紙をはじめとして様々な素材は，水をどのくらいの早さで吸い込み（実験３），どのくらいの早さで乾かすのか（実験４）についての実験を行った（※実験３については次頁に結果を掲載）。

### 実験５「水を蒸発させながら保冷するのに適した素材は？」

**【方法】** 実験３と４で使用した様々な素材で凍らせたペットボトルを包み，濡れた部分を乾かしながら，氷が溶けた部分の温度と，そのときの湿度も測る。各素材は厚みが違うので重さで揃える（約 60 g）。素材の内側と外側の包み替えは１時間に一度行う。

**素材**　①新聞紙３枚　②画用紙２枚　③ガーゼ　④フェイスタオル　⑤麻布　⑥保冷ホルダー

**【結果及び考察】** 新聞紙が断トツの１位だった。新聞紙を３枚にしたら保冷効果が上がった。枚数をもっと増やしたらいいかもしれない。

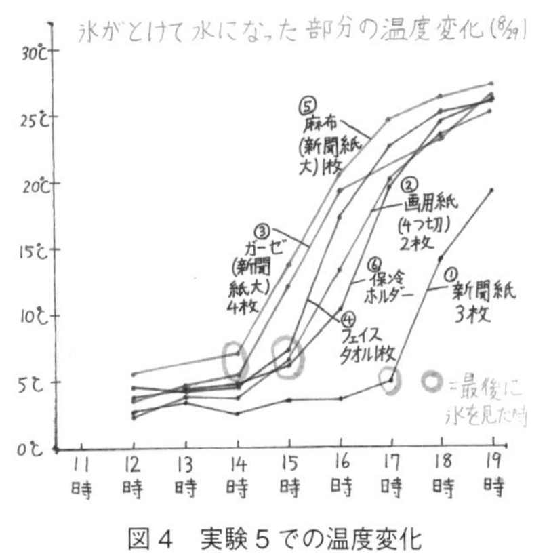

図４　実験５での温度変化

# 作品について

実験を終えたら，結果をもとに考察し，そこから新しい問題を見いだす．そして，さらに実験を行うという，繰り返しを行っています。探究心にあふれる素晴らしい姿です。「凍らせたペットボトルを新聞紙で包むといいよ」というお祖父さまの言葉をきっかけに行った数々の実験から，新聞紙で包むとどうして氷が長持ちするのかを突き止めることができました。

紙幅の関係で前頁では紹介することができませんでしたが，実験２の結果から，新聞紙はどれくらい水を吸いやすく，乾きやすいのかという疑問を持ち，実験３「新聞紙の水の吸いやすさは？」と実験４「濡れた新聞の乾きやすさは？」に取り組んでいます。その実験でも，比較対照として，画用紙，ガーゼ，タオル，麻布を使っています。

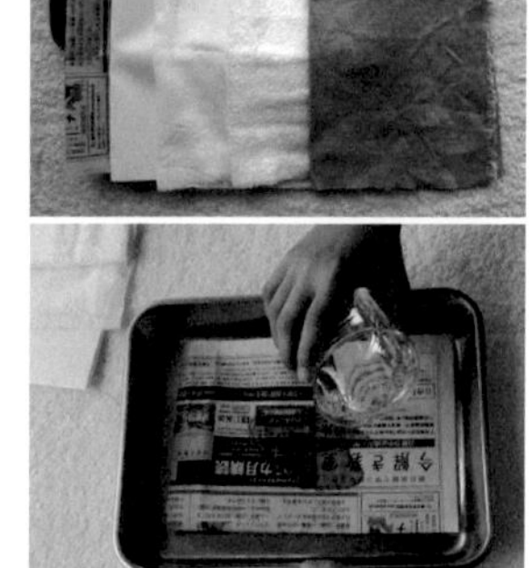

図５　実験３の様子

表１　実験３の結果

結果

| 吸った量 | かかった時間 | 1秒に吸った量 |
|---|---|---|
| ①84mL | 60秒 | 1.4mL |
| ②15mL | 82秒 | 0.18mL |
| ③65mL | 21秒 | 3.1mL |
| ④72mL | 23秒 | 3.13mL |
| ⑤32mL | 27秒 | 1.19mL |

ここに挙げた実験だけでなく，どの実験でも比較を大切にし，実験前に予想をしっかりと立てているからこそ，見通しを持ち，結果を的確に読み取り，視点を定めた考察を行うことができるのだと感じました。

特筆すべきは，鶴丸さんの書いた，以下のまとめです。

「この方法はいつでもどこでもできるわけではない。天気が良く，湿度が低く，風のある日の屋外で効果的だろう。もちろんかばんの中では利用できない」

このように，新聞紙で包むことが効果を発揮する条件や，持ち運ぶことを想定したときの実用性をも考えて，研究をまとめているところにもこの研究の素晴らしさがあります。感想にも「太陽や風などの自然の力だけで冷やせるのは，地球にやさしくて，温暖化を防ぐためにも役立つのがいいと思う」と書かれていました。持続可能な社会，地球環境の保全に研究の成果をつなげるところにも視野の広さを感じました。この研究のきっかけをくれたお祖父さまが，研究内容を「そこまでは考えていなかった」と驚いてくれたことがよかったですね。

これからも問いに始まり問いに終わる探究心に溢れた研究を続けてください。

# 水は力持ち！

丸山 紗楽（まるやま さら）
［筑波大学附属小学校 4年］

水で洗って重ねたスライドガラスが固くくっついてしまったことが、この研究のきっかけです。水は、どんなものをくっつけられるかな？ どうしたら強くくっつくかな？ 実験装置を作って調べました。ガラスが割れたり金具が外れたりして大変でしたが、どんどん重いおもりを下げられて、水の強さに驚きながら楽しく実験出来ました。

# 研究の概要

## 研究の動機・目的

ある日，顕微鏡で使ったスライドガラスを洗って重ねておいたところ，ガラス同士がくっついて自分の力ではがれなくなっていた。きれいに洗っておいたので，水しかついていないはずなのに，固くくっついてしまって，驚いた。このような経験から，水がどんなものをくっつけることができるか，どうしたら強くくっつけられるかなど，水のものをくっつける性質について調べてみようと思った。

## 実験と結果

**【実験１：水でくっつくものを探す】**

ガラス同士がくっついたなら，紙や鉛筆などの他のものもスライドガラスとくっつけることができるかを調べた。その結果，平らなもの同士だとくっつきやすいことが分かった。

表１　実験１の結果

結果

| | 紙 | 鉛筆 | 消しゴム | 輪ゴム | クリップ | おはじき | スチロール球 |
|---|---|---|---|---|---|---|---|
| くっついたもの | ○ | × | × | ○ | × | × | △ |
| くっつけた時の様子 | 平らな面でぴったりくっついた。 | くっつかない | くっつかない | たっぷり水をつけるとくっついた。 | くっつかない | くっつかない | くっついたけれどすぐ落ちた |

**【実験２：平らなもののくっつき方を比べる】**

実験１で平らなものがくっつきやすいことが分かったので，紙，布などの平らなもので調べたところ，でこぼこが少なく，水を吸わないガラスやアルミホイル，プラスチック板が２日以上と長くくっついていた。

表２　実験２の結果

結果

| | 紙① | 発泡スチロール② | プラスチック③ | アルミホイル④ | 布⑤ | ガラス |
|---|---|---|---|---|---|---|
| くっついていた時間 | 11分 | 3時間56分 | 2日以上 | 2日以上 | 3時間7分 | 2日以上 |
| 落ちた時の様子 | 乾いたら落ちた | 乾いたら落ちた | | | 乾いたら落ちた | |

**【実験３：ガラスにはさまれた水はどんな様子か】**

水がガラスにはさまれているとき，どのような形になるか，また，はさまれているとき，水に力を加えるとどうなるかを，水の量を変えながら調べた。その結果，手で押すよりも，横にずらしたほうが水が広がりやすいことが分かった。

表３　実験３の結果

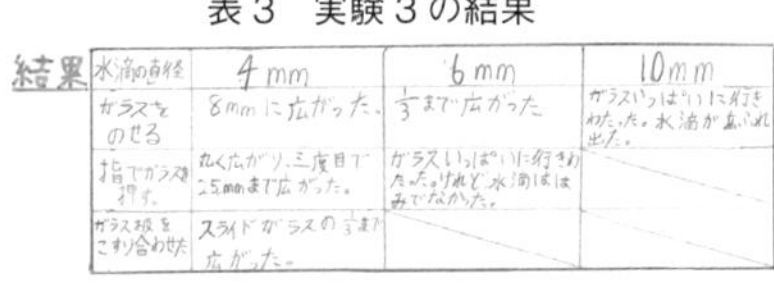

結果

| 水滴の直径 | 4mm | 6mm | 10mm |
|---|---|---|---|
| ガラスをのせる | 8mmに広がった。 | 1/3まで広がった | ガラスいっぱいに行きわたった。水滴があふれ出た。 |
| 指でガラスを押す。 | 丸く広がり，三度目で25mmまで広がった。 | ガラスいっぱいに行きわたった。けれど水滴ははみでなかった。 | |
| ガラス板をこすり合わせた | スライドガラスの1/3まで広がった。 | | |

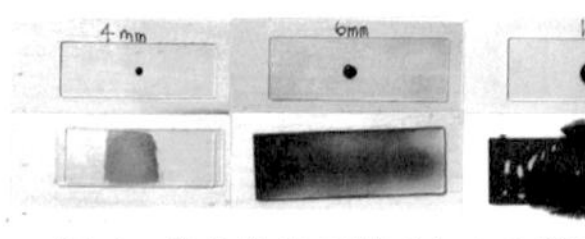


図１　色を付けて調べた水の様子

**【実験４：はさむ水や空気の入り方でくっつき方は変わるか】**

スライドガラスの間にはさむ水の場所や空気の入り方でくっつき方が変わるのかを，(A)真ん中に１滴落とした場合，(B)真ん中と左右で３滴落とした場合，(C)片側半分に水が入っている場合，(D)水泡がたくさん入った場合，(E)スライドガラス全面に水がある場合という場合に分けて調べた。その結果，空気が入っているほど，外しやすく，

表４　実験４の結果

結果

| | A | B | C | D | E |
|---|---|---|---|---|---|
| はずす時の様子 | 外すことができた。 | 力をすごく入れると外せた | 水がない方を開くようにすると外せた | 外せなかった。(空気が沢山外側にあれば外せた) | かたくて外せなかった |

水がすき間なくはさまっていると，手の力で開いて外すことはできなかった。しかし，横に滑らせれば，簡単に外すことができた。

**【実験５：水の量でくっつく力は変わるか】**

はさむ水の量を変えると，ガラスをくっつける力も変わるのかを実験装置を使って調べた。その結果，水が少ないほどくっつく力が強く，予想と違った。しかし，水が少ないと，ガラスを重ねただけではガラス全体には広がらない。そうすると，逆に外れやすくなってしまう。

図２　２枚重ねたスライドガラス

図３　実験装置

少ない水をまんべんなく伸ばしてぴったりくっつけさせるためにはどうすればよいかを調べる必要がある。

表５　実験５の結果

結果

| 水滴量 | 1滴 | 2滴 | 3滴 | 4滴 | 5滴 |
|---|---|---|---|---|---|
| くっつけた時の様子 | はさんだだけでは広がらないので，こすり合わせてのばした。 | 指で押して水を全面に広げた。 | 指で押して水を全面に広げた。 | ガラスをのせただけでほぼ全面に広がった | あふれ出た |
| ぶらさげた重り | 1.5kg | 500g. | 250g | × | × |

**【実験６：どうしたらガラスをぴったりくっつけることができるか】**

どうしたら水をすみずみまで広げることができるかを，(A)指で押す，(B)こすり合わせる，(C)麺棒を押し転がす，(D)足で踏む，(E)広げたい方向へ傾けるという場合に分けて調べた。すると，こすり合わせることで一番固くくっつくことが分かった。

表６　実験６の結果

結果

| | A | B | C | D | E |
|---|---|---|---|---|---|
| 水が広がる様子 | ゆびをいどうさせながら，押すと，水はすみずみまで広がった。 | 何度も往復させてこすり合わせるとすみずみまで広がった | 転がしてもうまくいかなかったのでごますりのように動かしたら広がった。 | 2/3広がった | 少しも広がらなかった |
| ぴったりくっついたか。 | ○ | ○ | ○ | × | × |

**【実験７：どこまでの重さに耐えることができるか】**

ここまでの研究を活かして，水の力でどれくらいの重さに耐えられるかを調べた。その際，こすり合わせる回数で強さが変わるかも調べた。その結果，最大で8 kgもの重さに耐えられることが分かった。

表７　実験７の結果

結果

| こすり合わせる回数 | 5回 | 10回 | 15回 | 20回 | 25回 | 30回 |
|---|---|---|---|---|---|---|
| ぶら下げられた重り | 250g | 750g | 1.5kg | 2kg | 4kg | 8kg |

図４　こすり合わせる回数と耐えられる重さを測る

## 研究のまとめ

この研究から，水でくっつきやすいものは，水を吸わないもので，平らなものが良いことが分かった。また，ガラスにはさまった水は，何もしないと広がることはなく，指で押したり，こすり合わせたりすることで，すみずみまで広がった。このとき，ガラスを30回こすり合わせると，それ以上は固くて動かせなかった。このときには，8 kgもの重さを持ち上げられることが分かった。

# 作品について

スライドガラスがくっついたという発見を出発点として，水の秘めた可能性について，追究をしています。何気ない一場面ですが，小学校の理科で学習する水とはまた違った性質に注目しているという点に，独創性が認められる研究です。

この研究では，はじめに「水はどんなものをくっつけることができるのか？」「水はどうやってくっつけているのか？」「水はどうしたら強くくっつけることができるか？」「水はどのくらい強くくっつけることができるか？」といったように，これから調べていくことが明確になっています。このように追究することをはっきりとした問いで示していく，この問いのことをリサーチ・クエスチョンと呼ぶことがあります。このリサーチ・クエスチョンがとても明確に設定されているので，研究がより分かりやすいものになって優れていると言えます。

さらに，このリサーチ・クエスチョンに従って研究の内容を見ていくと，いきなり，どれくらいの重さに耐えられるのかということを調べるのではなく，そこに至るまでに，どのようなものがくっつくのかという素材の研究，そして，くっつく仕組みの解明に関する研究を経ていることが分かります。そして，そこで得られたことを活かして，最後にどれくらいの重さに耐えられるのかを調べています。このように，研究の内容が一連のストーリーを紡ぎ出しており，とても伝わりやすい内容になっていて，そのあたりが大変素晴らしい点と言えるでしょう。

一つひとつの実験を見てみると，実験３で，水の様子について追究するときには，水に色を付けて調べていて，見えないものを見えるようにするという良い工夫が見られます。また，実験４や実験５では，いろいろな場合を考え出して実験をしており，実験に対する創意工夫が認められます。このような実験のなかに，発想の自由さや創造力が込められているとともに，確かな証拠に基づいて，自然について明らかにしていこうという科学的に追究する能力の高さが溢れ出ています。

水の新たな一面に気付かせてくれる研究でしたが，さらに強い力を出すためにはどのような工夫が必要なのか，また水以外の物質だとどうなるのかといったように，今後の研究の広がりを感じさせてくれるところも素晴らしかったです。

# カタツムリ生活の秘密 巣箱の工夫

日川 義規（ひかわ よしき）
[筑波大学附属聴覚特別支援学校 6年]

カタツムリはシャリシャリと音を立てながら精力的にエサを食べて、殻と体を大きく成長させます。頭で土を掘って、かくれて産卵をします。タマゴを割らないように見つけて、ふ化させて、いかに長生きさせるかをエサと巣箱から考えました。
戦わないけど、強い者だけが生き残る。カタツムリは不思議でかわいい生き物です。

## 研究の概要

### なぜ調べたのか

1年生のときに，カタツムリを飼い始めた。雨の日は，学校近くのバス停のコンクリートの壁にたくさんのカタツムリが出る。そこから二匹のカタツムリを連れ帰り育て始めたのが，カタツムリとの生活の始まりだった。ときには旅行にも連れて行き，タマゴを産んだり，ふ化したり，死んでしまったりする様子の観察を続けた。

3年生のときに，カタツムリの体のつくりや，基本的な飼い方，フンの色などをまとめた。今年は，毎年考えて工夫してきた巣箱についてまとめることにした。

### 季節ごとの巣箱の工夫

季節によって巣箱を変えた。飼ってみると季節によってカタツムリの活動は大きく違うためだ。巣箱を工夫することで，それぞれの個体を長生きさせられることに気付いた。冬は乾燥，夏は乾燥と高温の対策が，そのまま生死に関わる。冬は冬眠するが，夏も高温と乾燥のために，冬眠と同じように夏眠の状態になり，そのまま死んでしまうこともある。

図１　ハイドロビーズは清潔

**春**

冬眠から覚めたカタツムリはすぐに産卵しないので，ハイドロビーズを入れて，えさと保湿を重視した。えさの交換や掃除は清潔にできる。しかし，ハイドロビーズは焼き物で固いため，タマゴを割ってしまうことがあり，産卵時期には向かない。

図２　腐葉土の巣箱

**夏・秋**

産卵だけでなく，暑さ対策のための腐葉土を入れて，保湿と体をうずめることを目的とした。掃除は格段に大変になる。腐葉土は食料でもあるので，入れ替えや補充には注意した。

**冬**

冬眠のため赤玉土を入れ，常時，黒い紙を貼った覆いをした。水分とえさは一週間に一度は巣箱を開けて確認した。乾燥はカタツムリにとって命に関わるので赤玉土の水分に注意した。土だけれど，巣箱が汚れないので冬眠に最適。卵を発見しやすいというよさもある。

図３　赤玉土の巣箱

## タマゴ用の巣箱

乾燥を防ぎ，タマゴが割れないように，タマゴだけ別の環境で世話をする。湿らせたティッシュペーパーの上にタマゴを置き，清潔にした。ふ化が近づくと野菜を少しだけ入れた。タマゴを別にするのは，掃除のときにタマゴを割ってしまわないようにするためと，保湿とともにカビ対策をするためである。カビたり水没したりしてしまうと，タマゴは死んでしまう。

図４　タマゴ用の巣箱（ティシュペーパー）

## 巣箱の中の工夫

**ボール紙**　ボール紙は調湿だけではなく，カタツムリのおやつ(食物繊維）にもなり，カタツムリは好んで食べる。ボール紙は，色の付いていないトイレットペーパーの芯だと中にも入れるので最適だと思われる。平らなボール紙を腐葉土の下に敷くと調湿にも使うことができる。

図５　ボール紙を敷いた巣箱

**水**　水は霧吹きだけでなく，小皿にも入れた。水は飲むだけでなく，体ごと浸かっているのも見るので必要だと思った。

**カルシウム**　カタツムリは，カラとともに生まれ成長する。そのため，カルシウムは必要な栄養素である。雨の後，コンクリートのへいに出てくるカタツムリは，コンクリートに含まれる炭酸カルシウムをとるために出てくる。家で飼うとコンクリートを与えるわけにはいかないので，カルシウムを含む食べ物を与えなくてはならない。卵のカラやイカの甲を与えた。

図６　水を飲んだり浸かったりする様子

**タンパク質**　カタツムリの体はタンパク質でできているので，畑の肉大豆を与えることにする。きな粉を与えてみたが，そのままではあまり好まない。甘い果物などが好きなので，試しにきな粉に砂糖を混ぜてみた。翌朝，きな粉の皿が荒らされていたので食べたようだ。やはりカタツムリは甘いものが好きだ。

## まとめ

カタツムリを育てて６年目になる。カタツムリは知れば知るほど面白く，謎の多い生き物だと思う。来年は，産卵しやすい巣箱にして，産卵を管理してタマゴのふ化率を調べたいと思う。また，えさについてももっと工夫をして大きく育てたい。これからも大切に楽しんで飼育をしていきたい。

# 作品について

本研究は，6年間のカタツムリ観察の集大成です。季節によって注意しなければならないことがよく分かるまとめになっています。6年間愛情をもって育ててきたからこそ，見えてきたコツがふんだんに記録されています。

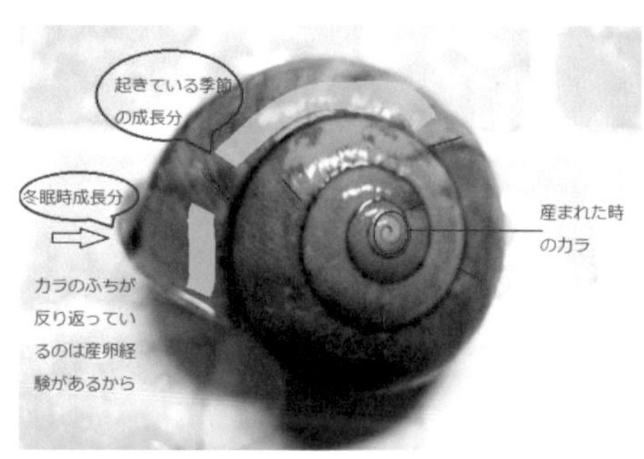

図7　カタツムリの年齢

カタツムリを見たことがない人はいないと思いますが，実際にカタツムリのタマゴを見たことがある人は少ないのではないでしょうか。もしかしたら，カタツムリはタマゴを産むの？　なんて思っている人だっているはずです。今回は巣箱についてのまとめが中心になっていますが，カタツムリの生態や成長の様子もとても詳しく記録されていました。紙面の関係で掲載できない内容が多かったので，少しだけ紹介します。

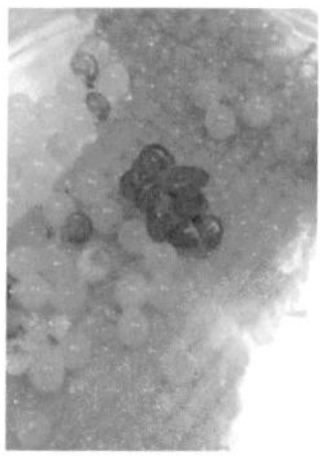

交尾後，約1週間で産卵する。産まれたばかりのタマゴは，クリーム色っぽいが，時間が経つと白いピンポン玉のようになる。タマゴのカラは薄い貝がらのように割れやすいので注意が必要になる。気付かずに掃除をすると割ってしまうので，産卵しそうな時期は注意して掃除をしなくてはならない。

図8　カタツムリのタマゴ

このように，季節だけではなく，産卵時期に注意すべきことやふ化したときに注意することなどが分かりやすくまとめられています。日川さんのことをカタツムリ博士と呼びたくなりました。

日川さんは，研究のまとめで，こんなことを書いています。

「カタツムリはなつくこともなく，活動時間も基本的には夜だ。そんなカタツムリ飼育のなかでもうれしいことがある。日々見守っていたタマゴの上にふ化した赤ちゃんカタツムリを見つけたときや，冬眠から起きてきて，みんながエサをシャリシャリと音を響かせて，すごい勢いで食べ始めるときは，心がワクワクする」

見慣れた生き物については，すべてを分かっているように錯覚してしまいがちですが，どの生き物も神秘と不思議さに溢れているものです。そして，その自然が与えてくれるご褒美に気付くことができるのは，日川さんのように，心がワクワクすることを見つけ出すことが得意な子だと思います。

# うちの猫は天気予報士!?

坂崎（さかざき） 希実（のぞみ）
［多治見市立根本小学校 6年］

飼い猫（ふく）が顔を洗っている時に、祖母が「ふくが顔を洗っているから、明日は雨が降るかもしれない」と言いました。
その言葉から『グルーミングと天気の関係』について興味をもち、研究を始めました。研究中、飼い猫が骨折した為、研究が継続できなくなりました。回復を待って、再度データを集め、研究を続けます。

# Ⅰ 研究の概要

## 研究の動機・目的

祖母が「昔から，猫(ねこ)が顔を洗うと近いうちに雨が降るって言われているんだよ」と教えてくれた。調べてみると，日本だけではなく，世界でもそう言われている国があることが分かった。猫のヒゲはとても敏感(びんかん)なセンサーである。その敏感なヒゲのグルーミング（顔洗い）が天気に関係があり，猫が天気予報士になれるのではないかと思い，この実験を始めた。

## 実験計画

調べる期間：2019年2月～7月

観察対象：飼い猫

（名前：ふく　性別：オス　年齢(ねんれい)：1歳(さい)）

図1　飼い猫のふく

条件（1）猫が顔を洗うと，翌日・翌々日に雨が降るか。

（2）猫が顔を洗う回数と翌日・翌々日の天気の関係。（3）猫が顔を洗ったときの室温・湿度(しつど)と天気の関係。（4）猫の顔洗いと気圧の関係。（5）猫が顔を洗うときに使う手と天気の関係。（6）猫の手首を濡(ぬ)らすと顔を洗うのか。（7）猫の顔のヒゲを濡らすと顔を洗うのか。（8）猫が顔を洗う時間帯と天気の関係。

## 結果と考察

**【実験1：猫の顔洗いと天気の関係】**

雨が降る的中率は，猫が顔を洗った翌日に39%，翌々日は36%になった。猫が耳を越(こ)してしっかりと顔を洗った翌日は42%，翌々日は34%で，耳を越してしっかりと顔を洗うときは，翌日に雨が降る的中率が高くなることが分かった。何度も繰(く)り返(かえ)し顔を洗うことが多かったので，洗う回数と天気の関係を調べることにした。

**【実験2：顔を洗う回数と天気の関係】**

回数が多いと翌日は曇(くも)り，翌々日は晴れることが多い結果となった。猫が耳を越してしっかりと顔を洗う回数と天気に何か関係があるのではないかと思い調べてみたが，回数が多いと翌日は曇り，翌々日は晴れる結果となった。とくに，翌々日については，1時間に20回顔を洗ったら晴れる予報になるので，予想と違(ちが)った。

**【実験3：猫が顔を洗ったときの室温・湿度と天気の関係】**

猫が顔を洗ったときの室温，湿度，翌日・翌々日の天気を記録し，それぞれ平均を求めた。

室温（温度）には，あまり差がなかった。しかし，翌日・翌々日に雨が降ったときの湿度は，耳を越さずに顔を洗ったときと比べ，翌日で0.4%，翌々日で5.3%の違いがあった。湿度が高いときのほうが耳を越してしっかりと顔を洗うことが分かった。猫のヒゲは，湿度0.4～5.3%の違いを感知していることが確認できた（表1，表2）。

表1　顔を洗ったときの室温・室温と天気

| | | 温度（℃） | | 湿度（%） | |
|---|---|---|---|---|---|
| | | 翌日 | 翌々日 | 翌日 | 翌々日 |
| 天気 | 晴れ | 22.9 | 26.5 | 48.9 | 46.5 |
| | 曇り | 26.8 | 26.4 | 67.0 | 64.8 |
| | 雨 | 24.7 | 25.7 | 57.0 | 59.3 |

表2　しっかりと顔を洗ったときの室温・湿度と天気

| | | 温度（℃） | | 湿度（%） | |
|---|---|---|---|---|---|
| | | 翌日 | 翌々日 | 翌日 | 翌々日 |
| 天気 | 晴れ | 23.0 | 23.3 | 49.2 | 46.2 |
| | 曇り | 26.8 | 26.8 | 67.0 | 64.7 |
| | 雨 | 24.6 | 24.4 | 57.4 | 64.6 |

**【実験4：猫の顔洗いと気圧の関係】**

表3　顔を洗ったときの気圧と的中率

| | | 当日から翌日 | 当日から翌々日 |
|---|---|---|---|
| 的中率（%） | 気圧が下がった | 43.1 | 46.6 |
| | 気圧が下がった（天気が雨になった場合） | 68.0 | 55.6 |

表4　しっかりと顔を洗ったときの気圧と的中率

| | | 当日から翌日 | 当日から翌々日 |
|---|---|---|---|
| 的中率（%） | 気圧が下がった | 50.0 | 50.0 |
| | 気圧が下がった（天気が雨になった場合） | 44.0 | 44.0 |

表3より，猫が顔を洗うと気圧が下がる確率は，翌日が43.1%，翌々日が46.6%であった。雨が降った場合では，翌日は68.0%，翌々日は55.6%で，確率が高くなった。この結果から，猫が顔を洗うことと雨が降ることには関係があると考えられる。表4より，猫がしっかりと顔を洗うと気圧が下がる的中率は，翌日，翌々日ともに50.0%であった。しっかり洗わなかったときの結果と比べると，4～6%増えた。雨が降った場合のみを調べると，翌日，翌々日ともに44.0%であった。この結果は，猫が耳を越さずに顔を洗ったときと比べると，11～24%下がった。猫がしっかりと顔を洗うと気圧が下がるのではないかと考えられる。しかし，猫のヒゲは約3hPaの気圧変化を敏感に感知しているため気圧が下がったときに必ず雨が降るとは言い切れない。

また，猫の顔洗いを観察すると，右手で洗う場合と左手で洗う場合があることから，右手と左手で洗ったとき，雨が降ることに違いがあるのかを調べてみることにした。

**【実験5：猫が顔を洗うときに使う手と天気の関係】**

左手で顔を洗う回数については，翌日に雨になる的中率は0%で，翌々日に雨が降る的中率が53.5%，60%だった。右手で顔を洗うときと，左手で顔を洗うときで，翌日・翌々日の天気に違いがあることが分かった。

表5　顔を洗う使う手の回数と的中率

| | | 使った手 | |
|---|---|---|---|
| | | 右 | 左 |
| 的中率（%） | 翌日に雨 | 38.3 | 0.0 |
| | 翌々日に雨 | 44.9 | 53.5 |

表6　しっかりと顔を洗う使う手の回数と的中率

| | | 使った手 | |
|---|---|---|---|
| | | 右 | 左 |
| 的中率（%） | 翌日に雨 | 53.3 | 0.0 |
| | 翌々日に雨 | 37.8 | 60.0 |

今回は，飼い猫が7月24日に骨折し手術・入院してしまったため，継続（けいぞく）してデータを集めることができなかった。しかし，限られたデータを分析（ぶんせき）すると，顔を洗う際に使う左右の手の違いが，翌日・翌々日の天気に関係する傾向（けいこう）があった。

## まとめ

実験3より，猫のヒゲは，0.4～5.3%の湿度変化を敏感に感知している。実験4より，猫のヒゲは，約3hPaの気圧変化を敏感に感知している。実験5より，右手でしっかりと顔を洗うと，翌日に雨が降りやすい。左手でしっかりと顔を洗うと，翌々日に雨が降りやすい。よって，うちの飼い猫（ふく）は，『天気予報士』になれそう。

# 作品について

「猫が顔を洗うと雨になる」という諺を耳にしたことがある人も多いでしょう。昔は，現在のように天気を予報するための様々な情報が集まりませんでした。現在よりも生活が天候に左右されることも多かったため，人々は天気に関する諺（天気俚諺）をたよりにしながら生活していたと言われています。坂崎さんもおばあさんとの会話で諺を知ったことをきっかけに研究に着手しています。

諺と現代の気象庁データなどを合わせながら科学的に証明していこうとするところに面白さを感じます。2月から7月という長期的な研究であり，計8つの実験を行っています。一つひとつの実験では，手順や記録の仕方などをしっかりと定め，回数を数え計算し，表にまとめています。また右下の図にあるように，観察した猫の行動した時間帯と天気とを結びつけたシールを貼り，傾向を分析するという方法にも素晴らしさを感じました。

時間を見つけては猫を観察すること，天気や気温・湿度を調べ蓄積していくこと，それを数学的に処理するところに実直さや研究への熱意を感じました。

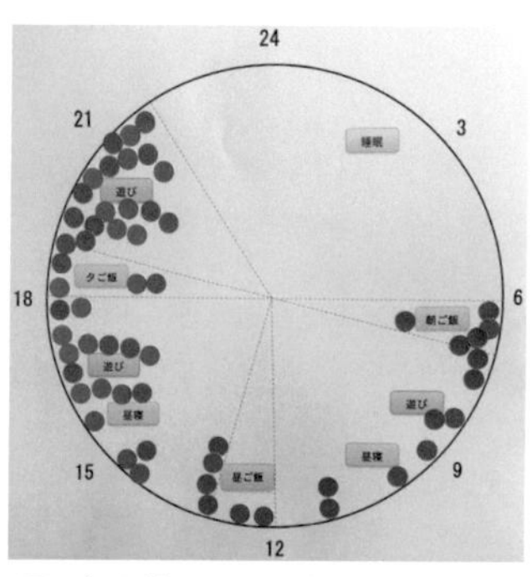


図：顔を洗った時間帯と天気
緑：猫が顔を洗った時刻
赤：翌日，翌々日に雨が降った場合

図2　猫の行動した時間帯と天気の傾向

「猫の顔の洗い方には耳を越えてしっかり洗うときとそうでないときがある。それぞれの天気との関係はどうだろう」「右手と左手で洗うときに違いはあるだろうか」などの視点は坂崎さんなりの発想が光った部分のように思います。飼い猫のふくちゃんをよく観察していたからこそ，顔の洗い方の違いや左右の手の使い分けに気付くことができたのでしょう。

途中でふくちゃんがケガをしたという予想外のことも起きましたが，それでも調べたことをデータに表していくことは，つまずいても途中であきらめない姿，できることを考えて行動に表す姿として，観察，実験に取り組むときの大切なメッセージとして伝わります。

研究に関わってくださった方々への御礼をしっかりと綴ったうえで，困ったときにアドバイスを求めながら研究に邁進していたことにも好感がもてます。

最後に，「野良猫やペットショップの猫など，普段の生活でも猫が顔を洗う様子を数えるようになった」「明日は雨かもしれないと考えるようになった」と書いていました。自分で調べたことを通して，日常生活を新たな視点で捉えるようになりましたね。

坂崎さんの言う通り，猫は気分屋だと思われていますが，実は世界の変化を敏感に捉えながら暮らしているのかもしれません。

### 植物の発根の観察実験 PART4

# シロツメクサの花と発根の関係

石川 春果（いしかわ はるか）
[豊橋市立二川南小学校 6年]

去年の実験をしている時にシロツメクサの花が車にふまれて枯れてしまいました。でもその時の実験結果から、発根と花は関係するのではないかと思いつきました。
これまでの実験でみつけた『花の季節は発根しにくい』ことの理由が、今回、花にある物体Ｘと茎にある物体Ｙをみつけたことで、わかったと思います。

## 研究の概要

### 研究の動機・目的

3年生のときから植物の発根の観察・実験を行ってきた。これまでの研究で，節のある植物（研究ではシロツメクサとツユクサ）は節から発根すること，温度が低かったり，日が当たらないと発根しにくかったり，発根しても根が伸びなかったりすること，シロツメクサは季節によって発根に違いが出るのか観察し，気温が低い季節（1～3月）と花の咲いている時期に発根しにくくなることが分かった。さらに，5年生のときの研究で，シロツメクサの発根には花が関係するのではないかと思われる結果が出た。そこで，シロツメクサは花の有無で発根するかしないかが決まってくるのではないかと考え，花と発根の関係について確かめてみようと考えた。

### 実験1

**【花の時期でも花がなくなると発根しやすくなるのかを確かめる】**

（A）花のついた茎を全て切る，（B）葉のついた茎を全て切る，（C）花のついた茎と葉のついた茎を全て切る，（D）何もしないの4種類のシロツメクサを準備し，茎を切った2日後にそれぞれ25本ずつ採取し，発根実験を行ったところ，Aの発根率がいちばん高くなり，Bの発根率が低くなった。このことから，花があると発根しにくいことが分かる。

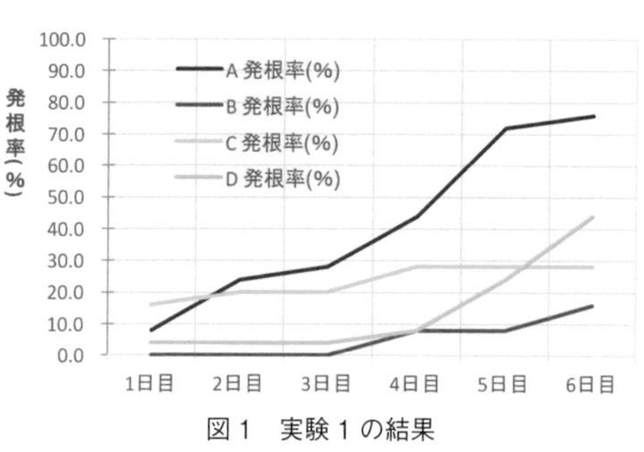


図1　実験1の結果

### 実験1から考察

実験1の結果から，以下の仮説が立てられる。

仮説1　花の部分に物体X（花を咲かせ，根を出させない）がある。

仮説2　茎（地下茎）の部分に物体Y（花を咲かせ，根を伸びさせる）がある。

これらの仮説が正しいかを以下の実験で検証した。

### 実験2～5

**【仮説1と仮説2が正しいかを検証する】**

**(1) 実験2 【仮説1の検証】**

花の咲いているシロツメクサと花の咲いていないシロツメクサを準備し，花の咲いていない株から採取した葉のついた茎（節あり）を以下のA，B，Cの組み合わせでカップに入れて，5日間発根を観察する。

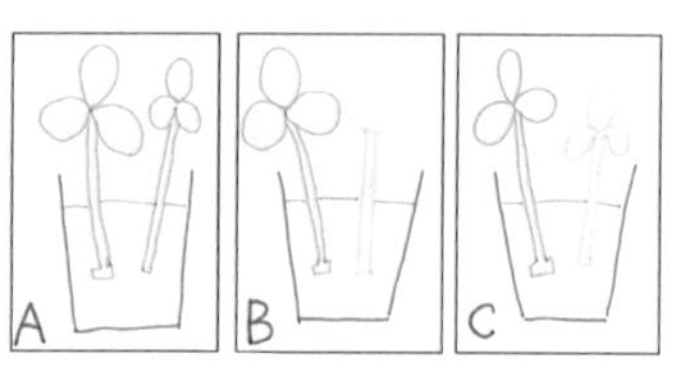


図2　5日間発根の観察

A…花の咲いていない株の茎（節あり） と 花の咲いていない株の茎（節なし）
B…花の咲いていない株の茎（節あり） と 花のついた茎（節なし）
C…花の咲いていない株の茎（節あり） と 花の咲いている株の茎（節なし）

仮説１が正しいなら，Ｂはあまり発根せず，ＡとＣは発根するはずである。

実験の結果，予想とは違い，Ａ，Ｂ，Ｃのいずれもの発根率が高くなった。ただ，Ｂの発根率が４日目から高くなったのは，花が枯（か）れてきて物体Ｘが少なくなったと考えられる。

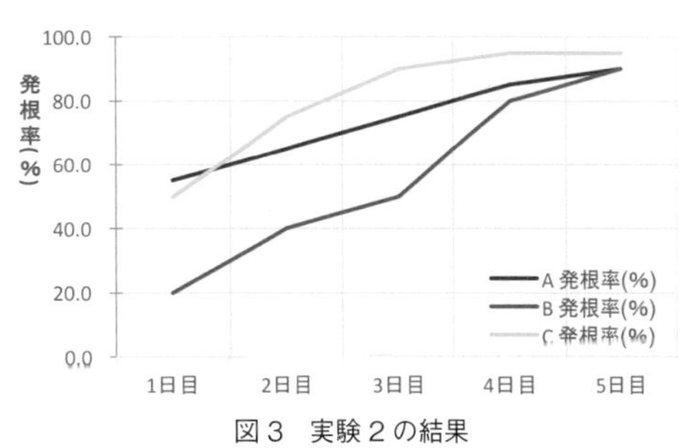

図３　実験２の結果

### (2) 実験３ 【仮説１の検証　花の数を変えて仮説１を検証する】

そこで，花のついた茎の数を変えて発根実験をしてみると，やはり花の数が多いほうが発根率が低かった。このことから，物体Ｘが多く水に存在したほうが発根しにくくなったと考えられる。

### (3) 実験４ 【仮説１の検証　花の状態による物体Ｘの変化を調べる】

花の状態によって，物体Ｘの量に変化があるのか発根率を調べた。そこで，花のついた茎の数を変えて発根実験をしてみると，花の状態によって，物体Ｘの量はあまり変化しないということを示すデータが得られた。

### (4) 実験５ 【仮説２の検証　地下茎に含（ふく）まれる物体Ｙについて調べる】

仮説２にあるように，地下茎にあると仮定できる物体Ｙについて，地下茎を残した株を準備して実験を行った。その結果，物体Ｙの存在を証明することができる可能性のある結果が得られた。

## 考察とまとめ

今回の実験1~5から，仮説にあるような物体Ｘと物体Ｙの存在の可能性が示された。これらの物体は，発根実験で，図４のように作用していると言える。さらに，実験からは，「物体Ｘが花で物体Ｙに変化する」，または「物体Ｙが花で物体Ｙを作る」といった仮説が明らかになった。そして，これらの物体は，シロツメクサの株の成長にも関わっていると考えられる。

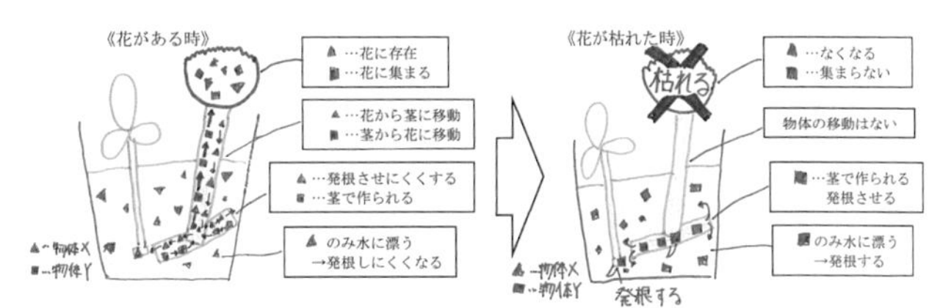

図４　物体Ｘと物体Ｙの関係について

# 作品について

まずは何よりも，高度な推論に基づいて研究が進んでいることが素晴らしい点として挙げられるでしょう。実験１の結果から，「物体Ｘ」と「物体Ｙ」の存在を予言することは，小学生の段階でなかなかできることではありません。実験の結果を説明するために，そのような物質の存在を仮定するという高度な推論が，この研究を支えていることは注目に値します。

さらに，この「物体Ｘ」と「物体Ｙ」の存在を証明するための条件を制御した実験の方法を発想することができていることも見逃せないでしょう。とくに，実験２から実験３にかけて，自分の予想と違う結果が出たとしても，そこから「物体Ｘ」の性質について新たな仮説を設け，新たな実験を行い，予想した通りの結果を得ているところが大変素晴らしいと感じました。ともすると，予想と違う結果が得られなかったら，実験の「失敗」と感じてしまうこともあると思います。ですが，この研究では，実験２から実験３にかけて，自分の予想と違う結果が得られたときに，新たに検証することで，結果的に「物体Ｘ」の性質についてより深く理解することができました。このように，予想通りにはいかなかったとしても，そこからさらに仮説を重ねて，粘り強く研究を進めていくことで，より深く学ぶことにつながっていった研究と言えるでしょう。

この研究では，最後に，「物体Ｘ」と「物体Ｙ」とシロツメクサの成長との関係について右のように述べられています。単に「物体Ｘ」と「物体Ｙ」の存在を調べるだけでなく，自分の明らかにしたことが植物の成長にどのように関わっていくかまでを考えています。これは，科学的な追究によって明らかになったことがどのように役に立つのかということまでをカバーしていて，この研究をより一層素晴らしいものに高めていると言えます。

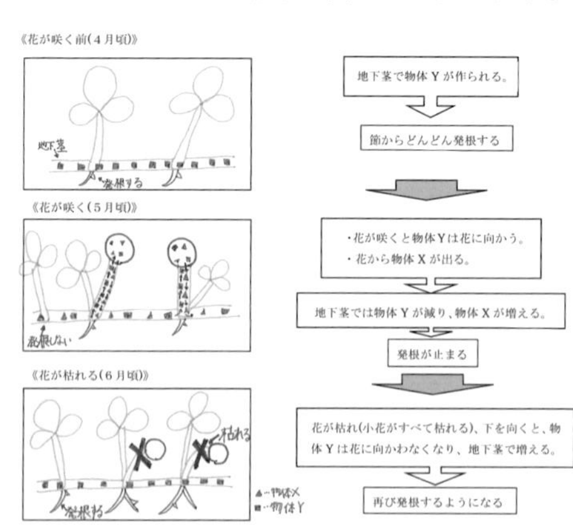

図５　物体Ｘと物体Ｙとシロツメクサの成長との関係

今回の研究で，新たな仮説が浮かび上がっています。今後もぜひとも継続的に研究を行い，植物の成長に関する研究を，日本だけにとどまらず，世界的にもリードできるような人になってほしいと思います。

# 生き物の飼育・栽培を通じて生まれる「科学の芽」

山本容子

小学校５年生の時，父親が小さな紙袋を持って帰ってきました。その紙袋がもぞもぞ動いているのを見て，「何か生き物が入っている！」と心踊らせ，紙袋をそっと開けると，淡い黄色のフワフワした羽毛を持つヒヨコが２羽，身を寄せ合ってピヨピヨと鳴いていたのを覚えています。私は子ども時代，このヒヨコ達の飼育を通して，数多くのことを学びました。ここではそのいくつかを紹介しながら，「科学の芽」の発見について考えたことをお話したいと思います。

そのヒヨコは，ニワトリの品種の一つである碁石チャボという，成鳥になると羽が碁石のような白黒の斑点が入った模様になる小型のニワトリの雛でした。自宅には小さな庭がありましたので，そこで時々，雛達を放し飼いして，お散歩をさせておりました。お散歩中に，雛達に食べられるエサ（アリの卵や蛹やアオムシ，草など）を与えているうちに，雛達は私の後をついて歩くようになりました。

その雛達の羽毛が白黒の斑点模様の羽毛へと生え変わり，体がひょろりと大きくなってきた頃，私はそのチャボ達にある特訓をしました。他の鳥類のように自由に空を飛ぶことが得意ではないチャボ達がもし，猫に襲われた場合，自力で飛んで逃げることができるようにするための特訓です。私は，放し飼いの度にチャボを抱えて放り投げ（！），無理やり飛ぶように促しました。放り投げる高さを段々と高めていった結果，チャボ達は１階の屋根まで飛べるようになりました。そしてある日，実際に猫が来た時，私が放り投げなくても，自力で屋根まで飛び上がったのでした。それが特訓の成果だったのか，もともと備わっていた飛翔能力だったのかわかりませんが，その時の私は特訓の成果だと思い，大いに満足したのでした。

チャボ達はさらに大きく成長して，１羽が卵を産み始めました。そしてもう１羽は，卵を産むチャボより体が大きくなり，立派な尾羽を持つようになりました。そう，２羽はメスとオスだったのでした。産んだ卵を前にウロウロと落ち着かないメスのために，父が，土や枯葉を敷いた巣を作ってくれました。そこに卵をそっと置いて，メスをその脇に立たせると，まだキョトンとした表情をしていたので，見かねた私はメスに「ここに座るんだよ」と声をかけ，メスの背を押して座らせる動作を何日か繰り返しました。そうするとようやく卵を抱くようになりました。

その年に卵から孵ったヒヨコは，メス２羽，オス２羽の合計４羽でした。親鳥も含めて６羽になった我が家のチャボ達は，ご近所迷惑な程，騒々しくなりました。オスの兄弟は成長するにつれ，つつき合いのケンカを始めるようになりました。ケンカはいつも兄鳥の勝ちで終わっていましたが，ある日，壮絶なつつき合いのケンカの末，弟鳥が勝つ，という逆転劇が起きました。そしてその後はケンカになりそうになっても，兄鳥が弟鳥から逃げて，大きなケンカが起きないようになりました。私はこのチャボ兄弟の関係がとても興味深く，いつも注意して観察していました。

その後，私は県外の大学に進学し，実家を離れてしまい，その間にチャボ達は次々に寿命を迎えてしまったのですが，チャボの飼育という実体験を通して学んだことは数多くありました。学んだことの多くは動物行動学・生態学の基礎であり，チャボの飼育を始めてから７，８年が経ち，私が高校生になった時，生物学の授業で「動物の行動」や「動物の生態」について学んだ際，実体験と理論とが結びつきました。例えば，飼育していたチャボが雛の時代に，私のことを親だと思って後について歩いていたのは，「刷り込み」という，生まれてからの経験をもとに身につける「学習」行動の一種であること，チャボの兄弟がよくつつき合ってケンカをしていたのは，「つつきの順位」という同種の個体群に見られる「順位制」の一種であることなどです。

しかし他方では，一見，生物学の理論に合わないようなこともありました。一般に鳥類が卵を抱くのは生まれつきの「本能行動」だと言われていますが，飼育していたメスは卵を産んでもすぐには抱かなかったことなどです。今考えると，その時に生じた謎が「科学の芽」になり，生物学の理論と実際の観察結果のズレを探究するもとになったのかもしれないなと思いました。残念ながらその時は，探究は行いませんでしたが，私はその後，動物行動学に興味を持ち，大学の卒業研究ではアリの行動を研究しました。さらにその後は，大学院での理科教育における環境教育の研究，故郷での高校生物教員としての教育実践を経て，現在は，大学教員として，理科を教えること，学ぶことに関する研究を行っています。

私は，「科学の芽」賞の審査に加わって２年目になります。小学生の作品はそれぞれ多様なきっかけで「科学の芽」が生じていて，いつも感心しておりますが，飼育・栽培している動植物から「科学の芽」の着想を得ている作品も多く見られました。また，それらの作品からは，飼育・栽培している動植物への深い愛情を感じました。今後も，生き物と接することで，生命現象や，それと関わる科学的現象全般への好奇心が刺激され，新しい「科学の芽」の作品が生じることを楽しみにしております。

［筑波大学人間系助教］

CHAPTER 2 Cultivation of “KAGAKUNOME”

# 第２章「科学の芽」を育てる

## ～発明・発見は失敗から～（中学生の部）

# 「科学の芽」賞

## ――中学生の部について

「科学の芽」賞の中学生部門に対して，第 13 回（2018 年度）には 26 都道府県と海外 4 カ国から 1,711 件，第 14 回（2019 年度）には 26 都府県と海外 3 カ国から 1,719 件の作品が寄せられました。ここ 2 年の応募件数は，最高だった第 12 回の 1,936 件には及ばないものの，安定した推移と捉えています。これからも，科学好きな児童・生徒のみなさんにとって，魅力的なコンクールであるよう努力していきたいと考えています。

以下に示す「審査の観点」は，「科学の芽」賞の発足当時から引き継がれているものです。身近にある“ふしぎ”と出会い，それを解明しようと観察・観測・実験・調査を行うこと。想定外の事態に対しても工夫を織り交ぜたり，仲間と協力したりして乗り切ろうと努力すること。そして，その成果を多くの人たちと共有すること。それぞれが科学の発展を支える大切な過程であるとの考えに基づいており，この精神はこれからも引き継がれていくと確信しています。

次に，第 13 回と第 14 回に受賞した 16 作品の特徴を振り返ってみたいと思います。

**【審査の観点】**

① 着眼点：ふしぎだと思っているテーマや解決したいテーマが明確であり，さらに魅力的であるか。
② 洞察力：自分の力で，観察・観測・実験・資料調査などを行っているか。
③ 創造力：自分の力で，テーマを解決するための工夫や考察を行っているか。
④ 発表力：自分なりの結果をまとめ，それを的確に人に伝えているか。
⑤ 独創性：今までにない着想・探究・アプローチがあるか。
⑥ 仲間とのチームワーク：共同研究の場合，仲間との協力体制がうまく作られているか。

16作品のうち7作品は，“もの”の「構造」をテーマにした作品です。このうち，風力発電に適した羽根，うちわのメカニズム，吊り橋と振動のメカニズムの3作品は，①対象が生活の快適性・利便性を高めた人工物であり，②その性能の追究が研究目的になっている，という共通点があります。いずれの作品も実験の条件を操作する手法にユニークなものが多く，高く評価されています。また，手間がかかる工作の過程に丁寧に取り組んだ点も共通しています。

楽器の「構造」が題材となった作品も多くありました。ピアノ，クラリネット，シングルリードの3作品は，①楽器の持つ特性をその「構造」から解明しようと取り組み，②楽器と向き合う体験が土台となっている，という共通点があります。また，実物の楽器を模した実験装置を自作し，その振る舞いを定量的に捉えることによって楽器の魅力に迫ろうとした点も共通しています。いずれも，実物のもつある側面を切り取るモデル化という作業が，とても有効に実現した好例といえるでしょう。

ラトルバックというコマの「構造」をテーマにした作品は，その不思議な挙動に影響を与える要素を数え上げ，現象が起こる条件を絞り込んでいった作品です。複雑な現象にも果敢に挑戦し，粘り強く試行錯誤を繰り返した成果がよく伝わってきました。

次に多く見受けられたのは，「生物」を対象にした作品でした。ダンゴムシ，ニホンヤモリ，カタツムリとナメクジといった動物を対象にした3作品と，スイカ・メロンのつる，ハスの葉柄，タンポポのわた毛といった植物を対象にした3作品は，①長い期間を観察・実験に費やし，②根気よく「生物」と向き合う過程で生じた新たな疑問が研究の土台となっている，という共通点があります。花が咲く，産卵するなどの場面や，成長過程のある一時を見たいなど，機会が限られる「生物」独特の難しさも共通していますが，いずれも忍耐強く取り組んだ成果がよく伝わってくる作品ばかりでした。また，それぞれの観察・実験の手法には独創性があり，工夫の積み重ねによって実現した個性あふれるユニークなものが多く見受けられたことも印象的でした。

糸が切れる仕組みの解明，波打った紙を元に戻す方法の2作品は，①身近な「素材」の性質をマクロ・ミクロの両視点から捉え，②日常生活から生じた身近な不思議が土台となっている，という共通点があります。だれもがイメージできる題材ですが，素朴な興味・関心が原動力となり，現象の奥に潜む規則性の追究に鋭い洞察力が発揮された作品です。

「食品」である塩ラーメンを題材にした作品は，数値化が難しい人間の感覚を定量的に捉えようとした点が強く印象に残りました。ラーメン固有の違い，鍋などの環境の違いの2つの側面から迫った実験手法は，とても参考になる作品だと思います。

それでは，限られた紙面ですが，受賞した16作品すべてについて概略を紹介しましょう。

# ハスの葉柄内にみられた謎の膜様構造に迫る

小平 菜乃（こだいら なの）
[私立慶應義塾中等部 1年]

私はこの研究で誰も発見したことがない、ハスの茎の管内部の膜を発見しました。その膜は、三角形の軸がある特殊な形でした。また、フィルター機能があると考えられ、それについての実験も行いました。
しかし、まだこの膜の機能と特徴的な形についてよくわかっていないので、いつかそれを解明したいと思います。

## Ⅰ 研究の概要

### 研究の動機・目的

ハスの葉にたまった水の様子に興味を持ち調べていくと，葉の表面に撥水（はっすい）作用，セルフクリーニング力という働きがあることを知った。ハスは沼地に生育しているが，葉柄にも「セルフクリーニング」に関係するような構造があるのかを詳しく調べてみたいと思った。

### 実験方法

葉柄の構造について，以下のような順で調べていくことにした。

実験１　ハスの葉柄の表面を，単眼光学顕微鏡を使って観察する。

実験２　ハスの葉柄の断面を観察する。

実験３　葉柄内の通気孔内の膜様構造の数や位置を調べる。

実験４　葉柄内の通気孔内の膜様構造を走査電子顕微鏡で観察する。

実験５　膜様構造内の水（液体）の通過の様子を調べる。

実験６　膜様構造内の煙（気体）の通過の様子を調べる。

### 実験と結果

**【実験１：葉柄の表面の観察】**

葉柄の表面には茶色い突起があり，それが上から下までたくさんあった。特に分布の規則性はなかった。顕微鏡で詳しく見ると，トゲの先はとがっており，下向きになっていた。

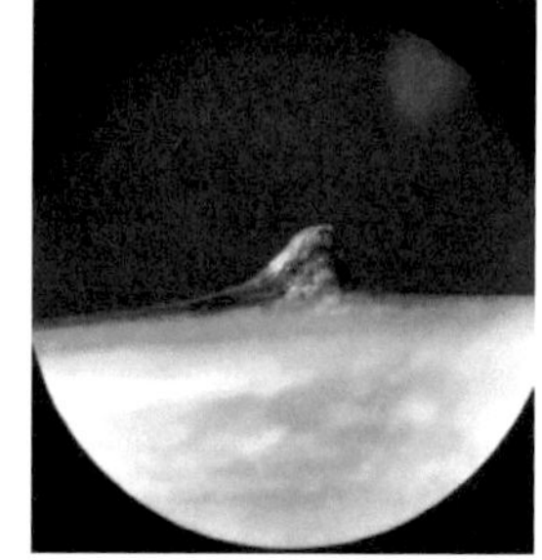

図１　葉柄の表面にあるトゲ(100 倍)

**【実験２：葉柄の断面の観察】**

葉柄をカッターで切り，横断面や縦断面を観察した。

横断面には，４つの大きな管，５つぐらいの中程度の管，６つの細い管，6～8 つの極細管が見られた。

大きな管の内部には白い短毛があった。内壁に対して直角に生え，先のとがった円錐形（えんすいけい）をしていた。

奥のほうには膜様構造が見つかった。三角形が集合した五角形, 六角形, 七角形などを形成していた。

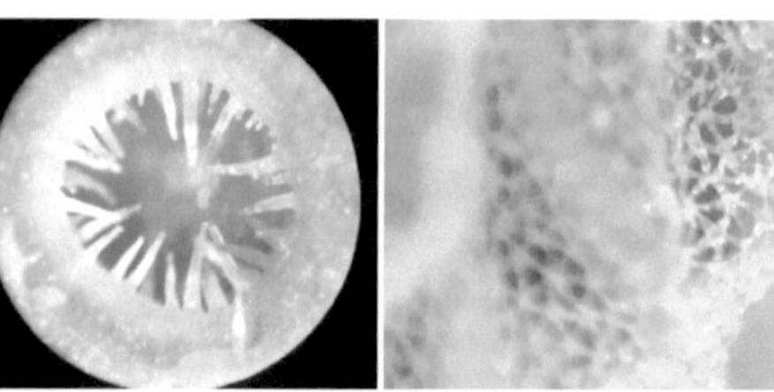

図２　葉柄の断面の様子
（左：100 倍，右：200 倍を拡大）

**【実験３：膜様構造の数や位置】**

膜様構造は１つの通気孔内に１，２カ所あり，多くは葉の付け根から 20～50 cm の位置に見られた。

### 【実験４：膜様構造の走査電子顕微鏡での観察】

膜様構造や突起について，走査電子顕微鏡で観察してもらった。膜様構造の手前には短い繊維が寄り集まったような毛が見られた。毛の先には円盤状の構造やトゲが見られた。膜は表面と裏面に2枚あり，三角形の軸を挟んでいるように見える。膜の間には付着物があるように見えた。

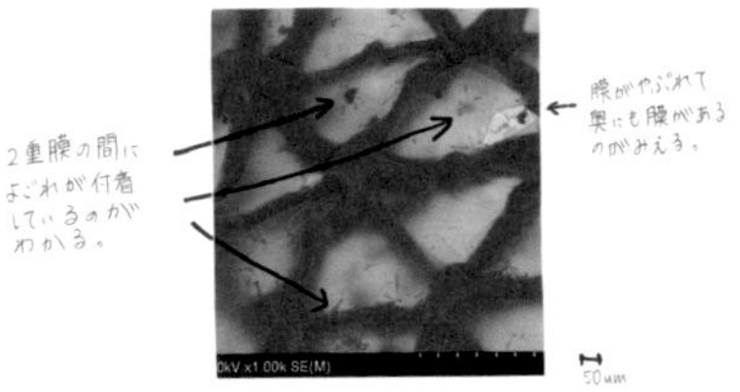

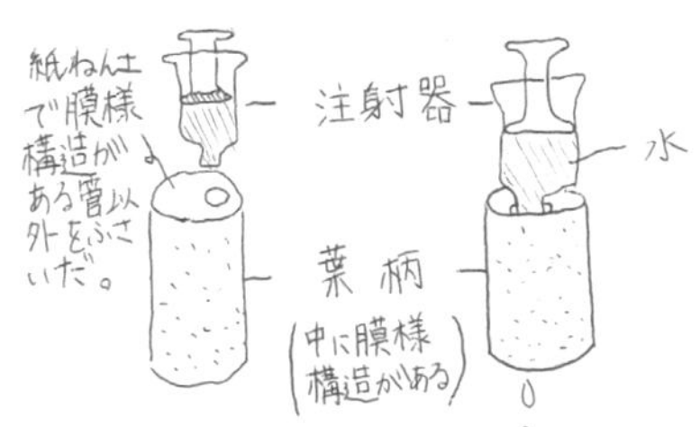

図３　走査電子顕微鏡で観察された模様構造の様子

### 【実験５：水の通過】

膜様構造のある葉柄を約10 cmの長さで切り出し，注射器を使って通気孔内に水を注入し，葉柄の下から出てくるかを調べた。下端から水がポタポタと出てきた。象鼻杯（ぞうびはい）というハスの葉に酒を注いで下端の葉柄から飲むイベントがあるが，これは膜を通ってお酒もろ過されていると考えられる。

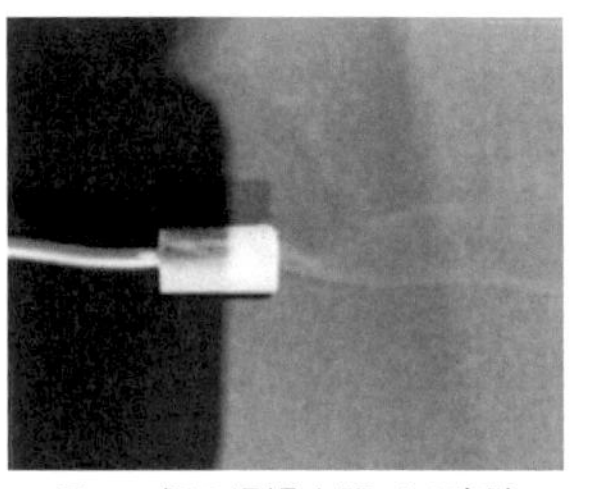

図４　水の通過を調べる実験

### 【実験６：煙の通過】

膜様構造のある葉柄を約10 cmの長さに切り出し，油さし用ボトルを使って空気や線香の煙を通気孔内に流し込み，煙を通した後の膜様構造部分を顕微鏡で観察した。

煙は下端から出てきた。膜様構造は茶色いロウのようなものが広がって付いていた。

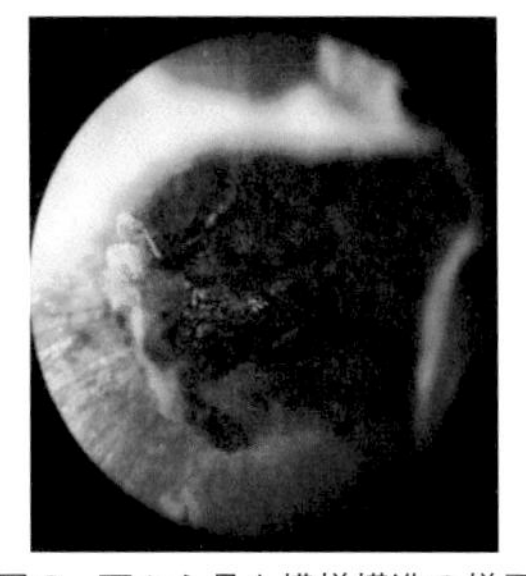
図５　煙の通過を調べる実験

図６　下から見た模様構造の様子（60倍）

## 考察

① ハスは水生植物で，葉柄から地下茎に通気孔がつながっていると考えられる。通気孔の膜様構造は，外から大気を流入させるとき，大気中の有害な粒子や細菌などを取り除いているのではないかと考えられる。

② 膜は二重になっており，5～40 $\mu$m の物質が取り除かれていると考えられる。

③ 線香の煙が膜に付いていたことから，ろ過機能が働いていると考えられる。

## 感想

ハスは，葉だけでなく葉柄にもセルフクリーニング力があることが分かった。小さくしぼんだ膜が空気によって膨らんでフィルター機能を発揮している。なぜハスにこれほどのセルフクリーニングシステムが発達したのか，さらに調べていきたい。

# 作品について

ハスは泥水の多い沼で生育するが，水面上に生育した葉は汚れていません。雨水などで汚れが簡単に洗い流されるのは，ハスの葉の表面の微細構造と水の表面張力による効果で，ロータス効果として知られています。ハスの葉を研究していたドイツのヴィルヘルム・バルトロットにより，自然界にセルフクリーニング機能があることが発見され，この構造は，塗料や布，高層ビルの壁や窓などにも応用されています。

この作品では，バルトロットと同様，ハスの葉に興味を持ち，葉のセルフクリーニング力についての研究に続いて，葉柄についても研究を行いました。おそらく，葉柄の表面にも汚れない構造があるのだろうという素朴な疑問からこの研究は始まっているのだと思います。葉柄の断面を観察すると，いくつもの孔があることを見つけ，これがレンコンの中にあるたくさんの穴と関連付けられていったと考えられます。葉の表面の汚れを集めた水は，葉や葉柄の穴から入ってはいかないのだろうかと。葉柄の断面を詳しく調べていくと，何種類もの管があることが分かり，さらに膜のような構造があることを自分の力で発見しています。その発見の喜びがこの研究の深まりのエネルギーになっています。その膜の働きについて調べるために，自分なりの考えに基づいていろいろな実験を考え出してもいます。どれも簡単な実験ではありますが，その発想力が素晴らしい。さらに，膜の存在だけで満足せずに，詳しい構造を調べてみたいという思いが電子顕微鏡の観察にもつながっています。周囲の協力や助けもあったでしょうが，ミクロの世界まで迫ろうという探究心も高く，多角的に調べていく中で，象鼻杯というイベントにもたどり着き，自分なりの考察も付け加えています。

膜の発見や実験，観察の結果から，水や空気の汚れを取り除く働きが葉柄の中にあり，ハス自身を守っているというセルフクリーニング力という自分の考えにつながっています。見つけた膜構造を「ロータスナノフィルター」と名付けました。将来，社会に役立つ構造になるかもしれません。将来性のあるとても有益な研究であると言えます。

# 糸が切れる仕組みの解明

山口 仁香流（やまぐち にこる）／河合 昴（かわい すばる）
[大磯町立大磯中学校 2年 科学部 糸班]

私たちは糸が切れる仕組みについて研究しています。この研究は先輩から引き継いだ研究で、ミシン糸1本の強度を調べることから始まりました。ただ糸を切るだけの実験から始まり、糸を三つ編みして強度を比較するなど様々な実験がありとても奥が深いテーマです。

この論文を少しでも楽しんでいただければ幸いです。

## I 研究の概要

### 研究の動機・目的

糸を引っ張ると，ある程度の大きさの力で切れる。そのときの力の大きさは常に一定であるのか，また，糸が切れる位置はどこなのか，ということを疑問に思い，この研究を始めた。一本の糸に力を加えたときの糸が切れる位置や力の大きさ，糸が切れるときの原因等，糸の切れる仕組みを明らかにすることを目的とした。

### 実験方法

調べる糸はミシン糸（#60）を使い，ボールペンに巻き付けて引っ張る。力の大きさの測定にはばねばかりを使用した。

### 実験と結果

第１章　糸が切れる場所について

（仮説Ⅰ）ある一定の力で糸を引くとき，糸にはどの場所にも同じ力がかかるため，糸を引いたときに切れる場所はランダムになるのではないか。

**【実験１：糸への力のかかり方について】**

糸を引くときは，どの場所にも同じ力がかかることが分かった。

**【実験２：糸が切れる場所の調査　1．糸を輪の形にして留める場合】**

糸が切れるときに，結び目で切れていることが多かった。つまり，糸の結び目は弱いということが分かった。

**【実験３：糸が切れる場所の調査　2．糸を巻き付けて留める場合】**

糸に結び目を作らずにそれぞれの端をボールペンに巻き付けて引っ張ると，糸の切れる場所はランダムであることが分かった（図1）。

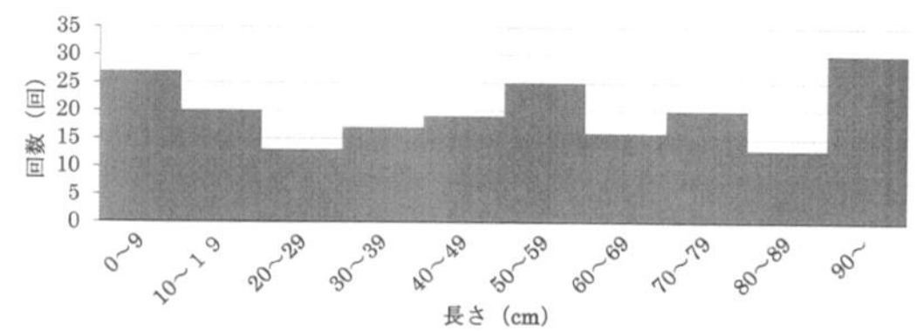


図１　100 cm の糸を巻き付けて 200 回切ったときのヒストグラム

第２章　糸の長さと糸が切れる力の大きさの関係について

（仮説Ⅱ）ある一定の力で糸を引くとき，糸にかかる力はどの場所でも等しい。その場合，糸の長さは関係なく，どの長さでも同じ力で切れるのではないか。

**【実験４：糸の長さと切れる力の関係】**

200 cm の糸と 20 cm の糸をそれぞれ引っ張って切り，そのときの力の大きさを測定し，100 回の平均を求めて比べる。

〈結果・考察〉200 cm の糸と 20 cm の糸は，どちらも約 12 N で切れる場合が多かった。

仮説Ⅱの通り，糸の長さが違っていても切れるときの力の大きさは同じであると言える。

第3章　糸が切れるときの結び目の影響

（仮説Ⅲ）糸に結び目がある場合，糸は圧迫され結び目がどこにあろうとも結び目で切れるのではないだろうか。

**【実験5：結び目の位置による切れ方の違い】**

〈結果・考察〉結び目を糸の真ん中に作ったときと，位置を変えたときで100回ずつ引っ張り，平均を求めて比べる。結び目がどこにあっても結び目の場所で切れたことから，結び目を作った場所は他の場所よりも弱くなっていると考えられる。

**【実験6：結び目が複数ある場合の結び目で切れる確率】**

〈結果・考察〉結び目が2つあったとしても結び目の場所でランダムに切れる。

**【実験7：結び目が引っ張られた状態の顕微鏡による観察】**

〈結果〉糸を結んだ状態と結んだ糸を切れる直前まで引っ張った状態の写真を撮り，比較する（図2，3）。糸を結んだ状態では，糸は同じ太さのままだったが，結んだ糸を強く引っ張ると結び目とその両脇が細くなっていた様子を観察することができた。

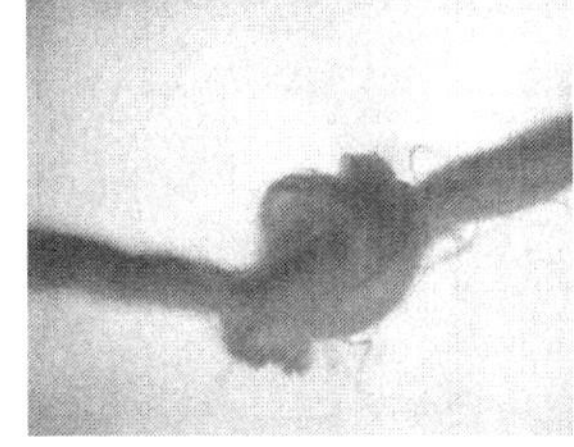

図2　糸を結んだ状態の顕微鏡写真

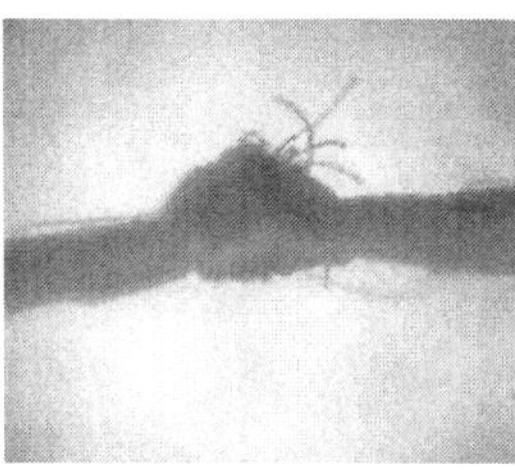

図3　結んだ糸を切れる直前まで引っ張った状態の顕微鏡写真

**【実験8：結び目が切れる原因の解明】**

〈結果・考察〉糸をクリップで挟み，その部分の糸を細くしてから引っ張ると，80％の確率で切れた。顕微鏡で観察されたように，繊維が細くなった状態で糸が切れやすくなるということを示すことができた。

第4章　糸の本数を増やした場合について

（仮説Ⅳ）ある一定の力で糸を引くときの糸を3本に増やした場合，力は3本に分散し，糸1本につきかかる力は3分の1になり，切れるときの力は1本の糸が切れる力の3倍になるのではないか。

**【実験9：糸を3本（並列）に増やして切った場合】**

**【実験10：糸3本を三つ編みにして切った場合】**

**【実験11：糸3本を三つ編みにしてその糸に結び目を作った場合の結び目の影響】**

〈結果・考察〉糸の本数を増やした場合について3つの実験で調べた。3本の糸を様々な形に変え，切れやすさの違いを調べた結果，三つ編みに結び目を作ったもの，三つ編みにしたもの，3本を並列にしたもの，の順に切れやすい（切る力が小さい）ことが分かった。

# 作品について

普段何気なく使っている糸。切りたいときははさみやカッター，たまに糸切り歯で切る人もいるでしょうか。しかし，切りたくない，切れてほしくないときにも糸は切れてしまう場合があります。彼らがそんなことをきっかけに考え始めたかどうかはレポートに記されてはいませんでしたが，これは何かの拍子に糸が切れるときの力の大きさ，切れる位置に興味をもった２人の研究です。

この２人の研究の良いところは，実験が実に細かく行われているところです。実験ごとに仮説を立て，実証していくという作業が，丁寧に順序よくなされています。まずは基本である「糸への力のかかり方」の確認。見落とされがちなことですが，糸を両側から引っ張ったときに力がどのようにかかるか，糸全体に均一に力がかかっているという前提がとても大事なポイントとなります。次に大事なのが糸の引き方（力の加え方）。糸を引く実験の１回目にあたる「実験２」では，糸の両端を輪っかにして引っ張ります。力を加えて糸を切る作業を 100 回繰り返した結果から考察をしますが，どうやら結び目のところで多く切れているということに気が付きます。そこから，糸は結ばずにペンに巻き付けて引く方法に変え，純粋に糸を引く力で糸が切れる仕組みを調べることがスタートしました。

その後も，１つの実験が終わったあとに浮かぶ些細(ささい)な疑問に対しても，しっかりと仮説を立ててから実験に取り組むところ，一つひとつの実験に対して十分なデータをとっているところ，結果を分かりやすくヒストグラムで表しているところなど，実験の進め方に対しても高く評価できる作品でした。

今回の研究は，企業が行う「ある製品の力に対する耐久性を調べる作業」に通じるものを感じました。今回の実験では，『ミシン糸＃60』（図４）という１種類の製品を使って行っていましたが，この研究結果を踏まえて数種類の糸について比較してみる研究も面白いかもしれません。今回の研究だけで終結せず，これをもとに新たな研究に繋(つな)がっていくことを期待したいと思います。

図４　(株)フジックス，シャッペスパンミシン糸＃60(z)  3cord

# 塩ラーメンは発電している!?

小路 瑛己（こうじ あこ）
［大阪教育大学附属池田中学校 2年］

浴槽につかりながら塩ラーメンをアルミ鍋から直接食べると、味が変わるというテレビ番組を見て、‘なぜ’だろうと疑問を持ちました。そこで、塩とアルミという組み合わせから電気が関係しているのではと予想し、比較として醤油ラーメン、ステンレス鍋も使って、鍋とスープの間の電流、電圧を測定し、その原因を探してみました。

# I 研究の概要

## 研究の動機・目的

アルミ鍋で調理した塩ラーメンを湯船に浸かって鍋から直接食べると，酸っぱく感じるという内容の番組がテレビで放送された。さらに，他の味のラーメンは味の変化はなく，ホーロー鍋では塩ラーメンでも変化は起きないというものであった。そこで，この味の変化の原因について調べることにした。

## 実験方法

実験 1：味の変化の確認

塩ラーメン，醤油(しょうゆ)ラーメンをアルミ鍋で調理し，次の 3 姿勢で食べ，味の変化の有無を確認する。

(a) テーブルでラーメン鉢に移してから食べる

(b) アルミ鍋から直接食べる（湯船外）

(c) アルミ鍋から直接食べる（湯船内）

図 1　実験中の様子

実験 2：アルミ鍋，スープ間の電気的特性

塩，醤油の 2 種類のラーメンをアルミ鍋で調理し，アルミ鍋とスープ間の電圧，電流をデジタルマルチメーターで測定する。スープの温度は 60℃とする。

実験 3：鍋の材質による違い

塩，醤油ラーメンをステンレスの鍋で調理し実験 2 と同様に電圧，電流を測定する。

実験 4：食塩水の電気的特性

ラーメンの塩分に着目し，1%，2%，3%，4%の食塩水をアルミ鍋に入れ，60℃でアルミ鍋と食塩水間の電圧，電流を測定する。

実験 5：スープの電気抵抗

食塩を含む水溶液は電気を通すが，スープは食塩以外のものも含まれているので，各スープの抵抗を測定する。

## 実験と結果

**【実験 1】** 父，兄が検証を行った。塩ラーメンで（c）の条件のとき，2 名とも酸っぱさは感じなかったが，ややひりひりする感覚があると回答した。

**【実験 2】** 電圧は塩ラーメンが醤油ラーメンより大きく約 1.6 倍であったが，電流は醤油ラーメンのほうが大きく約 1.4 倍となった。

**【実験 3】** 電圧は塩ラーメンが醤油ラーメンより大きく，約 30 倍であった。電流は塩ラーメンも醤油ラーメンも同様であまり電流は流れていなかった。

【実験4】電圧は食塩水濃度が増えるにしたがって，やや増加傾向であるのに対し，電流は濃度に比例して大幅に増加した（表1）。

表1　食塩水とアルミ鍋の間の電気的特性

| | 1% | 2% | 3% | 4% |
|---|---|---|---|---|
| 電圧（mV） | 433 | 446 | 585 | 530 |
| 電流（μA） | 400 | 1110 | 2390 | 3410 |

【実験5】電気抵抗は電圧と電流の比で求めた。塩ラーメンと2%食塩水を比べると電気抵抗は同程度であるのに対し，醤油ラーメンの電気抵抗は他の2種類と比べ低いという結果になった（表2）。

表2　塩，醤油ラーメン，2%食塩水の電気抵抗特性

| | 塩ラーメン | 醤油ラーメン | 2%食塩水 |
|---|---|---|---|
| 電圧（mV） | 1570 | 1570 | 1570 |
| 電流（μA） | 89.5 | 123.5 | 95.1 |
| 比（電圧／電流） | 17.5 | 12.7 | 16.5 |

## 考察

実験1の結果から，人の感じ方の違いもあるが，味の変化はあったと思われる。

実験2，3の結果から，アルミ鍋では，塩ラーメンのほうが発生する電圧が高かったが，電流は醤油ラーメンのほうが大きかった。また，アルミ鍋とステンレス鍋では，ともに塩ラーメンのほうが電圧が高かった。

実験4，5の結果から，塩分濃度が高い塩ラーメンのほうが電圧が高く，電気抵抗の小さい醤油ラーメンは電圧が低く大きな電流が流れたのではないかと考えられる。

また，アルミ鍋とステンレス鍋では，塩ラーメンの電圧はアルミ鍋のほうが大きかった。これは，アルミと食塩ではアルミが腐食するため，その際の電子のやり取りで電圧が発生するのに対し，ステンレスは鉄が酸化しにくい材料のため，食塩水に金属が溶け出しにくく，電圧が小さくなったと考えられる。

以上のことを整理すると，アルミ鍋－塩ラーメンの組み合わせで味が変化し，電圧が最大となる。このことから，味の変化を起こす原因は，電圧がある程度大きいことが条件として必要だと考えられる。

## 感想

電圧を測るとき，スープ側の電極となっているスプーンを固定するのに苦労した。スプーンが揺れると，測定数がふらつき，測定できなくなった。測定装置を工夫し，より安定して測定できるようにすることが大切だと感じた。

# 作品について

アルミ鍋で調理した塩ラーメンを鍋から直接食べると，酸っぱく感じるということを不思議に感じ，その理由の解明に取り組んだ作品です。このように日常生活と関連した研究は，普段の学校で行う実験とは違い，小路さん自身が見出した問題について，仮説を立て，計画し，検証することになるので，実験の結果から納得した理解も得られやすくなります。

小路さんの研究は，塩ラーメンに味の変化を起こす条件が何かということについて，電流や電圧，水溶液に入れた金属の反応など，中学校で学習する内容も活用しながら，多角的な視点から考察している点で大変素晴らしい作品だと言えます。複数の要因が複雑に絡み合って起こる現象を，条件制御しながら，一つひとつ順序立てて論理的に実験を進めていく力はこの先社会に出てからもとても大切な能力になってきます。

実験１で味の変化が起こったことを確認した後，鍋とスプーンを電極として鍋とスープの間にかかる電圧や流れる電流に着目することで，目に見えない味を，数値化して分析する実験へと発展させました。このように，見た目では表れてこない情報を数値化して明らかにして伝えている点が非常に分かりやすく，評価できる点だと言えます。

実験２では，塩ラーメンと醤油ラーメンという２つの種類の違いを，実験３ではアルミ鍋とステンレス鍋による違いを電圧や電流という点から明らかにしました。実験２，３の結果から，「塩分濃度が電圧の高さに関係しているのではないか」という疑問を新たに見出し，水溶液中の食塩の濃度を増やすことで，「水溶液中の食塩の濃度が高いほど，電圧が高くなる」ということを発見しました。この発見は小路さんの研究にとって，非常に大きな発見になったに違いありません。中学校で学習した内容を広げ，教科書には載っていない知識を自分自身で明らかにしたことは，高く評価できるでしょう。

小路さんは最後に，「電圧を測るとき，スープ側の電極となっているスプーンを固定するのに苦労した。スプーンが揺れると，測定数がふらつき，測定できなくなった」と述べています。今回の小路さんの作品は，鍋やスプーンの材質による電極の違いや，水溶液の違い等，次々にいろいろなアイデアが浮かんできそうなテーマです。ぜひ，今後の課題を活かし，実験装置を改良して様々な条件で実験を行うことで，今後のさらなる発展を期待しています。

# 音響学と物理学から考えたアップライトピアノに関する研究

寺井 健太郎（てらい けんたろう）
[筑波大学附属中学校 2年]

この研究は、“アップライトピアノがグランドピアノに比べ小さい音の調整が出来ない”という長きに渡る経験から行いました。ピアノの難しい構造に見立てた器具の製作・実験過程での工夫点に注目して欲しいです。音響学・物理学の観点から考えた結果、この疑問は致し方ない事だと理解し、この実験が今後のピアノ開発に活かされて欲しいと感じました。

## I 研究の概要

### 研究の動機・目的

普段，家のアップライトピアノ（以下 UP）を使用しているときに，グランドピアノ（以下 GP）に比べて，小さい音が出にくいことに気が付いた。そこで，2つのピアノの構造の違いに注目し，仮説を立てて実験・検証することにした。

### 仮説

ピアノの構造を調べ，音の出方が何に関係しているかについて5つの仮説を立てた。

i：弦及び響板の向きに関係しているのでは？→ 実験 i

ii：響板の形に関係しているのでは？→ 実験 ii

iii：響板が空気に触れているかどうか？→ 実験 iii

iv：ハンマーの向きに関係しているのでは？→ 実験 iv

v：鍵盤の重さに関係しているのでは？→ 実験 v

### 実験方法

本物のピアノに見立てた実験装置を作成した。それぞれの実験で生じた音の波形をオシロスコープで測り，最も振幅が大きい部分の長さを比較した。

**【実験装置】**

実験 i ～ iii：ふりこをハンマーに見立て，弦に衝撃を与える装置（図1）を用いた。

・ハンマー …… 一定の力を与えることのできるように，ふりこを使用する。

・響板 …… GP 型（三角形），UP 型（長方形）に切断した木の板を使用する。

・弦 …… 本物同様，スチールのワイヤーをピンと張る。

実験 iv，v：GP は鍵盤を押すとハンマーは下から上へと動くが，UP は鍵盤を押すと横に動くという，鍵盤からハンマーへの「力の伝わり方」の違いを考慮した装置（図2）を用いた。

・鍵盤を押す力 …… おもり（袋に入れた小麦粉）の重さを変えて鍵盤に落とす。

・鍵盤の重さ …… 弾性力の異なるばねを使用する。

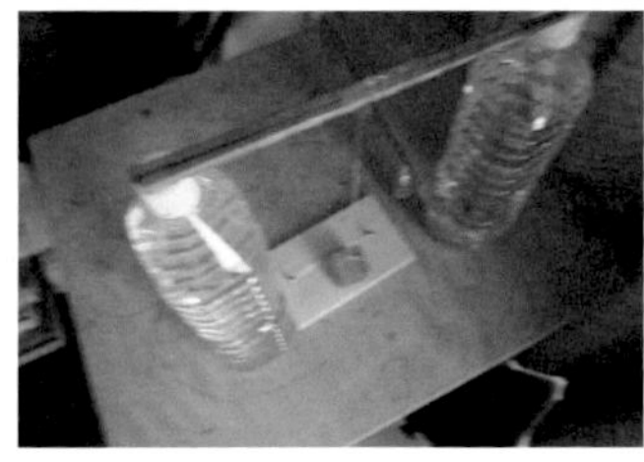

図1　実験 i ～ iii の実験装置

図2　実験 iv ～ v の実験装置（左 GP 型，右 UP 型）

## 実験と結果

**【実験ⅰ～ⅲ：響板の構造（響板の向き，形，空気との接触）と響きについて】**

〈結果〉形がグランドピアノのように削られているほうが響きやすかった(図3, 図4)。

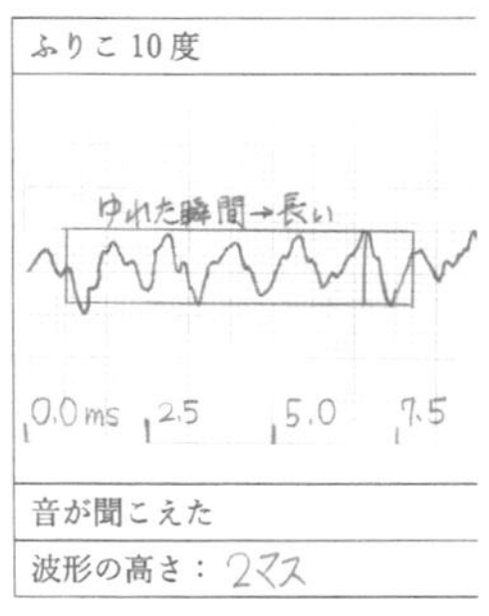


図３　GP の響板

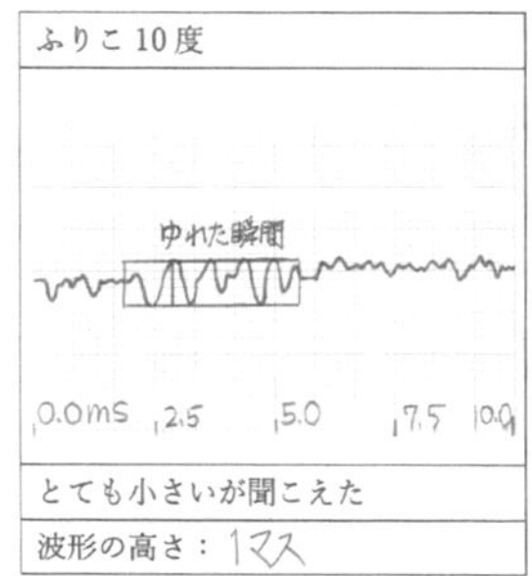


図４　UP の響板

**【実験ⅳ：ハンマーの構造（ハンマーの向き）と響きについて】**

〈結果〉上向きのグランドピアノのほうが響きやすかった（図5, 図6)。

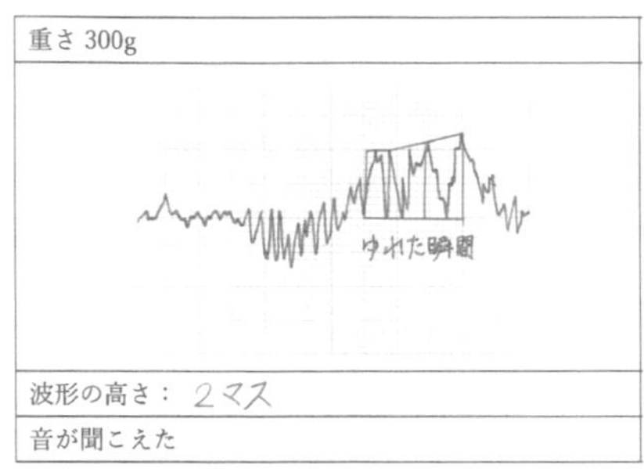


図５　GP モデルの場合

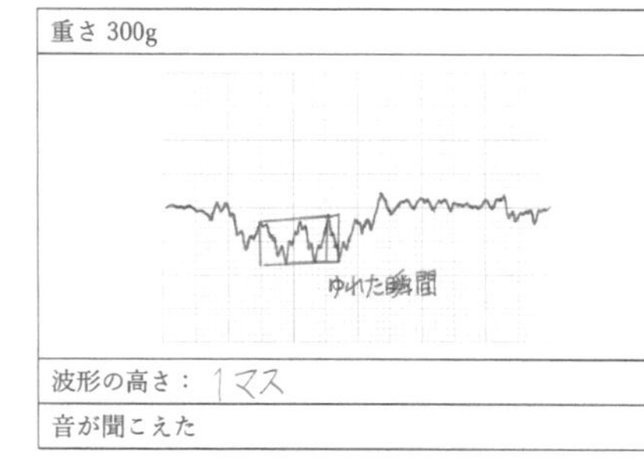


図６　UP モデルの場合

**【実験ⅴ：鍵盤の重さと響きについて】**

〈結果〉重い物も軽い物もともに響きは変わらなかった。

## 結論

アップライトピアノの音域が狭い原因として，次の２点が考えられた。

①響板の形が三角形でなく，長方形であることで音が分散されてしまう。

②ハンマーの向きが上向きでなく横向きであることで，安定性が失われてしまう。

以上のことを踏まえ，音域の広いピアノの構造は，なるべく響板を削り，音を集めて放出し，押した力をそのままハンマーに伝える安定感のあるものだと考えられる。

## 感想

ピアノの難しい構造を自分なりに解釈し，試行錯誤によって多くのデータを得ることができたが，解決へ導くことの大変さを思い知った。今回の実験で，改めてグランドピアノは性能が良く，音域が広くてより豊かな音が出ることが分かり，感心した。

中学生の部

# 作品について

小さい頃から親しんでいるピアノについて，グランドピアノとアップライトピアノとで音の出方が違うことに気づき，ピアノの構造から，なぜ音の違いが生じるのかを確かめようとした作品です。

寺井さんはまず，それぞれのピアノの構造をよく調べ，たくさんある違いを一つずつの要素に分けて，５つの仮説を立てています（右図）。ここが研究成功の大きなポイントであったと思います。一見複雑に見える仕組みでも，単純な要素に分けて捉えることで，中学生でも検証ができる仮説になっています。

そして，ピアノそのものを実験に用いず，抜き出した要素だけを確かめる実験装置を自作しています。ここでもピアノの複雑な構造を単純化しています。このように，単純化することで，検証すべき点がはっきりと絞られ，分かりやすくなっています。優れた研究の工夫です。

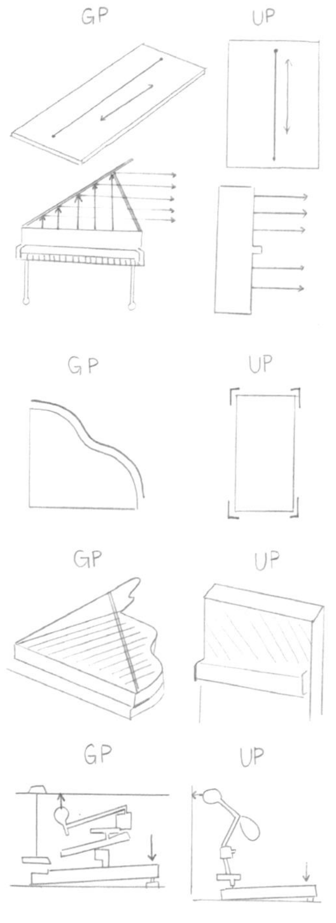

図７　５つの仮説

「科学の芽」賞の作品には，実験装置を自作している研究が多くあります。いずれも非常に工夫され，オリジナリティが魅力的です。寺井さんの研究においても，どのような装置にすればピアノの構造が再現できるか，レポートに書かれている装置ができるまでには，たくさんの試行錯誤があったはずです。この装置の裏側にある粘り強さと丁寧さも，本研究が評価される点です。

本研究ではグランドピアノの優れた点を確認するとともに，省スペースで設置可能なアップライトピアノに隠された工夫を発見できた研究でもあったと思います。身近なものの「仕組み」を考えるのも，研究の種です。是非，参考にしてください。

# うちわのメカニズム

北島 優紀（きたじま ゆうき）
［筑波大学附属中学校 2年］

クーラーの使えない日の学校は暑すぎる。下敷きよりも強くて安定した風を得られるうちわはないのか、ここからこの研究は始まりました。うちわ以外の風の影響を受けないように部屋を閉め切り、とても暑い中、実験をした後の達成感は忘れられません。今後はリラックスできる風、できない風など、風が人に与える影響も研究してみたいです。

# Ⅰ 研究の概要

## 研究の動機・目的

6月の学校はクーラーが使えずとても暑い。より涼しく感じることができる「より強い風を得られるうちわの形」を見つけることを目的とした。

## 実験方法と結果

**【実験1：うちわの形による風の変化】**

〈方法〉表面積を市販のうちわに近づけた11種類の自作のうちわ（図1）で床をたたき，紙が円の外に出た枚数や場所から，うちわの特徴を調べる（図2）。

〈結果〉

・うちわの形によって風の広がる方向や強さが大きく異なる（表1）。

・一般的なうちわ（表1の⑫）の形は風が均一に広がる。

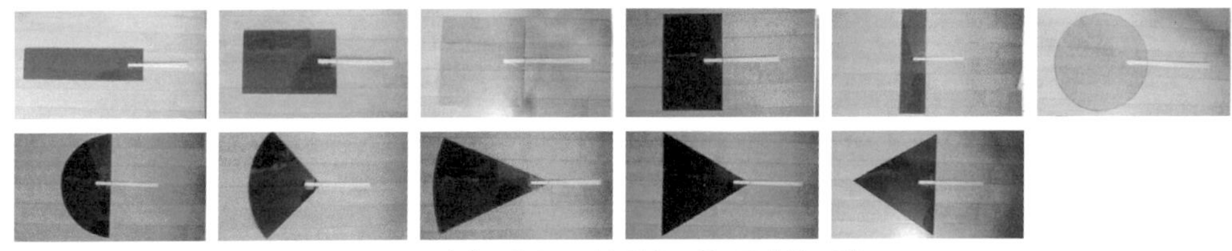

図1　自作のうちわ（上段①～⑥，下段⑦～⑪）

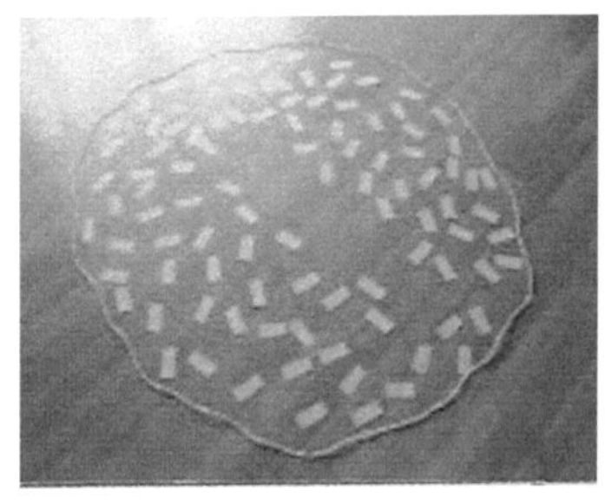

図2　実験の様子

表1　紙が円の外に出た枚数

| | ① | ② | ③ | ④ | ⑤ | ⑥ | ⑦ | ⑧ | ⑨ | ⑩ | ⑪ | ⑫ |
|---|---|---|---|---|---|---|---|---|---|---|---|---|
| 1回目 | 3 | 5 | 5 | 5 | 3 | 13 | 5 | 9 | 6 | 12 | 7 | 13 |
| 2 | 4 | 7 | 7 | 7 | 0 | 13 | 1 | 8 | 9 | 7 | 4 | 15 |
| 3 | 3 | 4 | 9 | 10 | 1 | 11 | 1 | 7 | 8 | 6 | 2 | 16 |
| 4 | 2 | 5 | 6 | 5 | 2 | 11 | 4 | 12 | 8 | 10 | 4 | 17 |
| 5 | 2 | 5 | 11 | 8 | 0 | 8 | 2 | 8 | 5 | 10 | 0 | 13 |
| 6 | 0 | 7 | 7 | 7 | 0 | 14 | 2 | 9 | 6 | 9 | 4 | 15 |
| 7 | 1 | 5 | 11 | 8 | 1 | 11 | 3 | 9 | 6 | 8 | 4 | 13 |
| 8 | 4 | 7 | 9 | 9 | 1 | 9 | 3 | 13 | 9 | 9 | 3 | 13 |
| 9 | 2 | 7 | 8 | 8 | 1 | 9 | 1 | 9 | 8 | 10 | 3 | 21 |
| 10 | 1 | 6 | 9 | 8 | 1 | 10 | 1 | 6 | 9 | 9 | 1 | 17 |
| 平均 | 2.2 | 5.8 | 8.2 | 7.5 | 1 | 10.9 | 2.3 | 9 | 7.4 | 9 | 3.2 | 15.3 |

**【実験2～6：うちわの紙の面積，場所，材料，硬さ，厚さによる風の変化】**

〈方法〉風の強さと広がり方を調べる風測定器（図3）を自作し，うちわの形（紙の形や貼る場所），厚さ（紙の代わりに貼るもの），硬さ（紙の代わりに貼るプラスチックの厚み）を変えて，火が消えたロウソクの本数を調べる。

図3　風測定器
あおぐ中心から5種類の角度で等間隔にロウソクを立てた

うちわは，腕の振りが一定になるようにして３回振り，１つのうちわにつき５回実験を行う。

〈結果〉

表２　実験２～６の結果　数値は火が消えたロウソクの本数（５回の平均）

| 形 | | | | | | |
|---|---|---|---|---|---|---|
| | 23.6 本 | 21.6 | 16.0 | 24.4 | 20.0 | 13.8 |
| 厚さ | 塩化ビニルシート | 画用紙 | プラスチック板 | 発泡スチロール | ダンボール | |
| | 0.6 | 10.6 | 11.6 | 11.0 | 17.2 | |
| 硬さ | 0.75 mm | 1.5 mm | 3.0 mm | 7.5 mm | 15.0 mm | |
| | 11.6 | 15.8 | 14.4 | 13.6 | 14.8 | |

・紙の面積が大きく，紙を中央に貼ったほうが強い風を起こせる。

・柔らかすぎたり，厚すぎたりすると強い風を起こせない。

・根元まで紙を貼るとぐらつき，手に負担がかかる。

**【実験７：うちわのしなりと風の強さの関係】**

〈方法〉実験２～６で用いたうちわに重りをのせてしなり度合いを測定し，火が消えたロウソクの本数（風の強さ）との関係を調べる。

〈結果〉図４のようにうちわのしなり方は，うちわの材料，厚さによって大きく異なり，ある程度しなったほうが強い風を起こせる。

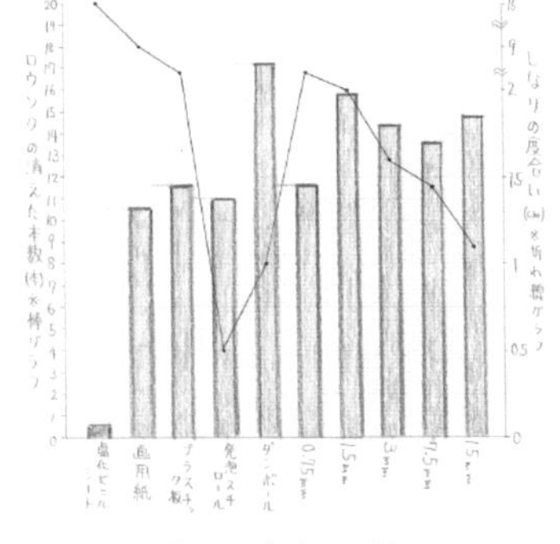

図４　実験７の結果

## 結論

今回の実験から，良いうちわの条件は次の４つであると考えられる。

①円状や市販のうちわの形　　②紙の面積が大きく，重くない

③紙は硬く，厚すぎない　　④あおいだときにぐらつかず，適度にしなる

## 感想

多くのうちわを自作し，何回も計測して期待通りの結果を出せたので嬉しかった。様々な条件を変えて実験をすることは，その実験の規模に関わらず，大切だと感じた。

## 作品について

この「科学の芽」賞には夏休みに取り組んだ研究がたくさん応募されます。ですから,「夏」に関するテーマの研究が多くあります。氷や扇風機,温まり方,冷え方といった身近なものや現象に疑問を見つけたり，暑さを緩和するためのメカニズムを考えたり，改良したりとテーマは豊富です。

今回の北島さんの作品も，夏に身近な「うちわ」に注目し，中学生らしい素朴な目線で研究を始めています。一見，ありきたりなテーマが素晴らしい研究になっている理由の一つは，自作の「風測定器」です。目に見えない風の動きや広がりを視覚的かつ定量的に捉えている，大変ユニークな装置です。きっと北島さんは，うちわの風の指標として，風速ではなく，強い風がどのくらい広がっているかを測りたかったのだと思います。並べたロウソクのどこまで消えているかを記録した写真は，ロウソクの火を消す強さの風が，どこまで広がっているのかが一目瞭然でした。

皆さんが自分の研究をするときにも,「目に見えないものをどのようにしたら可視化できるか」を考えてみてください。風を可視化するためにはどうしたらいいでしょうか。線香の煙や，ドライアイスの煙（空気中の水蒸気が冷やされてできる小さな水滴)，または風を水流に置き換えて実験するなど，色々な方法があるはずです。「科学の芽」賞を受賞している作品には，自分が知りたいことを実現する装置を自分で作っているものが多数あります。研究の工夫がたくさん詰まっているので参考にしてみてください。

# 風力発電に適した羽根の研究（その2）

## ～ペットボトルを使った風力発電に適した羽根とは～

山道 陽輝（やまみち はるき）
［長崎大学教育学部附属中学校 3年］

昨年の研究では最も効率が良い羽根を決めることができなかったので、今年はこれを決めることを一番の目的として取り組みました。実験装置の改善やデータの取り扱い方を工夫した結果、最も効率が良い羽根を決めることができて良かったです。いろいろと苦労がありましたが、今年も科学の芽賞を頂くことができ、大変嬉しく思います。

# Ⅰ 研究の概要

## 研究のきっかけ

昨年得た知見（「作品について」を参照）を活かし，より幅広い風速に対応できる羽根の形状を見つけることにした。

## 実験の方法

前回と同様に，枚数や角度の異なる羽根をペットボトルで作製して発電量を比較した。今年は送風ファンを大型化し，羽根全体に風が当たるようにした（図1，2)。

## 実験と結果

**【事前実験】** 送風ファンにかける電圧と風速の関係を調べると，昨年（1.3 ~ 1.6 m/s）より大きく，広範囲（約 2.1 ~ 4.4 m/s）の風速を得られた。

**【実験 1：羽根の枚数と発電効率の関係の再現実験】** ファンの変更が，前回の結果にどう影響するか確認した。風速が小さいと枚数の多いほうが，風速が大きいと枚数の少ないほうが効率が良い傾向は再現できている一方，同程度の風速における発電量や風速の変化量に対する発電量の変化の割合は異なった（図 3)。

**【実験 2：羽根の枚数及びその角度と発電効率の関係】** 枚数（15，20，25 枚）と角度（30°，45°）を組み合わせて比較した。その結果，30°では実験 1 と同様の傾向が見られたが，45°では風速によらず 25 枚の効率が最も良かった（図 4)。ただし，同じ枚数で比較すると，30°の発電量が 45°より大きかった。

**【実験 3：羽根の断面形状が発電量に与える影響を調べる】** 円筒のペットボトルを切断して作製した羽根は，風に向かって凹んだ形状

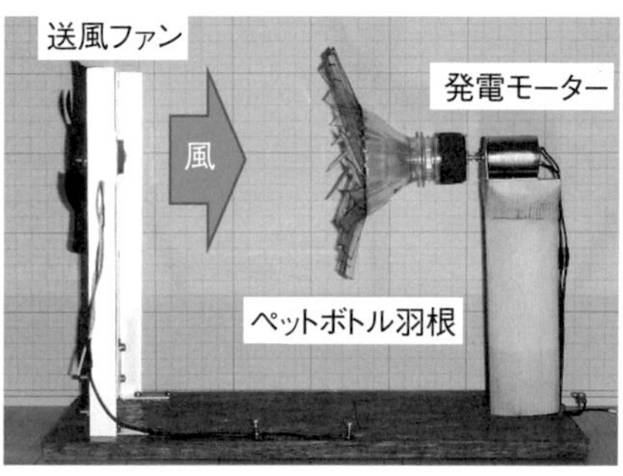

図 1　実験装置

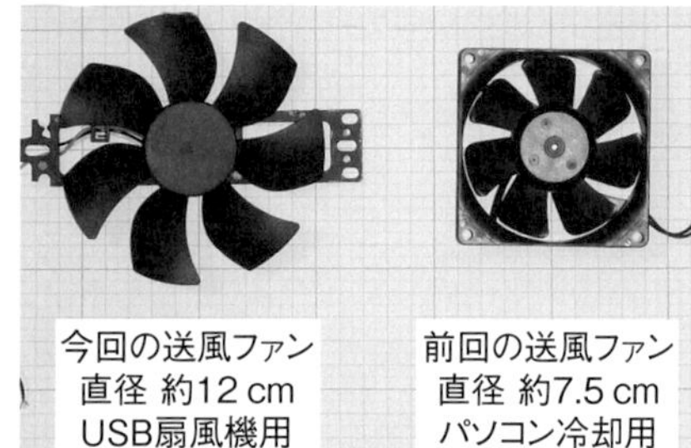

図 2　送風ファンの大きさの違い

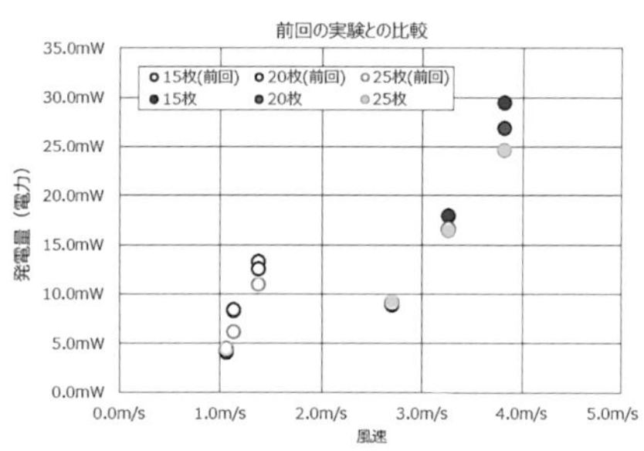

図 3　前回のとの比較（30°）

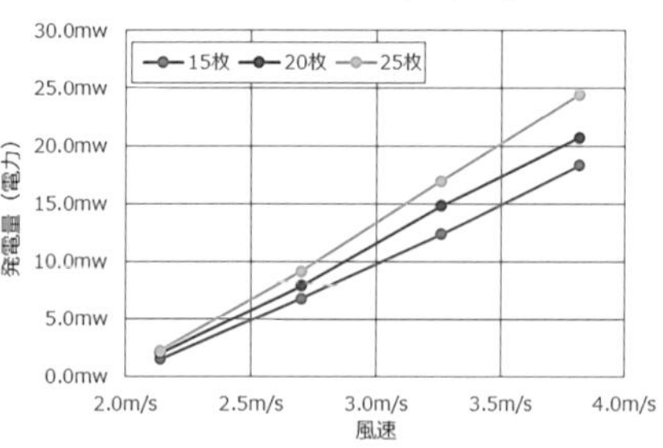

図 4　枚数と発電効率の関係（45°）

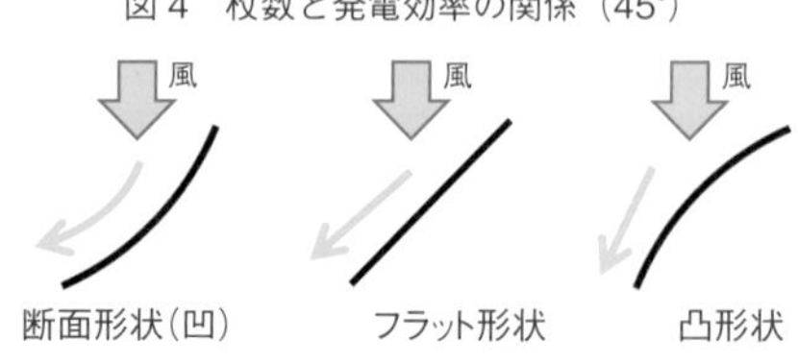

図 5　羽根の断面形状イメージ

中学生の部

（表）である。これをアイロンで温めて板で挟み，平らな形状にしたもの（フラット）と，反対向きの凸形状のもの（裏）を作製し，比較した（図5）。結果，発電量は表，フラット，裏の順に大きく，風速が最も小さいときには，フラットと裏は発電できなかった（図6）。

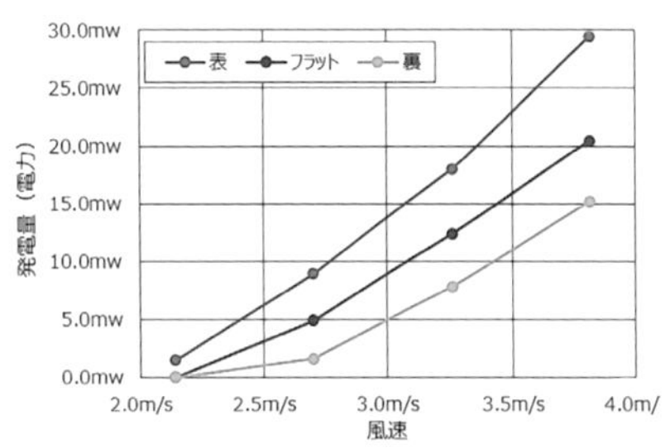

図6　羽根の形状と発電量の関係（15枚30°）

**【実験4：更なる改善】** 中心部の風を羽根に流せば有効と考え工作用紙で作製した円すいを取り付けた（図7）。しかし，15枚で風速が大きくない場合以外は発電量が減少した。羽根に流れた風で，よりねじれやすくなったのではないか。また，加工精度が悪く，羽根全体に生じた振動が影響しているのではないかと考えた。

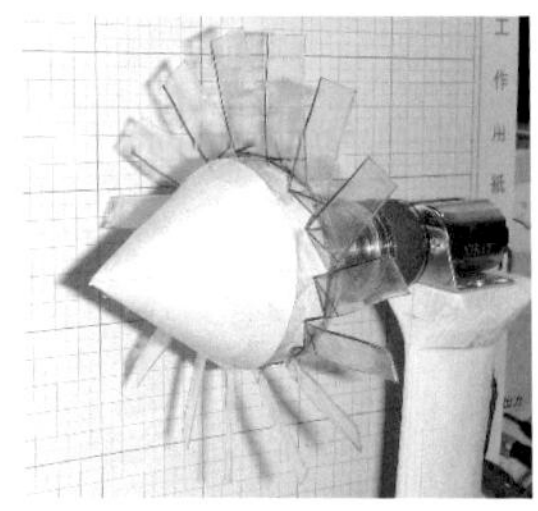
図7　円すいを取り付けた様子

**【実験結果のまとめ】** 次の知見を得た。①風速が小さい（大きい）ときは，羽根の枚数が多い（少ない）ほうが発電量が大きい。②発電量が最も大きい羽根の角度は30°である。③羽根の形状は，羽根の凹面（表）を風上に向けるほうが発電量が大きい。④羽根の中央部に円すいを取り付けることで発電量を増加させることができる。

**【最も発電効率の良い羽根とは？】**「風速－発電量」のグラフと横軸（風速）で囲った面積が大きいほど発電効率が良い羽根と定義すると，今回は「羽根角度30°，枚数15枚，円すい有り」が相当する（図8）。

## 考察

同じ風速でも，前回より発電量が小さくなるという結果が出た。局所的に風を送っていた前回のファンに対し，今回は風が拡散したなどの違いが考えられるが，結論には至らなかった。この点については，別途研究を進めたい。羽根の断面形状については，凹の曲面が最も効率良く回転させるよう風を導いていることが分かった。一方，円すいの効果は限定的で，流れた風量が増したことによって，羽根の変形も大きくなったのではないかと考えられる。また，この円すい自体にも最適な高さがあると思われるが，高い工作精度が必要だと感じた。

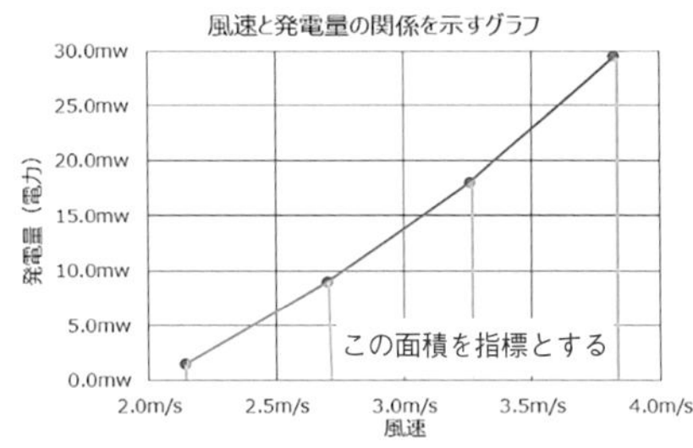

図8　風速と発電量の関係を示すグラフのグラフが囲う面積

## 実験を行ってみて

定義をしっかり決めたことで，前回はできなかった最適な羽根を見つけ出せた。今後は，実際の生活に応用できる研究に発展させていきたいと思う。

中学生の部

# 作品について

昨年に引き続き，ペットボトルを加工して自作した羽根を用い，風力発電に適した羽根の形状を研究テーマとした作品です。山道さんは昨年の研究で次の知見を得たと記しています。

- 同じ風速であれば，羽根の枚数の多いほうが発電量が多い。
- 同じ羽根の枚数であれば，羽根の角度は 30°～ 45°が最も効率が良い。
- 羽根の枚数が多くなりすぎると，羽根の強度が落ちるため風速が大きいときに発電効率が悪くなる。

これらの結果より，ペットボトルを使った風力発電に適した羽根とは，
「羽根の角度が 30°～ 45°で，羽根の枚数は風速により適した枚数は異なる」

山道さんがさらに先へ進もうと今年も同じテーマで取り組んだ理由は，作品の最後に記述された「実際の生活に応用できる研究に発展させたい」という気持ちをすでにもっていたからではないかと感じました。つまり，「実用」という視野があり，日々異なる自然環境にあっても耐え，かつ効率良く発電ができる性能を追究したいという思いです。それでは，昨年との違いに注目して作品を見てみましょう。

まず，最も大きな違いは，実験装置の送風部分に改良を加えた点です。送風ファンを大型化し，より大きな風速を得られたことは，「実用」に耐える性能を試すためにとても有効だと言えるでしょう。また，この新しい送風ファンによって昨年とは異なる結果が得られる可能性を精査し，同じ実験を行って再現性を確認した点は，高く評価できます。

次に，新しい着眼点で行った実験が 2 つ加わった点です。「羽根の断面形状が発電量に与える影響を調べる」（実験 3）と「更なる改善」（実験 4）は，いずれも手間がかかる羽根の制作過程を含みます。作品からは，この作業に根気よく取り組んだ様子と，丁寧に検証した成果がよく伝わってきました。

さらに，発電効率を決める根拠について，その基準を定義として示した点が挙げられます。このことによって，昨年は「定性的」にしか表現できなかった性能を「定量的」に捉えることができました。この方法を少し発展させると，羽根の性能を点数化できるようになるかもしれません。

風の量や当たる範囲を制御すること，工作の精度を上げることなど，新たな課題も見つかりました。さらなる追究を楽しみにしたいと思います。

# ダンゴムシ類の乾燥に耐える力

塚迫　光（つかさこ　ひかる）
[廿日市市立野坂中学校 3年]

この研究は、４種のダンゴムシ類の乾燥への耐性を自作の実験道具を使用して行ったものである。また、切片標本を制作し体の構造の違いも調べた。その結果、乾燥への耐性や体の構造の違いから種ごとに生息域が異なるということが分かった。
今後は、ダンゴムシ類の行動や生態に関する研究をしていきたい。

# I 研究の概要

## 研究の動機・目的

身近なところには4種類のダンゴムシ類がいるが，生息環境がそれぞれ違うことに気が付いた。例えばハマダンゴムシは日中湿った砂の中に隠れていて出てこないし，フナムシは海岸から離れて生活することができない。このような生息環境の違いは，乾燥に耐える力の差によるのではないかと考え，ダンゴムシ類の体の構造や乾燥への耐性を調べることにした。

## 実験と結果

**【実験１：シリカゲルを用いた乾燥実験】**

〈目的〉ダンゴムシ類の生息環境と乾燥対策についての関連性を考える。

〈方法〉4種のダンゴムシ類（オカダンゴムシ，ハマダンゴムシ，ワラジムシ，フナムシ）を各5個体用意し，体重を測ってから乾燥ケースに入れた。乾燥したシリカゲルを10gずつ筒に入れ，ダンゴムシを入れた筒の上にセットした。これを掃除機で自作した乾燥装置に取り付け，5分間吸引して乾燥させた後ダンゴムシを取り出して再び体重を測った。オカダンゴムシは計55分間，他の3種は計30分間乾燥させた。

〈結果と考察〉終了時の体重の減少率は各5個体平均で，オカダンゴムシ3.76%，ハマダンゴムシ10.00%，ワラジムシ9.70%，フナムシ15.99%となった（表1）（図1）。ハマダンゴムシは丸くなることができるため水分の放散を防ぐことができたが，フナムシは丸くなれないため大きく水分を失ったと考えられる。

表1　フナムシの体重の減少

| 乾燥時間（分） | 個体1 | 個体2 | 個体3 | 個体4 | 個体5 | 平均 |
|---|---|---|---|---|---|---|
| 0 | 0.658 | 1.034 | 1.385 | 0.789 | 1.643 | 1.102 |
| 5 | 0.625 | 0.979 | 1.295 | 0.755 | 1.588 | 1.048 |
| 10 | 0.603 | 0.965 | 1.268 | 0.711 | 1.553 | 1.020 |
| 15 | 0.587 | 0.942 | 1.229 | 0.691 | 1.523 | 0.994 |
| 20 | 0.587 | 0.924 | 1.207 | 0.685 | 1.463 | 0.973 |
| 25 | 0.568 | 0.919 | 1.186 | 0.663 | 1.433 | 0.954 |
| 30 | 0.566 | 0.902 | 1.155 | 0.645 | 1.360 | 0.926 |
| 終了時の減少率 | 13.98 | 12.77 | 16.61 | 18.25 | 17.22 | 15.99 |

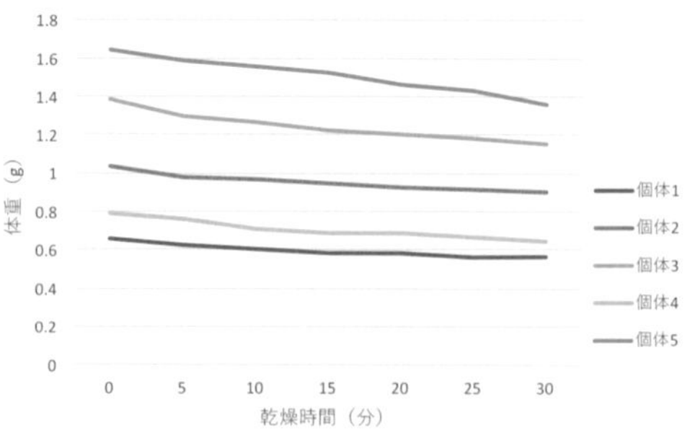


図1　乾燥装置による体重の減少（フナムシ）

**【実験２：ワセリンを用いた乾燥実験】**

〈目的〉ハマダンゴムシ，ワラジムシ，フナムシの3種のダンゴムシ類が乾燥しているとき，腹と背のどちらから多く水分が飛んでいっているのかを調べる。

〈方法〉ダンゴムシ類の腹にワセリンを塗る個体と背に塗る個体に分けた。フナムシのみ動き回るためガーゼの袋に入れた。個体ごとに体重を測り，実験1と同様に乾燥させたのち体重を測る作業を数回繰り返し，それぞれ計30分間乾燥させた。

〈結果と考察〉腹にワセリンを塗った個体は背にワセリンを塗った個体よりも体重が減少していた。つまりダンゴムシ類は背から多く水分が放散していること分かった（表2）。

表2　ワセリンを塗ったワラジムシの体重の減少量

a.　腹にワセリンを塗った個体

| 乾燥時間（分） | 個体1 | 個体2 | 個体3 | 平均 |
|---|---|---|---|---|
| 0 | 0.144 | 0.133 | 0.037 | 0.105 |
| 5 | 0.131 | 0.132 | 0.036 | 0.100 |
| 10 | 0.126 | 0.130 | 0.033 | 0.096 |
| 15 | 0.124 | 0.129 | 0.033 | 0.095 |
| 20 | 0.122 | 0.125 | 0.032 | 0.093 |
| 25 | 0.121 | 0.129 | 0.030 | 0.093 |
| 30 | 0.117 | 0.128 | 0.030 | 0.092 |
| 終了時の減少量 | 0.027 | 0.005 | 0.007 | 0.013 |

b.　背にワセリンを塗った個体

| 乾燥時間（分） | 個体4 | 個体5 | 個体6 | 平均 |
|---|---|---|---|---|
| 0 | 0.171 | 0.145 | 0.100 | 0.139 |
| 5 | 0.164 | 0.144 | 0.097 | 0.135 |
| 10 | 0.164 | 0.143 | 0.096 | 0.134 |
| 15 | 0.161 | 0.141 | 0.095 | 0.132 |
| 20 | 0.158 | 0.139 | 0.094 | 0.130 |
| 25 | 0.159 | 0.138 | 0.096 | 0.131 |
| 30 | 0.158 | 0.135 | 0.095 | 0.129 |
| 終了時の減少量 | 0.013 | 0.010 | 0.005 | 0.009 |

**【実験3：切片写真による観察】**

〈目的〉湿度が低い環境に生息するオカダンゴムシの殻は厚く乾燥対策がしてあり，ほかの3種のダンゴムシ類は湿度の高い環境に生息するため殻が薄いことを確かめる。

〈方法〉アルコールに漬けたダンゴムシ類を発泡スチロールの上で切り，双眼実体顕微鏡でゴミを取ってから撮影して殻の厚みを比較した。

〈結果と考察〉オカダンゴムシ（図2）の殻が最も厚いことが分かった。次にハマダンゴムシ（図3），ワラジムシ（図4）の順で殻が厚かった。これら2種はオカダンゴムシに比べて殻と殻の間が狭いことも分かった。ハマダンゴムシは所々に間が広い所があった。フナムシ（図5）の殻は極めて薄く，間が空いているため乾燥に弱く，水と離れた環境では生息できないことが示唆された。

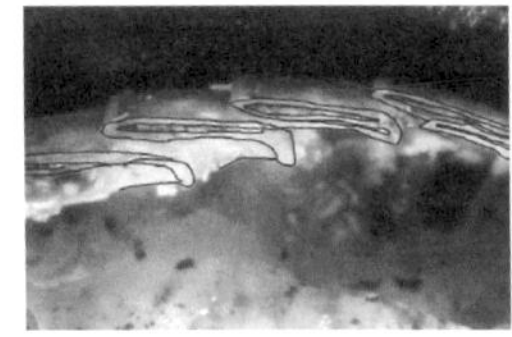

図2　オカダンゴムシ

図3　ハマダンゴムシ

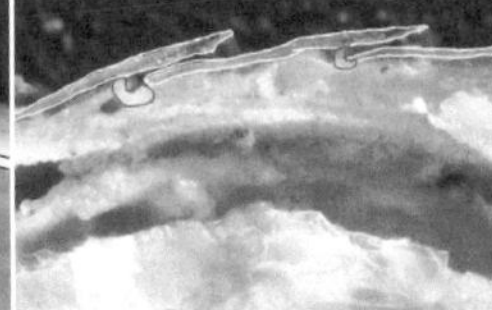

図4　ワラジムシ

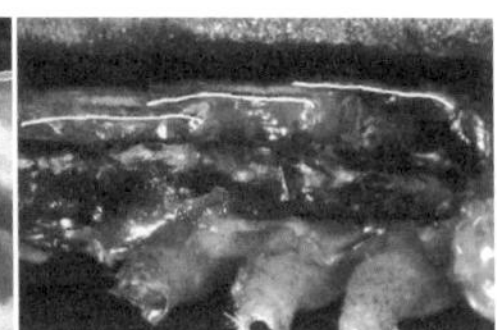

図5　フナムシ

## まとめと結論

3つの実験から，乾燥に強いのはオカダンゴムシ，ワラジムシ，ハマダンゴムシ，フナムシの順であること，ダンゴムシ類は背からの水分減少率が腹からの水分減少率よりも高いこと，オカダンゴムシの殻は分厚く，ハマダンゴムシ，ワラジムシ，フナムシの殻は薄いためにオカダンゴムシが他のダンゴムシに比べて乾燥に強いということが分かった。それぞれが生息する環境の違いから，進化する段階で乾燥に耐える強さに違いが出てきたのではないかと考えられる。

## 作品について

ダンゴムシ類について今回で3回目の研究のようで，昨年はダンゴムシ類3種の行動や生態について研究し，壁にぶつかるたびに右に行ったり左に行ったりする交替性転向反応が種によって度合いが異なることについて調べていたそうです。実験を進めるうちに，ダンゴムシ類の棲(す)む環境の違いに気が付き，乾燥への耐性が異なるのではないかと考え，今回の研究のテーマとなりました。研究を進めると，新たな疑問が湧いてきて新たな研究へと発展していくまさに好例と言えます。研究の概要には載せきれませんでしたが，レポートには乾燥装置もシリカゲルだけでなく塩化カルシウムを使って紙パックやフィルムケースを駆使したファンで風を送るタイプの乾燥装置も紹介されており，試行錯誤した上で掃除機を使った「新型乾燥装置」にたどり着いています。ダンゴムシを掃除機とシリカゲルを使って約1時間近く乾燥させたり，背や腹にワセリンを塗ったり，最後には切断して写真を撮ったりするアイディアがとても奇抜で，衝撃的です。大変ユニークな研究に仕上がりました。

ダンゴムシ類の中でも特にオカダンゴムシは，誰しもが小さい頃に触ったり遊んだりしたことがある身近な生物です。昆虫ではなく，エビやカニも含まれる甲殻類の仲間に分類され，さらに等脚目というグループの中にフナムシ科，ワラジムシ科，オカダンゴムシ科，ハマダンゴムシ科などがあります。オカダンゴムシやワラジムシは人家周辺にごく普通に見られますが，ワラジムシはダンゴムシのように体を丸めることができません。ハマダンゴムシは砂浜に，フナムシは海岸の岩場でよく見られます。どの種も，色は全般的に灰色や茶色がかった暗い色で，いつも地面にいる非常に地味な生物ですが，生物の遺体や落ち葉などを食べて細かくするため，生態系の中ではお掃除屋さん，いわゆる「分解者」という大変重要な役割を担っています。誰しもが知っているけど，陽の当たらない生物，そんなダンゴムシ類を取り上げ，徹底的に乾燥への耐性を調べた今回の研究はまさに「科学の芽」と言えるでしょう。授賞式では「今年以上にたくさんの実験をしてさらに明確な結果を得たい，生活圏を広げるための他の対策も調べたい」と今後の抱負を述べた塚迫さん。これからも地味だけれども身近な「なぜ」に注目して，研究を進めていってほしいと思います。

# つるの研究
## ～つるは光の色を認識できるのか？～

おおかわ　かなみ
**大川 果奈実**
[藤枝市立高洲中学校 3年]

「つるは光の色を認識できるか」をテーマに、地面を這って成長する種類のつる植物の巻きつるを使った実験道具を製作し5つの実験・観察を行った。
その結果、「色の区別が出来ること」また、「伸びる方向に規則性はないこと」更に「巻きつるは上方向から来る光のみに反応し、横方向からの光には反応しない」ことを発見した。

## I 研究の概要

### 研究の動機・目的

植物の巻きつるの研究を始めて7年目になる。昨年の研究では上に伸びて成長するゴーヤなどを用いて，つるの先端から2つ目の葉が向いている方向につるが伸びていること，つるは光を探す役割はなく，葉で探した光に向かって伸びる手のような働きをしていることが分かった。今年は地面を這(は)って成長するメロンやスイカなどの種類でも同じことが言えるか実験することにした。そこで，次のような仮説を設定した。

**【仮説 1】** 横に伸びるつるも，光に向かって伸びる手のような働きをする

**【仮説 2】** 横に伸びるつるも葉が見つける光の方向に伸びる

### 実験と結果

**【実験 1：メロンの苗はどのようにつるを伸ばして成長するか？】**

〈方法〉 4つのメロンの苗を植えてどのように成長していくか観察した。

〈結果〉 本葉5枚程度では葉は上に伸び，その後は横方向に3～4本の茎つるを這うように伸ばした。どの茎つるも先端から15 cmあたりから上を向いていた。4つの苗が他の苗の葉をよけながら，他の葉の陰にならないように伸びていた。巻きつるは地面の石や枯葉に巻き付いていた。

**【実験 2：横に伸びる植物は緑色以外の光が来る方向を感じているか？】**

〈方法〉 茎つるの先端にレンガで通路を作り，その先に緑色のフィルタがある通路とない通路を作り，周囲の葉の陰を避けるとき緑色の光を避けているか確かめた。

〈結果〉 つるは2つの通路のどちらにも伸びて行かず，レンガの隙間の上方向から漏れ出る光に向かって茎つるを伸ばし，横方向には伸びて行かなかった。

**【実験 3：つるは横方向からの光には反応しないのか？】**

〈方法〉 右のような赤，青，緑の光が真横から同時に差し込むような実験装置を作り，切った茎つるをセットしてインターバルカメラ（撮影間隔10分）で撮影した。

〈結果〉 全ての茎つるで，横からの光に反応しなかった。つるはどの色にも反応せずしおれてしまった。

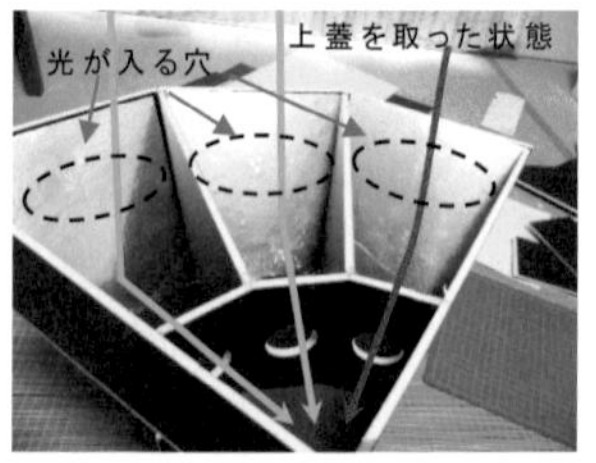

図1　実験3の実験装置

**【実験 4：真上からくる緑色以外の光の色を探すか？】**

〈方法〉 右のような赤，青，緑の光が真上から同時に差し込むような実験装置を作り，屋外に植えたメロンの茎つるにかぶせて再度実験した。熱気を逃すため通気口も作った。

図2 実験4の実験装置

〈結果〉台風や暑さから茎つるの先端が折れてしまい，枯れてしまった。

**【実験５：真上からくる緑色以外の光の色を探すか？　再挑戦】**

〈方法〉ワイヤーネットのマスの縦４×横２の大きさに切った赤，青，緑の下敷きを規則的な順番で貼り，スイカの茎つるの先端の上にかぶせてどの方向に伸びるか観察した。実験は２回行うことができた。

図３　実験５の実験装置

図４　実験５の実験結果

〈結果〉つるは上からの光に反応し，２回とも赤い光のところへ向かった。緑の光の下は避けて通った。緑の光の下に来るとつるは方向を変えて青と赤の下を通り最後は赤い光の方へ向かった。２回とも最後は赤の下敷きを持ち上げるように伸びていた。

**【実験６：色が区別できると，実際に赤，青，緑のものがあるときに緑を避けるか？】**

〈方法〉赤，青，緑の画用紙でコーンを複数作り，竹ひごで地面に固定して茎つるがコーンの間をどのように伸びていくか観察した。

〈結果〉つるは色を区別することなくコーンを避けてまっすぐ伸びていた。上からの白色光があれば周囲の色に関係なくより光が当たる場所を探しながら伸びていく。

図５　実験６の結果

**【実験７：茎つるの伸びる方向は先端から２番目の葉の向きと同じか？】**

〈方法〉茎つる 10 本の向きと葉の向きを調べた。右のような厚紙に10°ずつの角度と方角を書いたものを使い計測した。

〈結果〉つるの先端も２番目の葉の向きも真上を向いていた。白色光があれば，つるの伸びる方角には規則性がないことが分かった。

●蔓が伸びる方向に規則性は見られない
●蔓の先端と2番目の葉の向きはほぼ真上を向いている

N, NNE, NE, NEE, E, EES, ES, ESS, S, SSW, SW, SWW, W, WWN, WN, WNN
0, 10, 20, 30, 40, 50, 60, 70, 80, 90

| 方向 | 地面と茎の角度 | 茎先端の角度 | 2番目の葉の角度 |
|---|---|---|---|
| NE | 30 | 90 | 90 |
| E | 30 | 90 | 90 |
| ES | 40 | 90 | 87 |
| S | 40 | 90 | 90 |
| S | 30 | 90 | 90 |
| SSW | 30 | 90 | 90 |
| SW | 20 | 0 | 0 |
| W | 20 | 90 | 90 |
| W | 30 | 90 | 90 |
| WWN | 30 | 90 | 90 |
| 記号 | ● | ● | △ |

図６　蔓の伸びる方向と角度

## まとめ

最初の２つの仮説は，実験７で示すことができた。つるは２番目の葉が向く方向に光を求めて伸びるが，つるの伸びている方角には規則性がないことが分かった。また実験５から，つるは上方向からの光の色の区別ができること，横方向からの光には反応しないことも分かった。

中学生の部

中学生の部

# 作品について

植物のつるについて研究を始めて７年目，これまでの研究で得られた知見を活かしながら数カ月間に渡って多くの実験を繰り返した意欲作です。この研究のすごいところは，植物のつるを誘導するための実験装置を何べんも改良を重ねて丁寧に作り込んでいる点です。植物の実験は一般的に，観察にとても時間がかかる上，路地植えだと天候にも左右されやすく，屋外に設置した実験装置が強風や大雨で壊れてしまうことは決して珍しいことではありません。今回の研究においても，実験装置が台風で壊れてしまったり，つるが枯れてしまったりするアクシデントに見舞われながら，大川さんはめげずに実験装置を改良して研究を継続し，実験５を見事成功させせました。

課題研究で大切なのは,「仮説」の設定です。疑問に思ったことを調べるには,「このような仕組みがあるから，このように実験したら，このような結果が得られるのではないか」と結果を予想しながら，つまり仮説を立て，実験計画を練って実行することではじめて，調べたいことをきちんと確かめることができます。大川さんのレポートでは１つの実験が終わるごとに次の実験に向けた仮説が列挙してありました。実験も一度で終わりではなく，実験結果から新たな疑問や仮説が生じて実験を繰り返すことで真理を追究することができます。また，再現性も重要です。特に生物に関する研究では，様々な要因が現象に影響していることが多く，個体差もあります。同じ装置や生物を用いた実験を複数回繰り返して，その現象が偶然ではないことを証明しなければなりません。

植物には動物のような目がついているわけではありませんが，表面に光を感知するタンパク質が存在していることが知られています。赤色光を感知するタンパク質はフィトクロム，青色光を感知するタンパク質はフォトトロピンとクリプトクロムと呼ばれ，光を吸収してタンパク質の構造が若干変わることによって，自分の上に植物が覆いかぶさっていたりしないかなど，生育に十分な光環境であるかどうかを判断しています。成長だけでなく発芽や，花芽の形成にも関わっている大変重要な仕組みです。クリプトクロムは植物だけでなく動物にも存在しており，体内時計の調節などに関わっています。

「つるは育つ環境に合わせて伸びていく向きを選択したり，向きを変えたりして動物のような行動をすることに感動した」と研究を締めくくった大川さん。その感動を次なる研究の原動力にして，今後も研究を続けていってください。

# ニホンヤモリとミナミヤモリの体色変化パート2 ～光と模様の関係～

大久保(おおくぼ)　惺(せい)
[茨城県立並木中等教育学校 2年]

ヤモリが体色を変えることを知っていますか？ 私は、身近にいるヤモリの体色変化に興味が湧き、どんな条件で体色変化が起こるのか疑問をもちました。この研究では、光と模様の関係を探るために、画像解析ソフトを使い模様面積を数値化することにチャレンジしました。解析に失敗することも多くあり、試行錯誤の連続でしたが、失敗から何を改善すれば良いか学びました。

## I 研究の概要

### 研究の動機と目的

ニホンヤモリで行った前回の実験で，体色変化と同じように皮膚の模様の濃淡や面積が変わっていることに気付いた。明るいときよりも，暗いときに観察したときのほうが濃い模様が現れるようだった。つまり，光と黒色素胞による模様の発生は関係があるのではないかと考えた。そこで，光とヤモリの模様の関係について注目し，光が模様の発生に影響し，黒色素胞が光の有無によって働くかどうかを調べていきたい。

### 仮説

ニホンヤモリで行った実験やカエルが黒色素胞に光受容体を持つことから，ヤモリも光の有無をどこかで感じ取り，黒色素胞の働きによって模様を出しているのではないかと考えた。光がないときに黒色素胞が働き，光があることによって黒色素胞の働きが抑えられているかを調べる。

### ニホンヤモリとミナミヤモリについて

実験2の後にミナミヤモリを入手したため，2種で実験を進めることにした。

表1　ニホンヤモリとミナミヤモリの違い

| 和名 | ニホンヤモリ | ミナミヤモリ |
|---|---|---|
| 学名 | *Gekko japonicus* | *Gekko hokouensis* |
| 形態 | 体長100～140mm，頭胴長50～72mm，体重2.3～4.0g<br>2～4対の側肛疣を持つ | 体長100～130mm，頭胴長50～65mm，体重2.4～5.8g<br>1対の側肛疣を持つ |
| | 背面の色は短時間に濃褐色から淡灰色まで著しく変化する | 背面は灰褐色だが，短時間に濃褐色から淡灰色まで著しく変化する |
| 生息環境 | 人家や灯りの近くに多く生息している | 樹木や夜間照明の無い建造物に多く生息 |

出典：侵入生物データベース／国立環境研究所（最終アクセス：2019年7月31日）

**【実験 1】光と模様の関係を探る①**

〈実験内容〉　ライトの有無によってニホンヤモリの模様の現れ方には違いがあるのかを調べたが，カメラの調整がうまくいかず，模様を正確に読み取れなかった。

**【実験 2】5分で体色変化は始まるのか**

〈実験方法〉　ニホンヤモリ3匹をランダムで選びA・B・Cに分け，黒ケース3箱にそれぞれ入れる。そのケースを暗所で1時間置き，1時間経ったらフタを開け，5分間のタイマーをスタートさせた後，すぐに白いケースに移動させる。そのとき，写真撮影をする。5分後，白いケースを開けすぐに写真撮影をする。2つの写真を比べて体色変化が起こっているのかを調べる。

〈結果と考察〉　結果から，ニホンヤモリは5分で体色変化が起きると分かった。次回はさらに時間を短くして2分で体色変化が起こるか実験することにした。

**【実験 3】ミナミヤモリの壁色による体色変化**

〈実験内容〉　ミナミヤモリの色覚もニホンヤモリと同様であることを調べる。

〈実験方法〉　A～Dの名前を付けたミナミヤモリ4匹を赤，橙（だいだい），黄，緑，青のケースにそれぞれ1匹ずつ入れ，明所，暗所に1時間ずつ置いた後，色付きケースから出し色見本を貼ったケースに移動させ写真撮影をする。そのとき，どの色の分類に体色変化をしているかデータを記録する。

〈結果と考察〉 結果からミナミヤモリもニホンヤモリと同様で，暗所での視覚があることが分かった。青みのかかった色は出てこないことから虹色素胞はほとんどないことも分かる。

**【実験4】2分で体色変化は始まるのか**

〈実験内容〉 実験2では移動してから5分以内に体色変化が起こってしまうことが分かったため，今回は2分で体色変化が始まるのか調べることにした。実験3でニホンヤモリと同じ色覚だと分かったミナミヤモリも実験することにした。

〈結果〉 2分以内に体色変化がないという結果だった。

〈考察〉 実験2と今回の実験4からニホンヤモリ・ミナミヤモリは2分以上5分以内で体色変化が始まることも分かった。想像していた時間よりも短い時間で体色変化が起こると分かり，驚いた。

図1　A-赤-暗所

図2　A-黄-明所

**【実験5】光と模様の関係を探る②**

〈実験内容〉 ライトの有無によってニホンヤモリ・ミナミヤモリの模様の現れ方には違いがあるのかを調べる。

〈考察〉 この実験から光がないときに模様が多く出ることまでは確かめられた。

## 結論と課題

光が壁に当たることによって明度の変化が起こった色を，視覚で認識し，その情報によって体色を変え，模様を発生させていた。また，模様発生までの時間も2~5分以内で，予想していた時間よりも圧倒的に短いことも分かった。

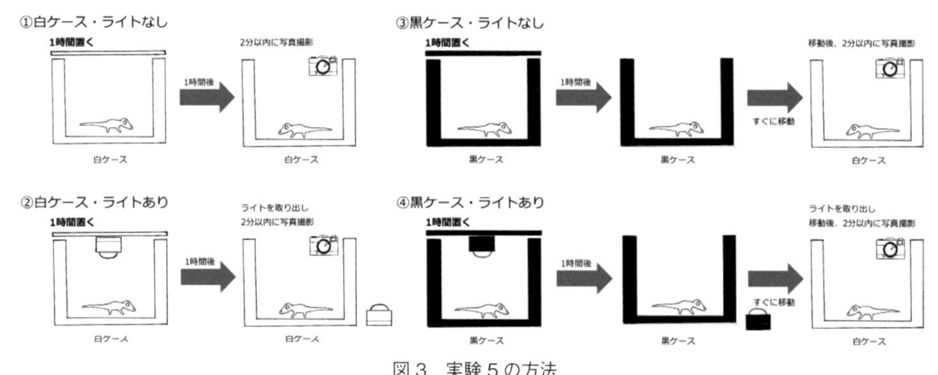


図3　実験5の方法

# 作品について

大久保さんは，環境に応じて変化するニホンヤモリの体色について継続的に研究をしています。前回の研究では，ニホンヤモリは赤色や黄色を認識できず赤色を黒，黄色などの明度の高い色は白，と認識する 2 色型第 1 色覚であり，黄色素胞・黒色素胞・虹色素胞の運動によって，全ての壁色で体色変化が起きていることが分かりました。また，黒色素胞の顆粒が下層に集まることで明るい体色になり，最下層の黒色素胞の顆粒が上部に集まることで皮膚に現れる色は黒くなる，黒色素胞が真皮層のどこまで送り込まれてくるかにより，表皮に出る色が変わってくる，ということも分かりました。

今回はこれまでの観察から，体の模様の濃淡や面積も変化することに気付き，疑問に感じたことを整理して仮説に結び付けています。ニホンヤモリ 10 匹，ミナミヤモリ 4 匹を継続的に飼育しながら実験を繰り返して仮説を検証し，計画的に粘り強く研究を進めているところが高く評価され，今回の受賞につながりました。

色の変化について，ヒトが見た目で判断するということはとても難しい作業だと思います。時間が経っていたり個体数が多くなったりすると，どうしてもブレが生じます。そこで大久保さんは iPad を使い写真を撮って画像解析を行っていますが，そこでもカメラの「自動補正」という壁にぶつかり，ヤモリではなくヤモリを入れるケースの色を変えるなどして撮影方法を改善していきました。また，撮影機器や明るさの誤差，画像解析の技術力による読み取り誤差等を考慮し誤差範囲を設定するなど，画像の読み取り方も熟考を重ね辿り着いた結果なのでしょう。

図 4　ニホンヤモリ

図 5　ミナミヤモリ

まだまだヤモリの視覚については不思議なことがあり，調べたいことが次々に出てきているようです。是非これからも研究を続けてほしいと思います。

# シングルリード楽器における吹奏音の研究

矢野 祐奈（やの ゆうな）
［坂戸市立城山中学校 2年］

管楽器の発音の仕組みについて、ストロー笛を用いて研究しました。実験の条件が変わらないように、風船で鳴らすことを笛のおもちゃから思いつきました。また、笛にそのまま風船をつけるのではなく、透明のホースを間に入れることで、リードの動きがよく見えるように工夫しました。

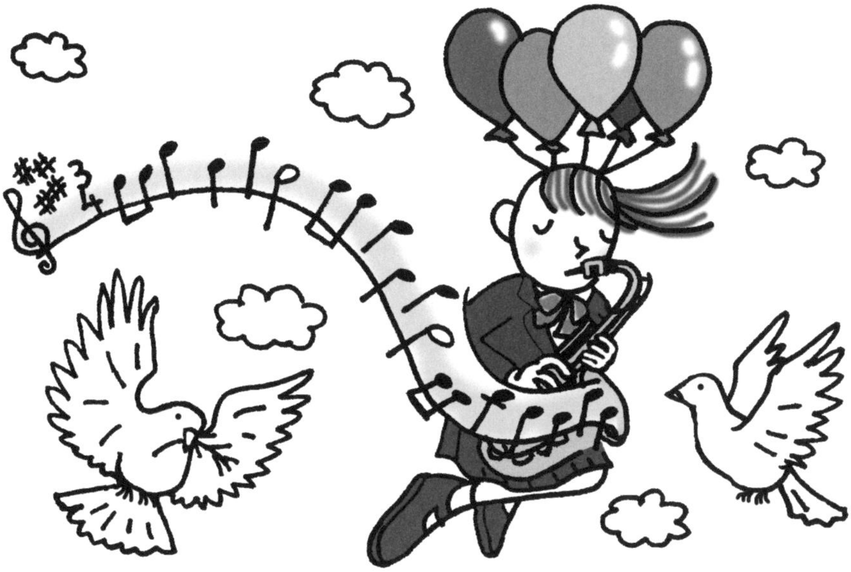

## I 研究の概要

### 研究動機

アルトサックスなどのリードを一枚使う管楽器が，どのような仕組みで音を出すのかを理解し，演奏上達の手助けとしたい。

### 実験方法

斜めに切ったストローにセロハンテープを2枚張り合わせたリードを取り付けて吹き口とし，これと風船を透明な管で継ぐ。膨らませた風船が送り込む空気によって鳴る音をオシロスコープのソフトで測定する（図1）。

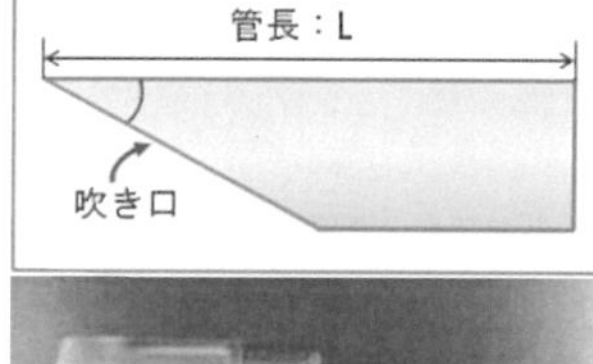


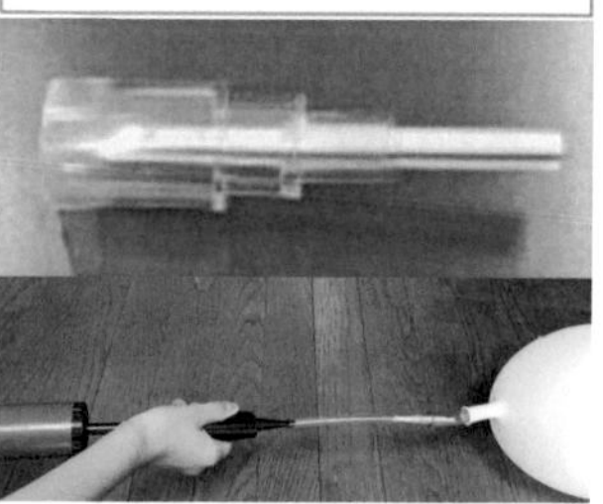

図1　実験方法

### 研究1：ストロー笛の形状と吹奏音の関係

ストロー笛の波形は楽器と似た特徴があったので，その結果から管楽器の性質を見出せると考えた（図2）。

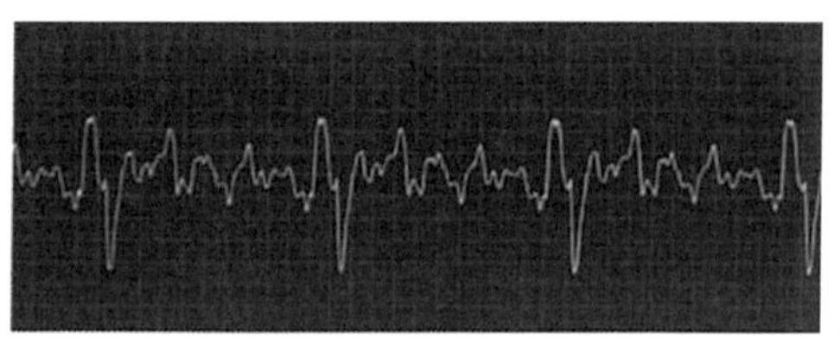

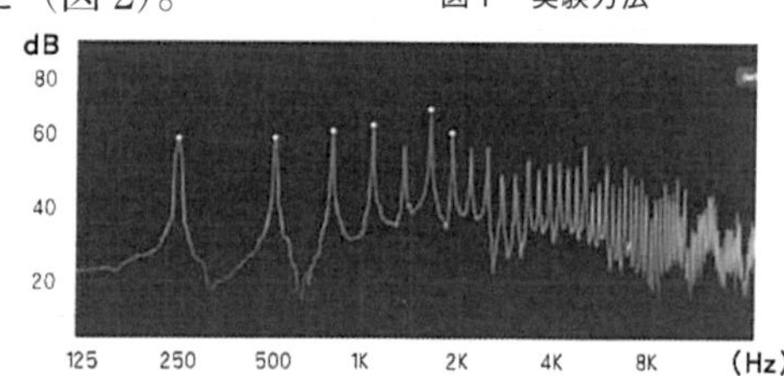


図2　C#4の波形（左）と周波数と音量のグラフ（右）

長さ（$L$：70～140 mm），太さ（$\phi$：4～10 mm）と音の関係は，長いほど，太いほど音は低く，長さに対する周波数変化は太いほど緩やかだった（図3）。風船では鳴らなかった$\phi$:4と10 mmも口で吹くと鳴り，太さによって必要な空気の強さは異なると考えられる。

図3　管長と周波数の関係

また，リードの形や硬さ，吹き口の角度（図4）と音の関係は，①リードが大きいと低く，②リードが固いと高く，③吹き口の角度が大きいと低くなった。

さらに，同じ長さで形状が異なる3種類の管（図5）で音を比べると，クラリネットのような直管よりサックスのような円錐管（えんすいかん）のほうが音は高く，さらに円錐の広がりが大きいほうがより高音になった。

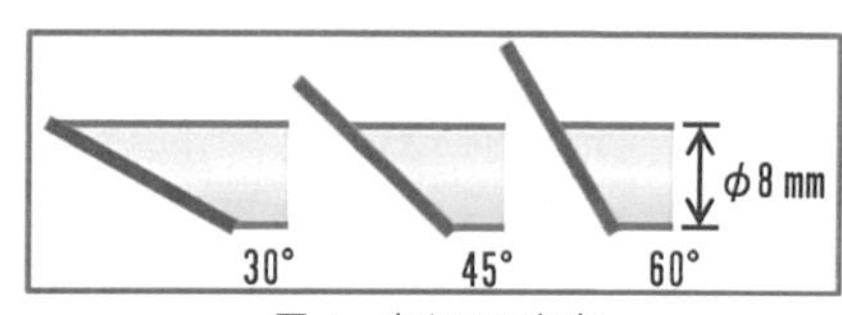


図4　吹き口の角度

### 研究2：管楽器の発音の仕組みの解明

リードの様子をタイマーと一緒にビデオ撮影して確かめると，1秒間の振動回数と

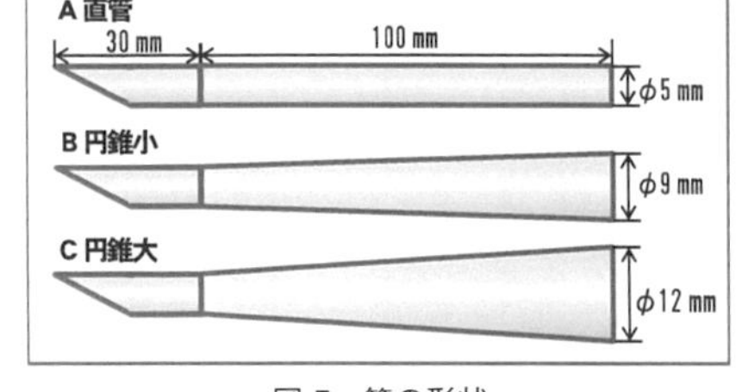

図５ 管の形状

音の周波数は等しく，リードの速さによって音の高さが変化した(図６)。風船を手で押したり，ストローの長さ・太さを変化させると，リードの速さはストローを通る空気の流速で決まることが分かった。

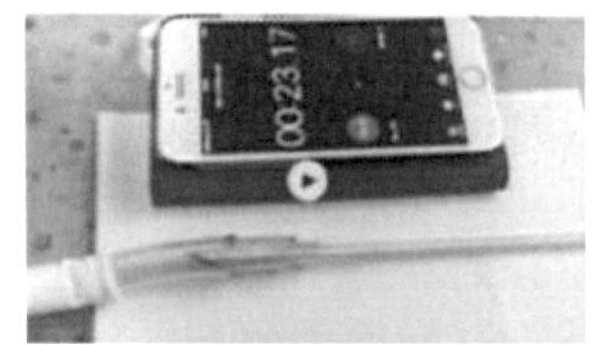
図６ ビデオ撮影

また，研究１の風船では鳴らなかったφが小さい管のリードは閉じることなく動かず，φの大きい管のリードは閉じたまま動かなかった。変形したリードは弾性によって戻ろうとするが，軟らかいストロー笛では内側から吹き口に向かう力が必要である。アルトサックスをフォルティッシモで吹くと，喉の奥で振動を感じることがあり，これを管の端で反射して戻ってくる振動と捉えた。管が長いほど強く感じるこの振動が吹き口に向かう力に影響を与え，リードの開閉する速さが変化すると考えられる。

## 研究３：管楽器の形状が吹奏音に与える影響の考察

リードは，大きいほうが動きはゆっくりに，軟らかいほうが動く範囲が広くなり，低い音が出た。また，吹き口の角度が大きいほど，リードの動く範囲は狭かった。

次に，楽器のマウスピースとリードにアルミ箔(はく)を貼って導通を調べると，音が鳴っている間は電気が流れ，ストロー笛と同様に息の力でくっつくことが分かった。

さらに，クラリネットなど楽器のトーンホールを塞いで管の長さを変え吹奏音との関係を調べると，ストロー笛と同様の関係を示した（図７)。ストロー笛より楽器のほうが高音の出る理由は，リードが硬く，吹き口の角度が小さいことが考えられる。

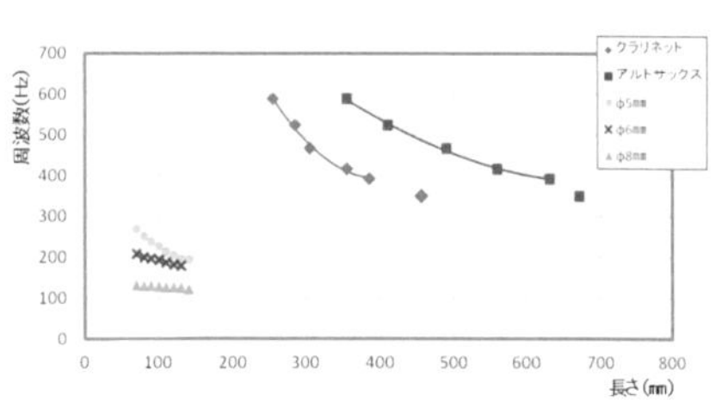

図７ 笛の長さと周波数の関係

## 研究のまとめ

① 笛の長さだけでなく，太さやリード・管の形などで，吹奏音が変化する。

② リードの開閉速度が吹奏音の周波数に関係し，速度は空気の流速に依存する。

③ リードは管の端で反射した振動にも影響を受けて速度が変化する。

## 感想

多くの種類のストロー笛を試さなければいけなかったので大変だったが，発音の仕組みが分かったことで，管楽器を様々な視点で見ることができるようになった。形によって共鳴の度合いが異なることも分かったので，次の研究テーマにしたいと思う。

中学生の部

# 作品について

矢野さんは吹奏楽部に所属し，アルトサックスを吹いているそうです。きれいな音を出すために日々心掛けていることは，マウスピースのくわえ方，息の入れ方，舌の使い方など多岐にわたります。更なる上達のために練習に取り組むなか，そもそも管楽器がどのような仕組みで音を発生させているのか，と抱いた疑問がこの研究を始めるきっかけとなりました。

楽器の形やその仕組みは，人間が工夫を重ねて改良を重ね現在に至っていますが，決して安価ではない楽器自体に手を加え，万が一でも傷をつけてしまうことは現実的ではありません。そこで矢野さんは，楽器に似せた笛をストローで自作し，その笛の性質から実際の楽器の特徴を探ろうとしました。身の回りにあって加工が容易な点で優れた素材だと言える一方，果たして楽器と同等の性質を示すのかどうか。研究の一歩は，その波形と周波数の分析から始まりました。結果，波形がある形を繰り返すこと，また倍音と呼ばれる周波数を含むことに共通点を見出し，ストロー笛の性質を調べることが楽器の仕組みの解明に有効だと確信したわけです。

さて，笛の長さ・太さ，リードの大きさ・硬さ・取り付ける角度などを変化させ，実に多彩なストロー笛ができました。その一つひとつについて根気よくデータを取り，丁寧に分析した成果が作品から読み取れます。とくに，息を吹き込む代わりに風船を用いたことで定量性と再現性を確保した点，風船では鳴らなかった笛についても口で息を吹き込めば鳴ると確認した点など，実験を始める前に方法を十分に吟味し，予想外の結果についても「なぜ鳴らないのだろう」と追究の手を緩めずに取り組んだ姿勢は高く評価できます。

また，一般には，音は聴覚で捉えるものと理解されることが多いと思いますが，笛と風船を透明な管で接続し，ビデオ撮影によってリードの振動を視覚で捉えようとしたことや，風船に伝わる振動を触覚で捉えようとしたことは，いずれも矢野さんが多面的に自然現象を感じ取ろうとした工夫だと言えます。こうした試行錯誤の末，吹奏音の周波数はリードの開閉速度が関係し，その速度は空気の流速に関係していることを見出しました。

とはいえ，ストロー笛の吹奏音に影響を与える様々な要因は複雑に重ね合わさっているようで，例えば，笛の形によってはとても大きな音が鳴るものもあったとか。その形は実際の楽器と共通点があるのかどうか，発展的に取り組んだ成果も楽しみにしたいと思います。

# 混ぜるとすごい！カタツムリとナメクジの粘液

片岡 嵩皓（かたおか たかひろ）
[出雲市立第三中学校 2年]

カタツムリの粘液の接着力 0.8kg＝体重の約330倍、ナメクジの粘液の接着力2.5kg＝約4000倍もの力でした！そこへ接着力1kg の卵白を混ぜたら、なんと！ 5.5kg 以上の接着力=市販の接着剤以上のパワーになりました！生物由来で環境にやさしく、接着力バツグンで、劣化しにくく、透明になって、カビが生えない、高機能な接着剤ができそうです！

# I 研究の概要

## 研究の動機・目的

小学1年からカタツムリとナメクジの研究をしている。粘液は2kgの力（これはカタツムリたち自身の体重の約3000倍）でゴシゴシ洗っても，刃物を押し付けても，全く切れないことに驚いた。姉の研究から，粘液には変質する条件があり，条件や組み合わせが整えば，最強パワーを生み出すことができると考えた。最強の粘液を①生物由来・環境に優しい，②接着力がある，③日光や紫外線に強い，④透明になる，⑤カビないものとし，最強の粘液になる条件と組み合わせを見つけることを目的とした。

## 仮説

・粘液は環境的な条件により，粘度などの性質が変化するのではないか。

・異なる粘液を混合すると，粘度などの性質が強化するのではないか。

## 実験

右図の8つの条件別に，接着力，遮光力，紫外線遮蔽力，透明になる条件，防カビ力を調べる。空気のふれ方，温度，明暗について，それぞれ条件をそろえる。粘液の種類は，今までの研究で接着力が強いと感じていたもの8種類とする。傾向がつかめるまで，少なくとも3回以上（ほとんどの場合10回以上）繰り返し行う。

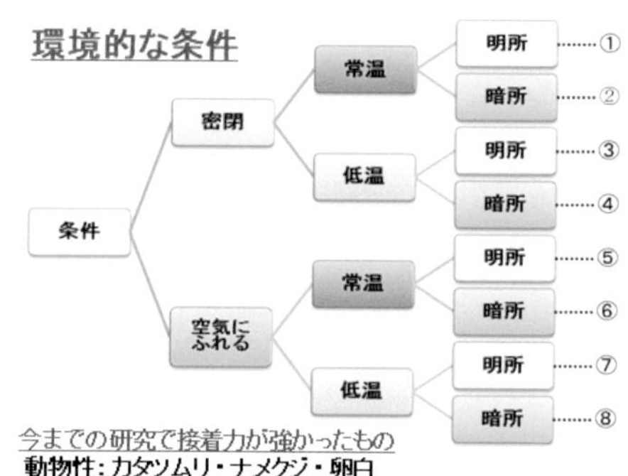


図1　8つの条件別に実験を行う

## 結果と考察

○**接着力**　全ての粘液に接着力があった。㋕の接着力は最大で800g（㋕の体重の約330倍）の力，㋤は2500g（㋤の体重の約4000倍）の力だった。条件によっては市販の接着剤よりも強かった。また，「密閉・常温・暗い」条件の時に，接着力が最も強くなり，それぞれの生活環境に近い条件では接着力が強くなると分かった。

異なる粘液を混合すると，㋕＋㋤以外の全ての組み合わせで，接着力が強くなり，元の粘液の3〜20倍以上もの接着力が生まれた。最強だったのは「空気にふれ・常温・明るい」条件で，㋕（接着力0kg）と卵白（接着力1kg）を混合すると5.5kg以上もの接着力が生まれる組み合わせだった。

○**遮光力**　全ての粘液に遮光力があった。日焼け止め乳液（SPF50＋，PA＋＋＋）の遮光力が－4500luxに対して，透明の粘液でも㋤「密閉・低温・暗い」条件の時に－4000lux，卵白－10000luxなど，日焼け止めを超えていた。

粘液を混ぜると，全ての組み合わせで元の粘液の2～15倍以上になった。単独では光を透過する㋠とサニーレタスを混ぜると，－20000 luxの遮光力になった。

**○紫外線遮蔽力**　全ての粘液に紫外線遮蔽力があった。㋕と㋠は卵白と同等で，日焼け止め乳液の10分の1の遮蔽力だった。動物性の粘液は，環境条件を変えたときの変化に共通性があった。粘液を混ぜると，ほとんどの組み合わせで紫外線を遮るようになった。㋕・㋠はそれぞれ卵白と混ぜることで，遮蔽力が生まれた。最も強力だったのは，㋠とサニーレタスを混ぜたもので日焼け止めと同等の遮蔽力になった。

**○透明になるか**　元から透明な粘液は，どの条件でも透明なままで，混ぜても透明なままだが，顕微鏡で見ると形が変化していた。有色の粘液は，「空気にふれる・常温・明るい」という日常の昼間に近い条件で，透明に近くなった。

**○粘液の防カビ力**　全ての粘液は3日目くらいまではカビを抑える力があった。カビが生えた面積の割合は，何も塗らないとき95.3％，ワサビ0％に対して，卵白0％，㋕39.7％，㋠60.5％だった。㋕＋卵白，㋠＋卵白の混合に限って2週間以上黒カビを防いだ。

**○顕微鏡観察から分かったこと**　粘液を混ぜて顕微鏡で観察すると，肉眼では分からない変化が全ての条件・組み合わせで起きていた。

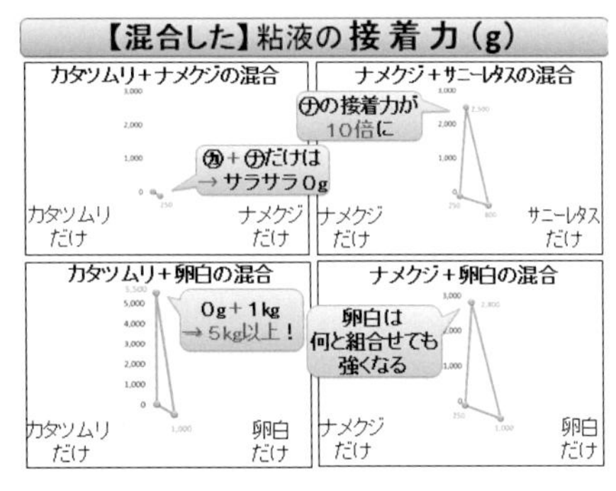


図2　粘液を混合した時の 接着力

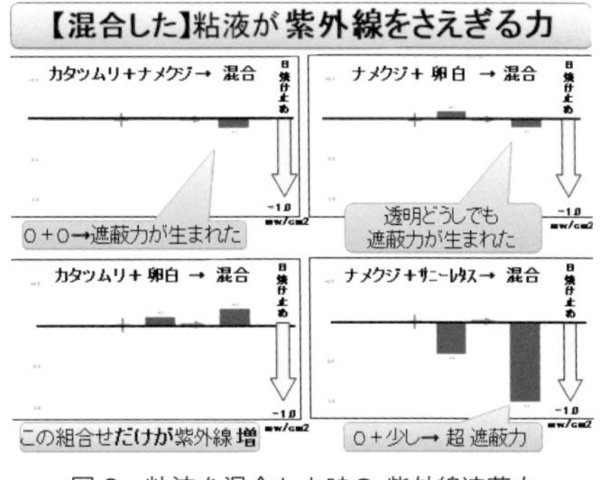


図3　粘液を混合した時の 紫外線遮蔽力

## まとめ

●粘液は、ふだんの生活に近い条件
＝空気にふれる・常温・明るい
ほど、力を発揮する！

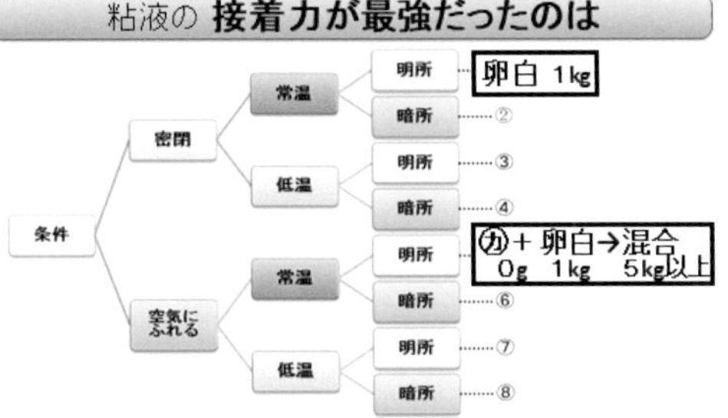


**●粘液は、ふだんの生活に近い条件**
**＝空気にふれる・常温・明るい**
**ほど、力を発揮する**

**●粘液を混合することで**
**接着力　遮光力　紫外線遮蔽力　防カビ力**
**が格段に強くなる！（弱くなる条件もある）**

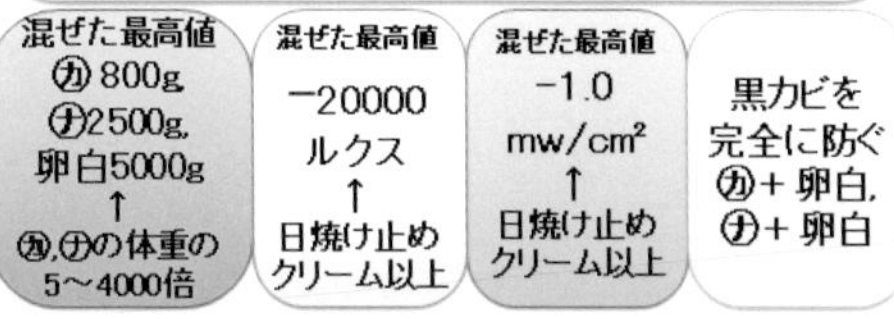


中学生の部

# 作品について

小学１年生からカタツムリとナメクジについてさまざまな研究をしている片岡さんですが，今回はこれまでの研究結果をヒントに，粘液は環境的な条件が違ったり，異なる粘液を混合すると，粘度などの性質が変化し強化するのではないかと仮説を立て，「最強の粘液になる条件と組み合わせを見つける」ことを目的としています。

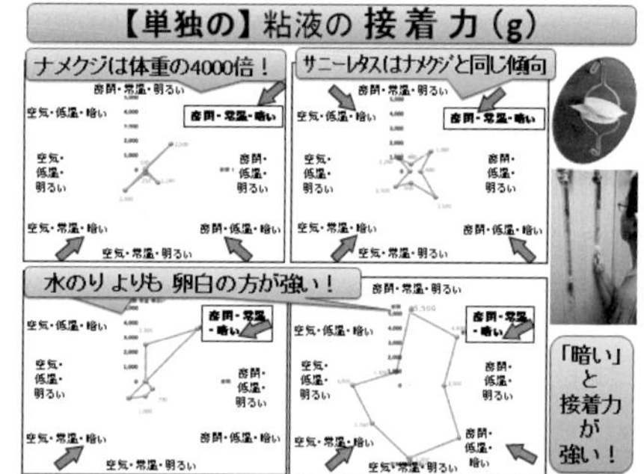


実験は身近なもので行っており，中学生らしい研究です。感心したのは，しっかりと環境条件を設定し，それらの組み合わせが網羅されていることです。「空気にふれるかどうか」「温度」「明暗」の３つの項目について，それぞれ条件を２つに分けて設定すると，組み合わせは８通りになります。たくさんの粘液について，この８通りの環境条件を一つずつ少なくとも3〜10回以上，傾向がつかめるまで何回も繰り返し実験・観察をしています。きわめて膨大な実験量だったと思います。この地道な過程は，科学の基本であり，データの信頼性を裏付けるものです。結果も一つひとつをグラフで表し，粘液ごとにまとめられており，分かりやすく工夫されていました。

さて，今回片岡さんの研究でも注目している粘液の接着力ですが，2017年のアメリカの研究で，ナメクジの粘液から内臓の止血をする接着剤を開発したという報告があります。接着剤というと，通常は乾いた物質同士をくっつけるものです。ナメクジ粘液の接着剤は，体内のように湿った場所でも接着が可能なため，内臓の傷をふさぐことができます。ナメクジ粘液の接着力が，医療の分野で大きく役立つ可能性が示されたということです。片岡さんの研究は，異なる粘液を混合した時の力が，必ずしも単独の時の単純な足し算になるわけではない，という興味深い結果を発見しています。混ぜることで接着力を調整できたりすると，より実用性が増すことにつながるでしょう。そのためにも，今後の課題としていた「粘液を混ぜたとき起こる変化の『仕組み』」について，研究を進めてほしいと思います。

# 「響け！ クラリネット」

## ～閉管楽器についての音響学的検討・管楽器の響きを可視化する～

谷口（たにぐち） あい
[私立慶應義塾中等部 3年]

器楽部でいつも耳にしていた木管の音を自由研究の題材として解析し、発見した現象を、深く追求した研究です。適切な実験条件設定やKundt管を利用した実験器具の自作に苦労しました。教科書の記載と違う結果が得られても、自分の耳や第一印象を信じることの大切さがわかりました。
今後は金管楽器も検討してみたいと思います。

# I 研究の概要

## 研究の背景

昨年は各種管楽器の周波数解析を行い，音色を改良する方法を検討した。また，「閉管の円柱構造を持つクラリネットでは奇数次の倍音のみが生じる」と記載されている文献がほとんどだったが，実際の音には音域によって偶数次倍音も豊富に含まれていることを発見した。そこで，今年はクラリネットの偶数次倍音についてより深い研究を行うことにした。

## クラリネットの音域とレジスターキー・レジスターホール

レジスターキーを押すことでレジスターホールが開き，概ね1オクターブ+5度上の音が出るようになる。この構造が原因ではないかと考え，次の仮説を立てた。

〈仮説〉 レジスターホール閉（低音域）では奇数次倍音が，レジスターホール開（高音域）では整数次倍音が生じている。

図1 クラリネットの構造

**【実験① レジスターホールの開・閉による周波数解析の差の検討】**

実音 D3 及び実音 A4（=440 Hz）で周波数解析を行った。両者の違いは，レジスターホールの開閉のみで他の音孔は全て閉じている。

〈結果〉 レジスターホールが閉じた状態では2次倍音が欠落しているが，開いた状態では明確に発生することが認められた（図2）。

●実音D3
（レジスターホール閉）

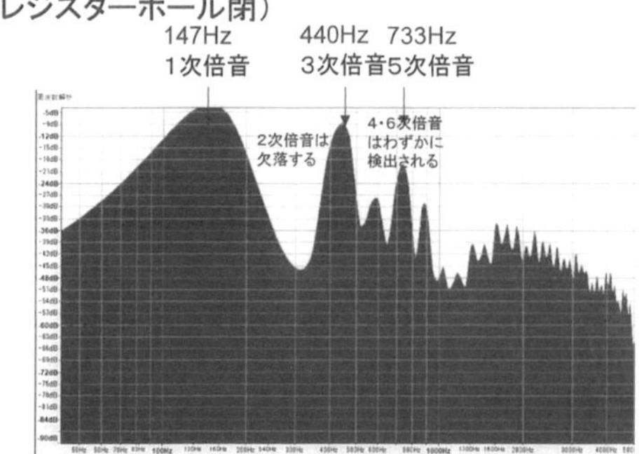


●実音A4
（レジスターホール開）

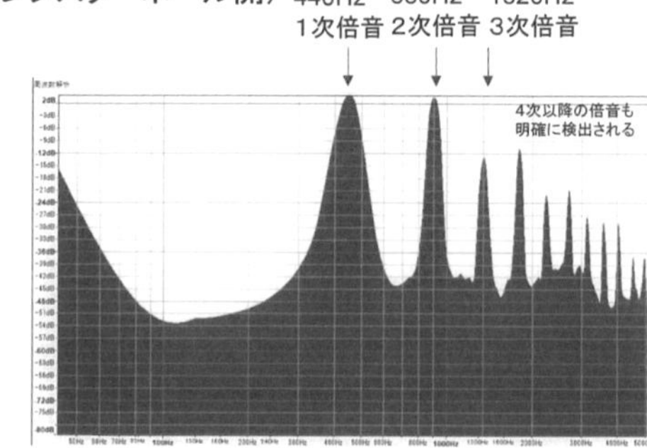


図2 レジスターホールの閉・開による周波数解析の差

**【実験② 定常波によるビーズの共振】**

レジスターホールが開くことによる影響を可視化するため，文献を参考にKundtの共鳴管を応用した実験手法を新たに考案し，実験装置を自作した（図3）。

〈結果〉 レジスターホールを開けた状態では760 Hzのときにはじめて共振が観察された。レジスターホール部分が振動の腹になり，レジスターホールから左では両側開管で見られるような2倍次の共振が観察された。

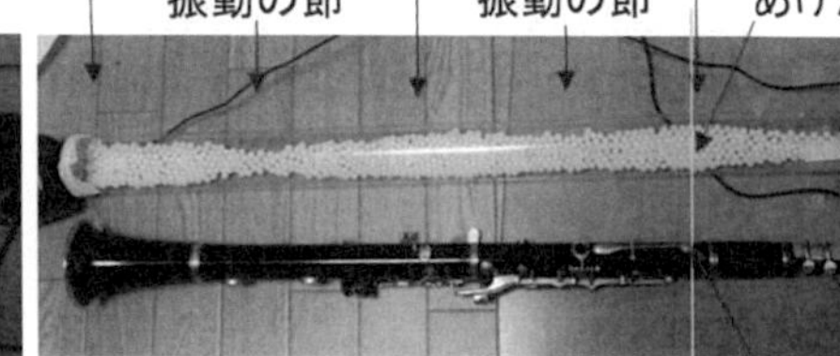


図3 自作の実験装置
（左レジスターホール閉，右レジスターホール開）

**【実験③ 側管の閉塞による2次倍音の変化の検討】**

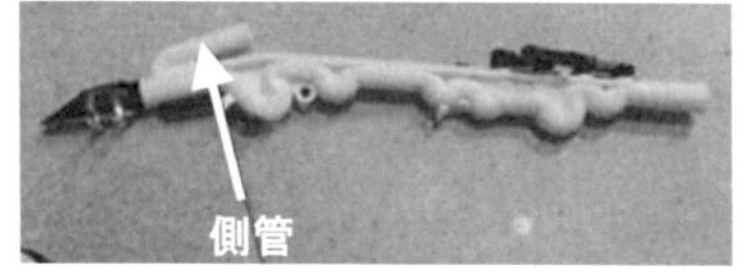


図4 Venova®

側管を持つVenova®（図4）という楽器は，昨年の実験でも偶数次倍音をよく含んでいた。この側管を塞ぐと偶数次倍音が消失するか試してみた。

〈結果〉 側管を塞ぐと，偶数次倍音，とくに2次倍音が消失・減少した（図5）。

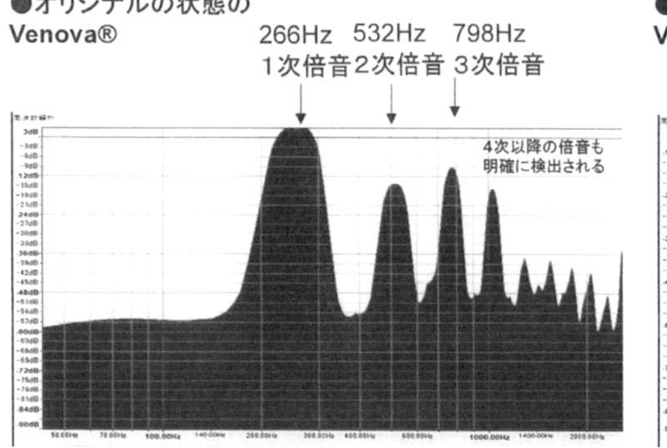


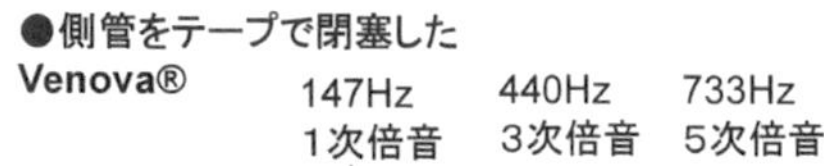


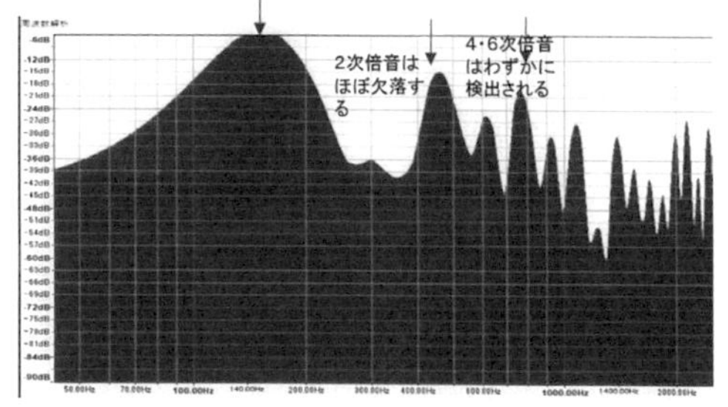


図5 側管の閉塞による2次倍音の変化

## 考察・まとめ

実験①では，周波数解析によって仮説を証明した。実験②では，偶数次倍音の原因を自作の装置で検討した。わずか2 mmのレジスターホールを模した孔を開けるだけで管内の共振が明確に変化し，レジスターホールから開放端までの間で偶数次の倍音が新たに生じている可能性が示唆された。実験③では，偶数次倍音が生じるように取り付けられた側管の孔をテープで塞ぎ，偶数次倍音が消失することを確認した。実験全体を通して，円柱管の閉管楽器の側孔や側管は偶数次倍音を生じるのに重要な働きを担っていることが確認された。

## 感想・今後の課題

昨年は偶数次倍音が生じていることに新鮮な驚きを感じただけだったが，今回はその原因・機構にまで踏み込めたことで，昨年の実験結果がようやく「腑(ふ)に落(お)ちた」印象である。一方，今回は音孔の影響を排除するためD3とA4のみ検討したので，一部の音孔が開放されている音の解析は課題として残るが，今後の機会に検討したい。

# 作品について

谷口さんは，作品の冒頭（研究の背景）に「私は器楽部でヴァイオリンを担当しているが，練習のたびに木管楽器・金管楽器の音色・迫力・音の通りの良さに圧倒される」と記しています。自分が担当するヴァイオリンにはない管楽器が奏でる音の魅力に惹かれたことがきっかけとなり研究を始めました。実は，昨年もクラリネットを対象にしたテーマで実験を行い，多くの文献が示すモデルとは異なる結果も含まれていたことを不思議に感じたとのこと。その原因がクラリネット本体に備わるレジスターキーの影響ではないかと推察したことが，今年取り組んだ研究の強い原動力となったようです。

音は主に聴覚で捉えるものですが，谷口さんはこれを間接的に視覚で捉える手法を取り入れ実践しています。一つ目は，周波数解析という手法です。コンピュータなどに音を取り込み，楽器による音の違いや，同じ楽器でも高さや大きさによる音の違いをグラフに表示させて調べることができます。このグラフから読み取れる情報によって，レジスターホールの影響を探りました。周波数解析は，スマートフォン用のアプリも数多くあるので，興味がある人は探してみるとよいと思います。

二つ目は，クント（Kundt）の実験を応用した手法です。透明な管の中に発砲スチロールのビーズのような軽く小さな粒を入れ，その粒が音（空気の振動）によって動く様子を観察することができます。クラリネットと同等の長さのアクリルパイプにレジスターホールに相当する孔を開け，振動を可視化することによってレジスターホールの影響を探りました。いずれの手法も，谷口さんはよく文献を読み，その内容を消化したうえで自分の研究に取り込んでいる点が高く評価できます。

また，作品中に出てくる複数の楽器の特徴を融合させた新しい楽器は，日本の楽器メーカーが開発したもので，基本的な構造はクラリネットにむしろ近く，音色はサクソフォンに近いという特徴があるといいます。谷口さんがこのカラクリを実験によって検証しようとした試みもユニークで，これまでの研究成果をきちんと整理できたからこその発想だと言えるでしょう。

さて，今年の研究成果はレジスターキーの影響に主眼を置いて取り組んだものですが，特定の音（D3，A4）だけではなく，音孔が不規則に開放された音についても調べること，また金管楽器に備わる機構を調べることなど，新たな課題も見つかりました。更なる追究も期待したいと思います。

# 吊り橋と振動のメカニズム

北島 優紀（きたじま ゆうき）
［筑波大学附属中学校 3年］

心躍る吊り橋と眼下に広がるSL。吊り橋を実際にわたり、とても楽しかったのでその仕組みをより詳しく知りたいと思い、吊り橋の構造と振動についての研究をすることにしました。
吊り橋の設計を考え、何本も作り、鉛筆跡からデータを取ることは根気が必要で大変でした。しかし、考えをめぐらすことはとても楽しく、得られた結果は特別なものになりました。

# I 研究の概要

## 研究の動機

学校の修学旅行で，大井川流域の静岡県川根本町にある吊り橋（つりばし）をわたった。その吊り橋では，振動を縦にも横にも斜めにもかなり感じた。担当の先生が事前学習で，吊り橋の構造と揺れにくさについて話していたのを思い出し，吊り橋の構造と振動の関係について，調べてみることにした。

## 実験方法

実験１～３：様々な構造，種類の橋において，振動（前後上下へ動いた距離）を記録できる装置を自作し，振動の仕方とその大きさを比較した。

実験　４　：実験１～３で使った吊り橋の強度を調べる装置を自作し，吊り橋の強度と振動の関係を調べた。

## 実験装置の条件

① 吊り橋本体の構造

② 振動を測る装置

振動を測る装置で，最初に思い付いたのは「地震計」だったので，車輪の部分のモーターを活用して紙を自動で巻き取れるような装置を作り，吊り橋の中心に鉛筆をつけ，振動の記録が残るような装置を考えた。しかし，実際の振動時間は１秒にも満たないくらいだったことと，この方法では進行方向に対する前後の揺れが計測できないため，巻き取らず固定した紙に記録をするようにした。

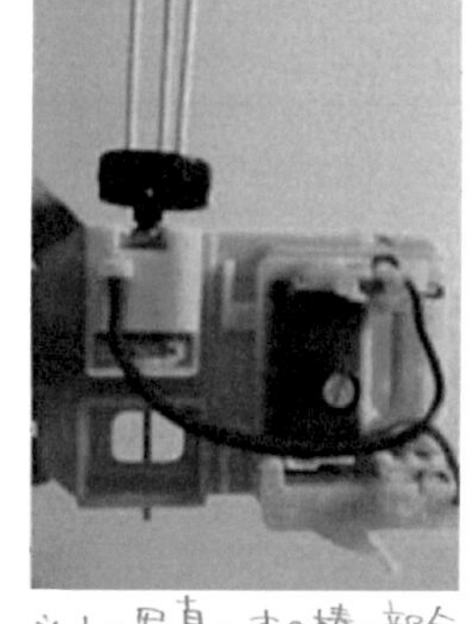
※上の写真の木の棒の部分に長い紙をつけて，モーターを動かすと，紙が巻き取れるだろうと考えた

図１　振動を測る装置

③ 強度を測る方法

吊り橋の中心にかごをつけ，同じ規格のビー玉が何個乗るかによって強度を調べた（かごが床についた時点の個数）。

## 実験

**【実験１：吊り橋を単独歩行と集団歩行をしたとき，振動は変わるのか】**

［実験方法］吊り橋の上部にある吊り糸の本数を６本，８本，15本として吊り橋を作り，振動計を用いて振動の変化を調べた。振動を作るのはビー玉を転がすこととし，１個，２個，８個で行うことで単独歩行と集団歩行を再現した。

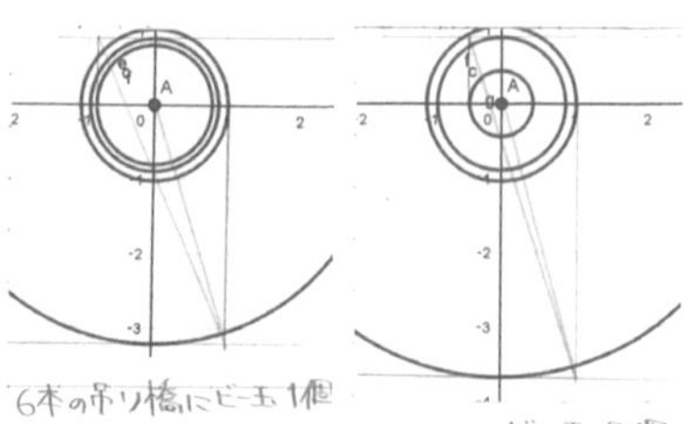


図２　平均のデータから描いた平均の線

［実験結果］（表略）取った平均のデータと実際

の道筋から考えられるモデルの線の跡をジオジブラ（数学ソフト）で描き，平均の線を作った。

**【実験２：吊り橋を吊る糸の本数を変えたとき，振動は変わるのか】**

［実験方法］（実験１と同様）

**【実験３：吊り橋の構造の違いによって，振動は変わるのか】**

［実験方法］（実験１と同様，吊り橋の下部を支えるような糸を追加）（図３参照）

図３　実験３の吊り橋の様子

**【実験４：吊り橋の強度と振動の関係】**

吊り橋の強度を測り，その結果と振動の大きさのデータと合わせてグラフにする。

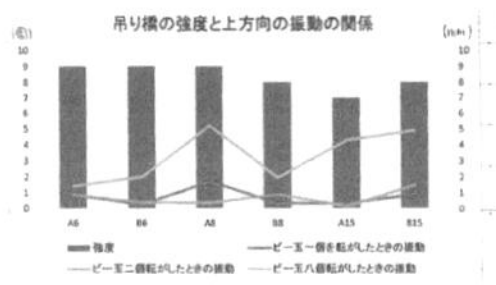


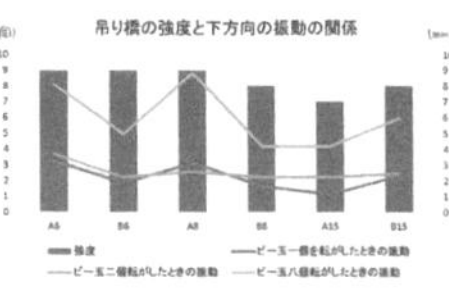


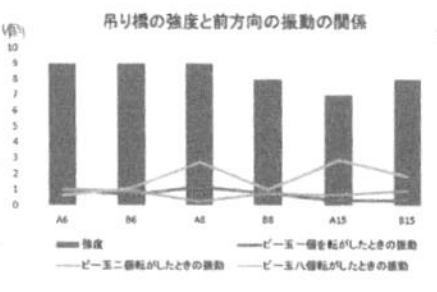


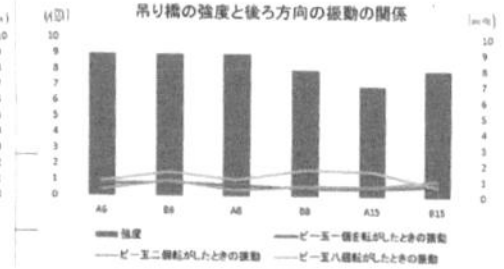


図４　実験４の結果

## 結論

実験１～４の結果から考えられる吊り橋と振動の関係は下記の通りである．

① 単独歩行と集団歩行では，振動の仕方が大きく異なり，集団歩行になると上下運動がとても大きく，振幅も２～３回ある。

② 吊り橋にはそれに適した吊り糸の本数とすると，一番振動を抑えることができる。また，共鳴のようになってしまう吊り糸の本数もある。

③ 吊り糸の本数を変えても，ビー玉の個数（実際には人数）が同じなら，振動の仕方は同じである。

④ 吊り橋の下を支えた構造のほうが，上下に対する振動を抑えることができる。また，この２つでは振動の順番（仕方）が大きく異なる。

⑤ 吊り橋の強度と振動の関係はほぼ見られない。

## 感想

吊り橋を実際にわたってみて楽しいと思ったことから生じた疑問を，自分の手でデータ化して見えるようにすることができてとても良かった。糸の本数を変えたり構造を変えたり，歩行方法を変えるだけで目に見えて分かる振動の違いがあるので，とても面白かった。実験は同じ作業をずっと繰り返したり，準備するのに時間がかかったりと，地味なものだったが，昨年よりもさらに科学の世界への関心が広まった。

## 作品について

北島さんがこの研究を始めたきっかけは、修学旅行で実際に吊り橋を渡ったときにかなりの揺れを感じたことでした。事前学習で吊り橋の構造と揺れにくさについてコース担当の先生が話していたのを思い出し、吊り橋の構造と揺れ方について興味が湧き探究が始まりました。

北島さんの研究の素晴らしいところは、検証するための実験方法やそれらの装置を全て自分で考え､作り出しているところです。吊り橋は発泡スチロール、プラスチック板、竹ぐし、つまようじ、糸などを使い、ミリ単位まで正確に設計をして作られています。そして振動を測る装置で最初に思い付いたのが「地震計」ということで、こちらも自分で持っていた発電機を分解し、手作りをしています。理科の授業で見た地震計が印象に残っていたのだと思います。確かに地震は水平、垂直方向の揺れを記録できるので吊り橋の揺れの観測にぴったりと思えましたが、残念ながら地震ほど長い時間揺れなかったことから、うまく記録することができませんでした。しかし、このような試行錯誤を繰り返しながら、目的に合った実験を地道に行い、結論を導き出しています。紙面の都合上、実験結果のデータはあまり載せられませんでしたが、一つひとつの緻密な実験と結果について考察がしっかりとなされ、吊り橋の振動のメカニズムについて、５つの結論が出されました。

最近は夏休み近くになると、書店やホームセンターなどで自由研究グッズが売られているのをよく目にします。便利な簡易測定器などもあり、上手に使用すれば楽に結果を出せるものもあるようです。しかし今回の北島さんのように、既存のものを使用するのではなく、今までの自分の知識から必要なものを作り出して実験を行うことで、予想外の発見があったり、本当に必要なデータを手に入れることができたりするのだと思います。何よりも、つまづいても自分の力で軌道修正ができる、自由な発想で物を作ることができるということは、研究の可能性が無限に広がるということにつながります。

今後も是非、いろいろなことに目を向け、新たな疑問を解明することに挑戦し続けていってほしいと思います。

# 波打った紙を元に戻す方法
## ～紙のパリパリ、ザラザラから考える～

坂本 帆南（さかもと ほなみ）
[私立慶應義塾湘南藤沢中等部 3年]

紙の性質を調べるところから始まり、もとに戻す方法まで細かく実験を行いました。仮説検証の度に新たな壁が現れ、考察をし、もう一度仮説を立てることの繰り返しでした。しかし、だんだんと結論にたどり着きたい気持ちが大きくなり、実験の原動力となりました。
諦めずに繰り返すことで見え方が変わってきます。みなさんも何か目標を見つけて、全力で取り組んでみてください。

## I 研究の概要

### 1．動機・目的

水に濡（ぬ）れた紙を乾かすと波打ってしまい，触感はザラザラで，紙質もパリパリしている。この感覚の正体と紙の性質を調べ，元の紙に近付ける方法を考えたい。以後，一度濡らして乾かした紙を「波打った紙」と呼ぶ。

> **波打った紙のつくり方**
> ① 電子はかりで紙の重さを量った。
> ② 紙を容器に入った水で濡らした。
> ③ 網の上に置いて自然乾燥させた。
> ④ 乾燥した紙が①と同じ重さになったら乾燥をやめた。

### 2．実験

#### 2-1 波打った紙の性質

(1) パリパリ感の原因は紙の柔軟性の低下だと考え，いろいろな紙（教科書・*Campus* ノート・コピー用紙・厚紙）とそれぞれの波打った紙を準備し，しなり具合を調べた。机の角から紙を出し，先端がしなる度合いを分度器で測定すると（右図），①濡らさない紙では，厚紙はしならず，他は出した長さが長いほどよくしなる，②波打った紙には規則性がなく，逆に反り返った紙もあり，柔軟性のないことが分かった。

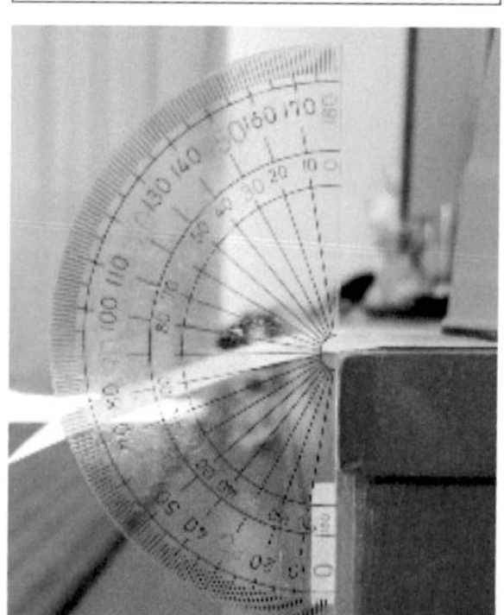

図1 実験 2-1(1)

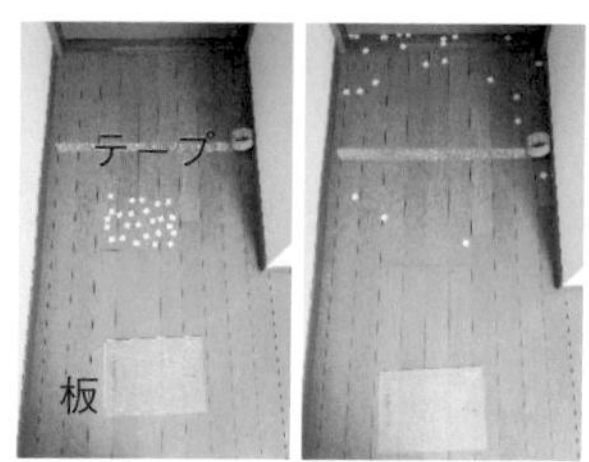


図2 実験 2-1(2)

(2) 波打ちが大きいと平面に置いたときにできる隙間が大きく，風を受けると飛びやすいと考えた。2 cm 四方に切って床に 25 枚並べ，その手前で板を一定の高さから落下させて風を送る。奥に貼ったテープより遠く飛んだ紙の数を比較した結果，全ての紙で波打っているほうがよく飛び，コピー用紙＞*Campus* ノート＞厚紙＞教科書の順に波打ちが大きいと言える。

(3) ザラザラ感の原因は表面の凹凸で，これにより波打った紙は吸水が早いと考え，水に紙を浮かべてしみわたる様子を観察した。結果，波打った紙は広い範囲が早くしみた。また，ほとんどの紙が水に置くとすぐに縁が丸まることも分かった。紙ごとに繊維同士の結び付きが強いほど水が入り込みにくく時間がかかり，水に触れている面は繊維同士の間が広くなることで面積が拡大し，上面に向かって反るのだろう。

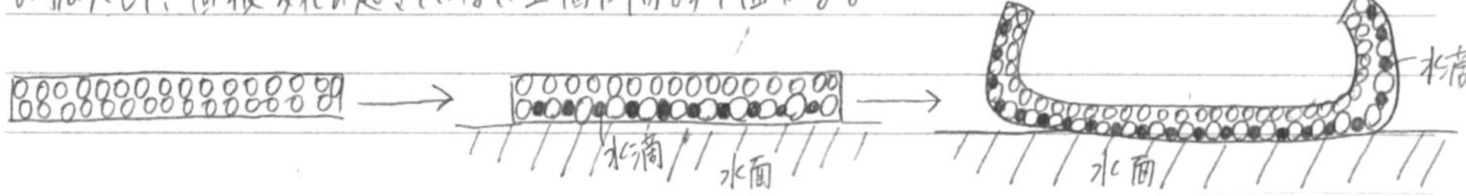


図3 実験 2-1(3)

(4) 鉛筆で線（10 cm）を引く前後で紙の重さを比較した。凹凸の度合いが大きい紙ほど鉛筆が削れて重くなり，差が大きいと考えたが，電子はかりでは測定できなかった。

### 2-2 元の紙に近づける

(1) 乾くにつれて現れる波打ちは，水の量と乾燥時間が影響していると考えた。しかし，クッキングペーパーで水を吸って乾燥しても違いはなく，水の量は関係ないと分かった。一方，ドライヤーで乾燥時間を短くすると，熱風が当たった面が外側になるアーチ状に反ったが，波打ちとは異なる熱の影響による現象ではないだろうか。

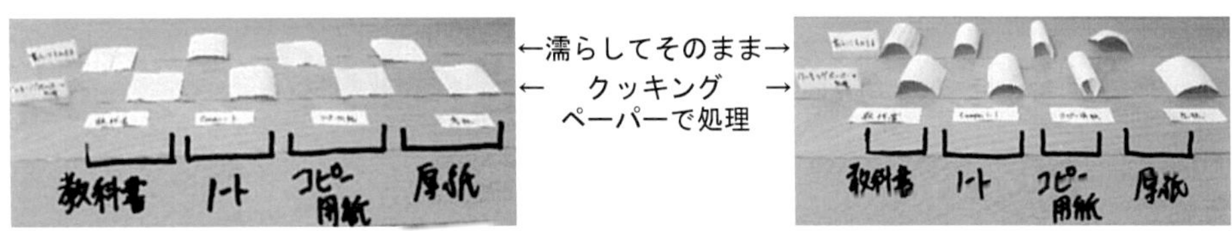


図4 実験 2-2(1) 左：自然乾燥 右：ドライヤーの熱風

紙の縦目の方向には水で濡らしたり乾かしたりしても伸縮せず，もとの状態を保つことができ，アーチは，繊維の間に水が入って結合が緩くなり，熱を加えることで紙の表と裏に繊維の密度に差が生じることによってできたと考えられる。

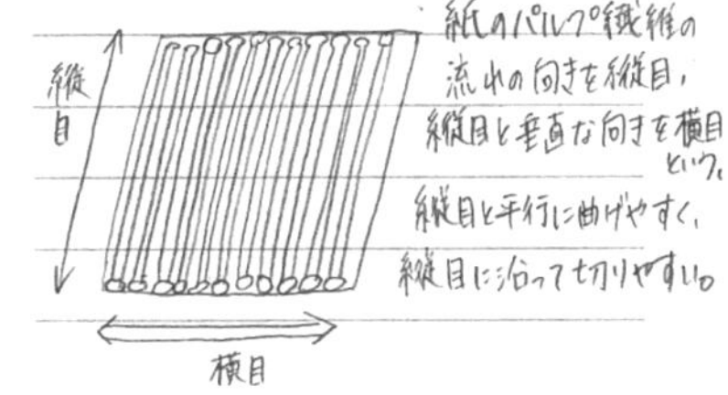


図5 実験 2-2(1) 紙の縦目と横目

(2) 熱を加えないよう冷風で乾かすと，アーチにならず波打ちは自然乾燥と同程度だった。

図6 実験 2-2(1) アーチ

(3) 波を打てないよう押さえながら乾かせばよいと考え，網に載せた紙の上にプラスチック板と，その上におもりを載せて乾燥させた。結果，おもりの重さが 0.5 kg と 1.0 kg ではまだパリパリとした触り心地で，1.5 kg は 0.5 kg と比べ柔軟な感じがした。2.0 kg では元の紙と同じぐらいの軟らかさがあり，表面のザラザラも感じなかった。おもりによって繊維の重なりや動きを防ぎ，元の紙のように並んだ状態で乾かせることが分かった。また，2-1(2) と同様に風で飛ばすと，教科書はほぼ差がなかったが，他は何もしていない紙より飛びやすかった。紙によって波打とうとする性質は異なり，それに応じたおもりの重さも異なると言える。

## 3．結論

「波打った紙の性質」①紙ごとに異なる波打ちをしている。②ザラザラした触り心地とパリパリとした質感は，繊維の不規則な並びが原因である。

「元の紙に戻す方法」おもりを載せて乾かすと繊維の重なりをなくすことができる。

## 4．感想

波打った紙の触り心地や質感を数値で表すことができてすっきりした。凹凸の程度や最適なおもりは特定できていないので，今後も実験を進める必要がある。

# 作品について

水で濡れた紙，水のりでノートに貼ったプリントは，乾くと波打つようにしわができる。これは，ほぼ誰もが知っている現象です。また，波打った紙の感触は，元の紙とはずいぶん異なる。これも，多くの人が体験済みでしょう。しかし，「その原因は何？」と問いかける人はあまりいないかもしれません。さらに，実際にいろいろな種類の紙を用意して，濡らす，乾かすを繰り返し，原因を確かめようと行動に移す人もそれほど多くはないでしょう。坂本さんが関心を持ったテーマは身近な現象ではあるものの，その原因は決して一般的な常識では理解できないという側面を持っています。

研究の概要では省略されていますが，坂本さんの取り組みは，「仮説」，使用する「器具」，実験の「手順」，その「結果」というように，科学的な探究には欠かせないプロセスをきちんと守りながら進められています。何を目的とし，条件をどうコントロールすれば，その目的を達成できるか。作品からは，緻密な計画のもとに，自然現象と根気よく向き合った様子がよく伝わってきます。また，実験の内容はいずれも自身のアイデアを具体化したユニークなものが多く，とくに，紙のしなり具合を風から受ける力の度合いで評価しようとした試みは興味深いものでした。さらに，どの実験も身近にあるものを組み合わせて装置を考案した工夫が素晴らしいと思います。

一方，「仮説」に対して必ずしも「手順」が適切ではなく，思い通りに進まなかったこともありました。例えば，紙に水がしみわたる様子を観察した**実験2-1(3)**では，色で識別できるように赤い絵の具を溶いた水を用意しましたが，実際にはそれほど赤くはならなかったようです。また，紙に鉛筆で描き，削れた芯の重さを測定しようとした**実験2-1(4)**では，重さの変化が小さすぎて測定できませんでした。これらの結果についても丁寧に考察し，やりっぱなしにしなかった坂本さんの姿勢は高く評価できます。思い通りに進まなかった経験は，これから先どこかで活かせるかもしれないからこそ大切です。

さて，坂本さんは「元の紙に近づけるには？」という疑問を目標として掲げました。この疑問が研究の原動力となったことは間違いないでしょう。そして，その１つの答えとして，おもりを載せて乾燥させる方法が良いことを見出すことができました。ただ，紙質によって最適なおもりの重さは異なるとのこと。肉眼では捉えづらい繊維には，さらに複雑な性質が隠れているかもしれません。更なる追究に期待が膨らみます。

# ラトルバック めざせ!! 360°

東裏（ひがしうら） 昂士（こうし）
[多治見市立北陵中学校 3年]

回っている物の回転する方向が途中で逆になる現象「ラトルバック」について研究しました。
ある展覧会に行った時にラトルバックを利用した作品を見て、この現象に興味を持ったことがきっかけです。
この現象はまだ解明されていないことが多く、たくさんのデータを集めてまとめることが大変でした。

# I 研究の概要

## 研究の動機

美術の先生の展覧会に行ったとき，「回すと回転の方向が反対になる」という不思議な作品があった。この現象は「ラトルバック」と言い，何回も回してみるうちにその現象にどんどん興味が湧いてきて，自分なりに研究してみようと思った。

## 実験方法と結果

**【実験１：身の回りにあるいろいろなものを回してみて，どんな形の物がラトルバックしやすいか探る】**

〈用意したもの〉①ファンデーションのケース ②卓球のボール ③バレッタ（小）④バレッタ（大）⑤石のショーケースの蓋 ⑥地球儀の半分 ⑦眼鏡ケース ⑧木のスプーン（右図のように切り分けた）

〈結果〉⑧Ⅰ・左回りでラトルバックした。⑧Ⅱ・右回りでラトルバックした。

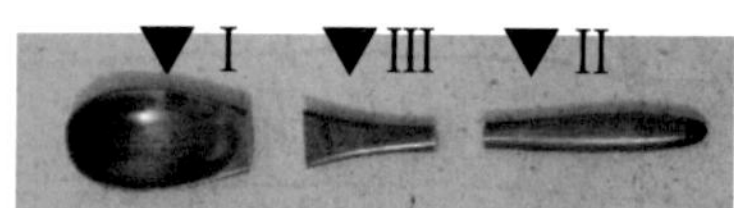

図１ 切り分けた木のスプーン

〈考察〉結果から，ラトルバックするものは，

(1) 底面が楕円で丸まっている (2) 完璧に左右対称ではないと考えた。

**【実験２：お椀を型として作った石膏を使って，ラトルバックしやすい形を探る】**

〈結果と考察〉どのモデルもきちんとラトルバックしなかった。最もラトルバックしそうだったモデルから，ラトルバックする形の条件は，(1) 薄い (2) 細長い (3) 重くないと考えた。

**【実験３：型を使って作った石膏を使って，ラトルバックしやすい形を探る】**

この実験から，右図のように回転した角度等を全て数値化，グラフ化した。

〈結果と考察〉どのモデルも数値がばらばらで規則性を見出せないが，最大値に注目すると，石膏の細長さはラトルバックに影響すると考えられる。

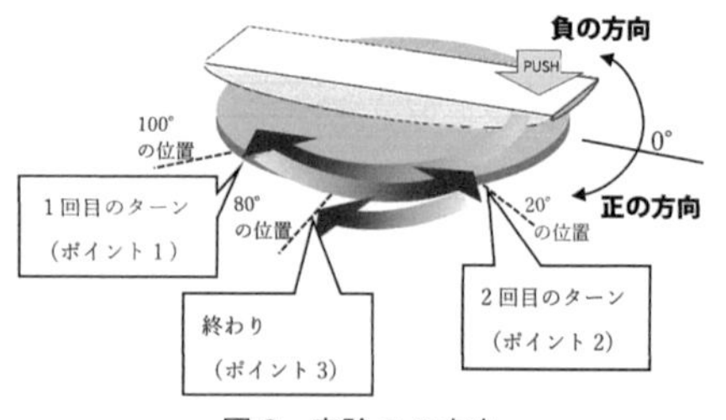

図２ 実験３の内容

表１ 実験３の結果

ターンした位置

| | 0 | 1 | 2 | 3 | 4 | 5 |
|---|---|---|---|---|---|---|
| A1 | 0 | -450 | -240 | | | |
| A2 | 0 | -240 | -45 | | | |
| B1 | 0 | -345 | -270 | | | |
| B2 | 0 | -68 | 40 | -60 | -5 | -40 |
| C1 | 0 | -180 | 0 | -60 | | |
| C2 | 0 | -45 | 495 | | | |

回った角度

| | 0 | 1 | 2 | 3 | 4 | 5 |
|---|---|---|---|---|---|---|
| A1 | 0 | 450 | 210 | | | |
| A2 | 0 | 240 | 195 | | | |
| B1 | 0 | 345 | 75 | | | |
| B2 | 0 | 68 | 108 | 100 | 55 | 35 |
| C1 | 0 | 180 | 180 | 60 | | |
| C2 | 0 | 45 | 540 | | | |

最初の角度を基準にした回転の割合

| | 1 | 2 | 3 | 4 | 5 | 6 |
|---|---|---|---|---|---|---|
| A1 | 100% | 47% | | | | |
| A2 | 100% | 81% | | | | |
| B1 | 100% | 22% | | | | |
| B2 | 100% | 159% | 93% | 55% | 64% | |
| C1 | 100% | 100% | 33% | | | |
| C2 | 100% | 1200% | | | | |

**【実験４：石膏を軽くしたら，角度を伸ばせるか】**

〈結果と考察〉軽くする前よりも軽くした後のほうがラトルバックした。このことから，回すものが軽いほうがラトルバックしやすいと考えられる。

**【実験５：表面にニスを塗ったら，角度を伸ばせるか】**

〈仮説〉物が回るとき，摩擦が少ない素材のほうが回るので，石膏にニスを塗ったものは塗る前のものよりもラトルバックすると思う。

〈結果と考察〉全ての結果において，ニスを塗る前よりも塗った後のほうが悪いことから，摩擦が減りすぎるのは良くないと考えられる。

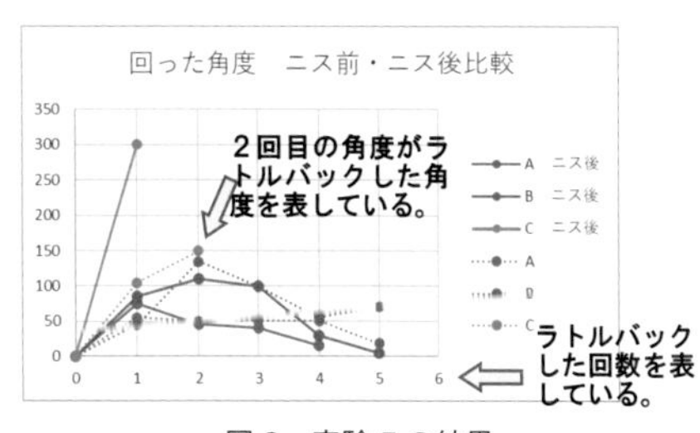


図３　実験５の結果

**【実験６：おもりを付けて重心を調整したら，摩擦が少ない石膏の角度を伸ばせるか】**

〈仮説〉ニスを塗ったことで摩擦が少なくなりラトルバックの角度が減ったものでも，重心をずらすことでがたつきを増やし，ラトルバックの角度を増やせると思う。

〈結果と考察〉実験4，5，6の結果を比較すると，おもりの位置は左右に付けるより，右または左のみに付けたほうが良いことが分かる。この結果より，ラトルバックの角度を増やすためには，回す石膏と，回すときに敷くものとの摩擦を変えてみることのほうが有効ではないかと考えた。

**【実験７：摩擦を変えたら，角度を伸ばせるか】**

〈仮説〉ニスを塗ったことで摩擦が少なくなりラトルバックの角度が減ったものでも，敷くもので摩擦を増やせば，ラトルバックの角度を増やせると思う。

〈結果と考察〉石膏の下に敷くものがガラス，紙，アクリルによって，ラトルバックする角度に差があったことから，少しの摩擦の差がラトルバックの角度に影響することが分かった。

## 口 まとめと結論

1．どんな形のものがラトルバックしやすいか

①底面が楕円で丸まっている　②完璧に左右対称ではない　③薄い　④細長い（細長さだけが全てではない）　⑤重くない

2．どうすればラトルバックする角度を伸ばせるか

①回すものを軽くする　②ニスで摩擦を減らしすぎるのは良くない　③おもりを付けて重心を調整する　④回すものとその下のものとの摩擦を調整する

［結論］　端を押すと回ってラトルバックするものは作れたが，１回目のターン後，360度以上回転するものは作れなかった。

## 作品について

この作品は「回すと回転の方向が反対になる」という不思議なコマについて興味を持ち，そのものを作りたいという思いから始めた研究です。

今回の研究は，すでにあるラトルバックする物体を解析していくのではなく，「端を押すと回ってラトルバックし，１回目のラトルバックで360°以上回転するものを作る」という最終目標を設定し，実際に自分でラトルバックを作っていくというものでした。まずは身の回りのいろいろなものを回るかどうか試し，細かく分析して考察する。その分析結果をもとに，身の回りの回ったものを参考にしながら加工しやすい石膏を使ってラトルバックの理想的な形に近づけていく。ここでの作業でも，石膏を同じ形に削ったはずなのに結果が大きくずれているなどということもあり，この現象の難しさや不思議さを実感したようです。

東裏さんの研究はまず前半で「どんな形のものがラトルバックしやすいか」ということを追究し，そして後半でどれだけ「ラトルバックする角度（逆回転する角度）を伸ばせるか」という実験をしています。後半の実験については，それぞれに関して仮説をしっかりと立ててから実験を行い，結果を数値化してグラフにして比べ考察しています。予想に反する結果もあり，重さや摩擦，コマの重心が微妙に影響し合っていることが分かりました。

東裏さんの論文では「ラトルバック」を現象名として扱って進めていますが，一般的には特定の方向に回転しやすい性質を持つ半楕円体型のコマのことを示すようです。先史時代の遺跡から見つかる石器に同様の振る舞いをするものがあり，その時代から人々の想像力をかき立てていたことが分かります。「科学の芽」でも2013年に「スピンくる」という名前で研究をした作品もありました。そのくらいラトルバックの動きは魅力的であり，現在でも多くの物理学者が興味を持ち研究を進めている現象の一つになっています。

まだまだカオスの一つとされているラトルバック。今回できなかった実験について，今後の挑戦に期待したいと思います。

# 雑草なんて言わせない!! 本当はすごい! タンポポ

岩田(いわた) くるみ
[豊橋市立東陽中学校 3年]

みなさんは黄色以外のタンポポがあることを知っていますか?
私は昨年、白と黄色のタンポポが咲いている場所を見つけたので、今年は白の在来種・黄色の外来種のタンポポについて調べました。タンポポの株や綿毛の数を一つ一つ数える作業が一番苦労しました。
この研究でタンポポに興味を持っていただけたら嬉しいです。

## I 研究の概要

### 研究の動機

中学1年になってすぐの理科の授業中，先生から「タンポポにはいくつか種類がある。赤い実のタンポポの種は珍しい」という話がきっかけでタンポポに興味を持ち，それから毎年，タンポポについての研究を続けている。昨年，白いタンポポと黄色いタンポポが一緒に咲いている場所を発見したことから，白いタンポポと黄色いタンポポの割合や特徴を調査してみようと思った。

### 今年の研究手順

①観察：いつ，どのようにタンポポは咲いていくのか。成長の様子を観察する。

②調査：タンポポの種類によって綿毛,実の数に違いはあるのか。綿毛を採取し,数える。

③実験：どの種類のタンポポの綿毛がどのくらい飛ぶのか。綿毛を人工的に飛ばし，飛距離などを調べる。

### 仮説

① 白いタンポポをシロバナタンポポ（在来種）,黄色いタンポポをセイヨウタンポポ（外来種）と仮定すると，外来種は在来種に比べ生きていくうえでの力が強いイメージがある。黄色いタンポポのほうが先に成長するのではないかと思う。

② 外来種であるセイヨウタンポポのほうが綿毛が多いと思う。

③ セイヨウタンポポ,シロバナタンポポ,アカミタンポポの順で飛距離が伸びると思う。

### 観察　いつ，どのようにタンポポは咲いていくのか

・土地を3つのブロックに分け，数える。

・3月の第一土曜日から毎週，5月末までの全13週にわたって観察する。

・花が咲いて，白か黄色か確実になってからカウントを始める。

図1　土地のブロック分け

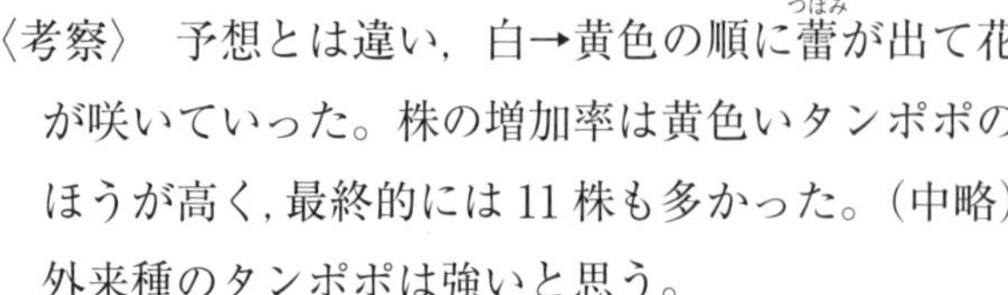

〈考察〉 予想とは違い，白→黄色の順に蕾（つぼみ）が出て花が咲いていった。株の増加率は黄色いタンポポのほうが高く,最終的には11株も多かった。（中略）外来種のタンポポは強いと思う。

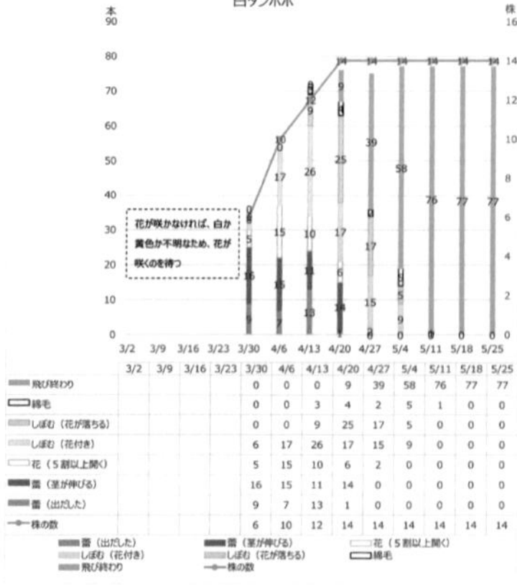


| | 3/2 | 3/9 | 3/16 | 3/23 | 3/30 | 4/6 | 4/13 | 4/20 | 4/27 | 5/4 | 5/11 | 5/18 | 5/25 |
|---|---|---|---|---|---|---|---|---|---|---|---|---|---|
| 飛び終わり | | | | | 0 | 0 | 0 | 9 | 39 | 58 | 76 | 77 | 77 |
| 綿毛 | | | | | 0 | 0 | 3 | 4 | 2 | 5 | 1 | 0 | 0 |
| しぼむ（花が落ちる） | | | | | 0 | 0 | 9 | 25 | 17 | 5 | 0 | 0 | 0 |
| しぼむ（花付き） | | | | | 6 | 17 | 26 | 17 | 15 | 9 | 0 | 0 | 0 |
| 花（5割以上開く） | | | | | 5 | 15 | 10 | 6 | 2 | 0 | 0 | 0 | 0 |
| 蕾（茎が伸びる） | | | | | 16 | 15 | 11 | 14 | 0 | 0 | 0 | 0 | 0 |
| 蕾（出だした） | | | | | 9 | 7 | 13 | 1 | 0 | 0 | 0 | 0 | 0 |
| 株の数 | | | | | 6 | 10 | 12 | 14 | 14 | 14 | 14 | 14 | 14 |

図2　白いタンポポの結果

### 調査　タンポポの種類によって綿毛，実の数に違いはあるのか

〈考察〉 シロバナタンポポの綿毛の数の約1.82倍がセイヨウタンポポの綿毛の数という，予想の値に限りなく近い結果になった。セイヨウタンポポは実なしが多かったり少なかったりと差が激し

かったが，確実に数を増やしていくのなら，セイヨウタンポポのほうが効率が良いと思った。

### 実験　どの種類のタンポポの綿毛がどのくらい飛ぶのか

〈方法〉 扇風機の首振りで2往復させて，3種類の綿毛をそれぞれ10個ずつ3回飛ばす。

〈結果〉（表1・表2参照）

〈考察〉 綿毛の飛距離の表を見ると，綿毛同士が助け合うことで，より遠くまで飛んでいることが分かる。予想とは違って，セイヨウタンポポ→シロバナタンポポ→アカミタンポポの順に飛距離が伸びた。タンポポの綿毛は，冠毛の大きさが大きいほど遠くまで飛ぶのではないかと考えられる。

表1　綿毛の飛距離（単位：cm）

| | 白 | 黄 | 赤 |
|---|---|---|---|
| 1 | 233.4 | 262.6 | 75.4 |
| 2 | 281.4 | 280.2 | 148.4 |
| 3 | 335.4 | 295.0 | 152.5 |
| 4 | 338.0 | 297.0 | 153.4 |
| 5 | 338.9 | 302.1 | 213.3 |
| 6 | 346.4 | 307.8 | 226.2 |
| 7 | 355.2 | 326.3 | 231.4 |
| 8 | 361.0 | 326.3 | 242.3 |
| 9 | 362.8 | 358.4 | 300.5 |
| 10 | 363.8 | 430.8 | 301.7 |
| 11 | 258.6 | 250.7 | 0.7 |
| 12 | 291.5 | 259.5 | 156.7 |
| 13 | 299.6 | 332.9 | 152.2 |
| 14 | 318.9 | 328.5 | 148.6 |
| 15 | 342.9 | 343.8 | 215.5 |
| 16 | 344.3 | 387.1 | 221.6 |
| 17 | 359.0 | 402.9 | 233.6 |
| 18 | 360.4 | 404.0 | 279.2 |
| 19 | 369.7 | 412.7 | 289.8 |
| 20 | **382.0** | 417.2 | **310.2** |
| 21 | 229.3 | 248.5 | 0.8 |
| 22 | 274.4 | 280.5 | 103.5 |
| 23 | 276.9 | 341.1 | 141.1 |
| 24 | 280.4 | 352.3 | 167.0 |
| 25 | 287.6 | 356.8 | 355.4 |
| 26 | 345.3 | 370.7 | 225.6 |
| 27 | 358.9 | 398.3 | 232.3 |
| 28 | 360.7 | 411.0 | 238.5 |
| 29 | 198.1 | 422.4 | 246.3 |
| 30 | 378.1 | **444.8** | 307.9 |
| **平均飛距離** | 321.1 | 345.1 | 202.4 |

太字…最大飛距離

表2　綿毛の飛距離（単位：個）

| | 白 | ※ | 黄 | ※ | 赤 | ※ |
|---|---|---|---|---|---|---|
| 0〜50㎝ | 0 | | 0 | | 2 | |
| 50〜100㎝ | 0 | | 0 | | 1 | |
| 100〜150㎝ | 0 | | 0 | | 4 | |
| 150〜200㎝ | 1 | | 0 | | 5 | |
| 200〜250㎝ | 2 | | 1 | | **12** | **1** |
| 250〜300㎝ | 8 | 1 | 7 | | 2 | |
| 300〜350㎝ | 8 | 2 | **8** | | 4 | **1** |
| 350〜400㎝ | **11** | **3** | 6 | 1 | 0 | |
| 400〜450㎝ | 0 | | **8** | **2** | 0 | |
| **合計** | 30 | 6 | 30 | 3 | 30 | 2 |

太字…最大数
※…1回に飛ばした10個の種のうち，6cm以内に着地した組数

### 結果

・3月末から白いタンポポ→黄色いタンポポの順に咲き始める。
・シロバナタンポポは，セイヨウタンポポより距離は遠くまで飛ばないが，まとまって地面に着地する数が多い。
・セイヨウタンポポは，綿毛の数・強さ・飛距離の全てにおいて抜群である。

### 考察

・今年は少し寒い期間が長かったため，昨年と同じ日に撮影してみると，今年は成長が遅いことが分かる。よって，昨年は3月中旬頃から白いタンポポが咲き始めたと考えられる。
・黄色いタンポポの中には，総苞（そうほう）が上を向いていて反り返っていないものがあった。また，それらは白タンポポのすぐそばのものであった。雑種の黄色ではないかと思う。
・5,800ほどの白いタンポポの綿毛と，14,000ほどの黄色いタンポポの綿毛が飛んだとしても，これまでの研究結果から，わずかな数しか成長しないと考えられる。

### 感想

種を飛ばすとき，扇風機で飛ばす方法も苦労した。扇風機を立てた状態から，風がまっすぐになるように首を振らない状態でスイッチを押すと，なぜか扇風機側に綿毛が飛んでしまい，前に飛ばない状況になった。また，綿毛がドアの下に挟まったり，見つけられなかったりして，綿毛を探し出すのにも，拾い集めるのにも一苦労だった。

# 作品について

この研究は，岩田さんが中学１年生のときに先生から聞いたタンポポの話がきっかけで始まりました。その後タンポポについての研究は毎年続けられています。岩田さんは，これらの身近なタンポポに着目し，タンポポの種類によって生息している割合や特徴がどのように違うのかに興味を持ち，研究を始めました。今回は外来種と在来種の違いに目を付け，「外来種のほうが生きていく力が強いのではないか？」という仮定をもとに仮説をいくつか立て，観察実験を進めています。このようにまずは仮説をしっかりと立てて追究していくことは，研究活動を進めるうえでとても大事なことです。岩田さんはこの仮説を確かめるために，野外での定点観測と個体別の生態観察を長期にわたってとても丁寧に行っています。自然に生息しているものを対象にしているので，思い通りにいかないこともあったでしょうが，ここでの粘り強い観察が，今回の受賞につながったのだと思います。観察して記録されたデータは蕾（つぼみ），花，綿毛について項目も細かく分類されており，それらについてしっかりと考察されています。表でまとめるだけでなく，グラフでも表していて，目で見て特徴が分かるので，在来種と外来種のタンポポの成長過程の特徴が見やすく，考察をしやすかったのではないでしょうか。その結果，予想とは逆の結論が出たことが分かりました。また，シロバナタンポポとセイヨウタンポポの綿毛の数の調査と綿毛の飛距離測定実験も行い，生態戦略について定量的な結果を踏まえて考察できています。こちらの実験も試行錯誤しながら進めていることがよく伝わってくる作品でした。

タンポポの生態についての研究でしたが，その年の気候によってもまた異なる結果が出るかもしれません。岩田さんの研究は今まで継続して行われているものなので，ぜひこれからもこの貴重なデータを蓄積し続けて，研究の内容を発展させていってほしいと思います。

（参考）

私たちが普段よく見る，道端に生えているタンポポのほとんどは外来種であるセイヨウタンポポと呼ばれる種類です。それに対し，日本に生息する在来種のタンポポは地域によっても違い，今回の研究で調査されたシロバナタンポポは，主に関東より西側に生息することが知られています。また，今回珍しいとして調査されたアカミタンポポは葉に切れ込みが多いという特徴を持ち，ヨーロッパ原産の外来種で，都市部に多く生息し，セイヨウタンポポを含めて他の品種を圧倒しつつあるタンポポです。

# 実験ノート
## ―発見の小さな「芽」を逃さないために―

丸岡照幸

私の専門は地球惑星科学であり，そのなかで「宇宙地球化学」という分野で研究をしている。宇宙地球化学は，様々な物質の化学的な情報をもとに地球や惑星で起きた（起きている）現象を理解する学問分野である。化学的な情報とは，元素，同位体[*1]，化学種[*2]，分子種などの存在量のことを指している。このような情報を得るために，薬品抽出や沈殿形成のような化学的操作，比重分離・粒径分離のような物理的操作を駆使し，種々の分析機器を利用して化学的データを取得する。例えば，岩石から酸を用いて対象とする成分を抽出し，その成分に含まれる元素の濃度やその同位体比を分析するというようなことをしている。どのような試薬を用いて（どの製造会社のどの純度の試薬か？　製造番号は何番か？），どのような実験条件で（温度・時間など），どのような器具（材質，大きさ，製造メーカーなど）を使って抽出したのかという操作とその途中の様子（色，pH，温度変化など）を，日時とともに「実験ノート」にその場で記録している。一日の操作をまとめて後から記述することはせず，操作のたびにやったことを記述している。また，簡単に消せないようにボールペンで書いている。実験ノートはその記述をもとに実験を忠実に再現できるように記録しておかなければならない[*3]。研究は最終的に論文としてまとめるが，そのときは実験ノートをもとに記述していく。また，実験には細かな失敗がつきものであるが，実験ノートを見返すことにより，なぜ実験が失敗したのか見えてくることも多い。器具の乾燥が不完全だったり，試薬の純度がある製造時期だけ低かったりといったことも経験した。ずいぶん後になってから気付くこともあるが，実験ノートの記録がなければ到底気付きえない。これらの失敗は次に生かすことができる。また，失敗だけではなく，実験ノートの記述（考察）をもとに思い付いた事柄が，別の研究につながったこともある。

化学的・物理的操作だけではなく，機器分析でも実験ノートは欠かせない。我々の研究室では同位体比の測定のために「質量分析計」という装置を利用している。目的元素を含むガスは，イオンの状態で加速され，磁場・電場中を通るときの同位体ごとの軌道の違いを利用して，別個に検出される。他のガスが存在すると，衝突してイオンの状態を保てないので，イオンは真空容器内で磁場・電場に通される。そのため，質量分析計には必ず真空装置が含まれている。質量分析計の真空度は毎日ほとんど大差がなくても，実験ノートに記録をしている。さらに真空度以外にも記録している項目がいくつもある。このような記録の大部分は論文に掲載されることのないデータであり，そのようなデータを記録し続けることは一見すると無駄のようにも思える。しかし，日々変化のほとんどない「退屈な」記録が存在しなければ，その装置のわずかな異変に気付くことはできない。昨日と少し違うという状態で，測定を続けてもうまく行ったことはなく，どこかに異常があり修復が必要になる。部品でも何でも，ものはいつか壊れるが，早めに気付くと傷の浅いうちに（その部品だけで）修復が可能なときが多い。放置すると連鎖的にダメージが拡がる。また，微弱な興味深い信号を観測しても，それが本当の発見なのか，装置に起因するノイズなのか，日々のデータがあってこそ区別が可能になる。こういう発見の「芽」となる小さな変化を逃さないために実験ノートに日々の記録を続けているのである。自由研究にもきっと同じようなことが言えるのではないだろうか。雨の日に何かが起きていることを示したければ，晴れ・曇りの日も記録・観測を続けなければならない。しかし，その仮説がたとえ間違っていたとしても，一連の「退屈な」データがあれば，そこに埋もれる小さな「芽」に気付く可能性が生まれる。無駄に思えるような記録があってこそ発見が際立つのである。多くの場合，データに無駄なものがあるのではなく，人間がデータを無駄にしてしまっているのである。

*1 同位体とは，同じ元素であるが，重さの異なる原子である。例えば，炭素には質量数（陽子と中性子の数の和）12，13の安定同位体と14の放射性同位体が存在する。同位体の個数の比を同位体比という。重さの違いが反応速度や移動速度に影響を及ぼすため，物質によって同位体比が異なる。我々の研究室ではこの同位体比が異なることを利用して過去の環境変動を推定している。

*2 化学種とは同じ元素の異なる化学形態を指す。例えば，炭素は有機物や炭酸カルシウム（$CaCO_3$）として岩石に含まれる。これらは元素としては共通の「炭素」であるが，化学種が異なっていると言える。炭酸カルシウムと有機物の炭素は異なる同位体比を示し，それぞれ別の意味を持っている。

*3 実験ノートの書き方・書くべき内容は研究室によっても違う。「誰も教えてくれなかった実験ノートの書き方」（野島高彦著，化学同人）が参考になる。

［筑波大学生命環境系准教授］

CHAPTER 3 Flowering of “KAGAKUNOME”

# 第3章「科学の芽」をひらく

## ～未知への探検に乗り出そう～（高校生の部）

## 「科学の芽」賞

### ――高校生の部について

自然科学の中では，他分野について知らないことも多く，理解するまでに時間がかかることがあります。例えば理科の中では，物理・化学・生物・地学といった一つの科目の中でさらに細分化され，その研究内容を理解するのに苦しむこともあります。そして，中学校や高等学校で扱う教科書や資料集に載っているような事象についても，物理・化学・生物・地学の分野で互いに十分に理解や共有ができていないこともあるのです。

数年前に，「植物による水の吸い上げ」について，物理の教員と議論したことがあります。これは後に，物理教育通信 2015 No.161「植物による水の吸い上げの不思議」として投稿されています。

みなさんは，高さ 100 m 近くにもなるセコイアの木をご存じですか。コアラが食べるユーカリの木も，種類によっては 100 m 近くになります。生物の教員にとって，樹木の高いところまで水が運ばれる仕組みは，葉の蒸散作用と水の凝集力によるものである，という説明が定説となっています。ところが，物理学的にはおかしいというのです。興味のある人は，ぜひ先ほど紹介した物理教育通信を読んでみてください。

「科学の芽」賞に応募される作品は，幅広い分野の中から興味関心を持って研究に取り組んだものであり，とくに高校生部門の作品は，大学や大学院での研究ではないかと思うようなものもあって驚かされます。そのような作品に出会えることは，その作品を読んでいる者にとっても大変勉強になります。どの作品も素朴な疑問から始まった研究であり，物ごとをよく観察していれば，そこにたどり着く研究テーマです。私たちの身の回りにその題材がたくさんあることが分かります。

高校生の段階では，先行研究を調べ，専門的な知識や使用する装置も増え，かなり時間をかけて研究していることもよく分かります。このような作品が多くなり，毎回評価が難しくなっている中，受賞作品は審査の観点に合ったレベルの高い作品となります。

高校生部門は次の観点に基づいて審査されました。

**【審査の観点】**

① 課題設定：テーマの魅力，独創性があるか。

② 研究手法：実験や調査の手法が目的に沿って適切か否か。

③ 解析方法：得られたデータの客観性，妥当性を保障するものであるか。

④ 結論・考察：単なる結果のまとめではなく，独自の視点が盛り込まれているか。

2018 年度，2019 年度の受賞作品をこの観点から振り返ってみましょう。

①の課題設定ですが，3 作品それぞれについて，指紋，食塩，オカダンゴムシといったなじみ深いものや生物を扱っており，高校生らしい発想が感じられます。「指紋モデルの凹凸による摩擦力増加の研究」は，指紋と摩擦の関係に興味を持ち，高校の物理の授業で触れる法則に当てはまらないことに注目し，先行研究を参考にして研究を進めています。「固まりにくい食塩をつくる」は，小学生のときに挑戦した人の多い食塩の結晶作りについてですが，さらに高校生らしく，やはり先行研究を参考にして研究しています。「オカダンゴムシの共生菌による抗カビ物質生産」は，姿の似ているワラジムシとの比較から研究が始まり，そこから何年も研究を続けてここまできました。小さいときには同様の疑問を持った人は他にもきっといたのではないでしょうか。

②の研究手法では，どの作品も先行研究やそれまでの自分の研究から仮説を立て，理論的に必要な手法を導き出し，実験を重ねていることが評価できます。「指紋モデルの凹凸による摩擦力増加の研究」は，指紋に生じる荷重による変形について，ゴムを用いて自作装置による実験を行っています。「固まりにくい食塩」は，媒晶剤の種類や濃度を変えて食塩の結晶を作成し，かなり根気強く研究したものです。「オカダンゴムシの共生菌による抗カビ物質生産」は，さまざまな切り口で研究に取り組み，揮発性物質にまでたどり着いています。

③の解析方法については，小中学生の部では難しいであろう計算式を用いた解析や，大学の実験装置を使用した解析が見られます。

④の結論・考察では，3 作品とも，論理の飛躍や思い込みがなく，成果を客観的に振り返ることができていることが評価できます。自身の結果に満足することなく，さらなる研究をすでに考えている，またはすでに取り組んでいる，こういった姿勢こそ科学的と言えるでしょう。

「科学の芽」につながるテーマは，身近な現象への疑問から始まっていることがこれら 3 作品からも分かります。とくに中高生は，自分の好き嫌い，または得意不得意な分野にこだわらず，ぜひ視野を広くして様々な現象を観察してみるとよいでしょう。この本には分野を問わず，科学に関する研究が複数紹介されています。ここに載っているテーマや作品内容を知るだけでも，「科学の芽」につながるきっかけが見つかるかもしれません。

# 指紋モデルの凹凸による摩擦力増加の研究

おおむら たくと
大村 拓登
［私立渋谷教育学園幕張高等学校 3年］

指紋の摩擦力に興味を持ち、複雑な現象である指紋の摩擦に関して、できるだけ簡略化したモデルを作成しました。実験はシンプルなものでしたが、そこから得られたデータをグラフにすると、とても興味深い現象が起きていることがわかりました。
考察は、当時の自分にとっては難しいものでしたが、とても取り組みがいがありました。

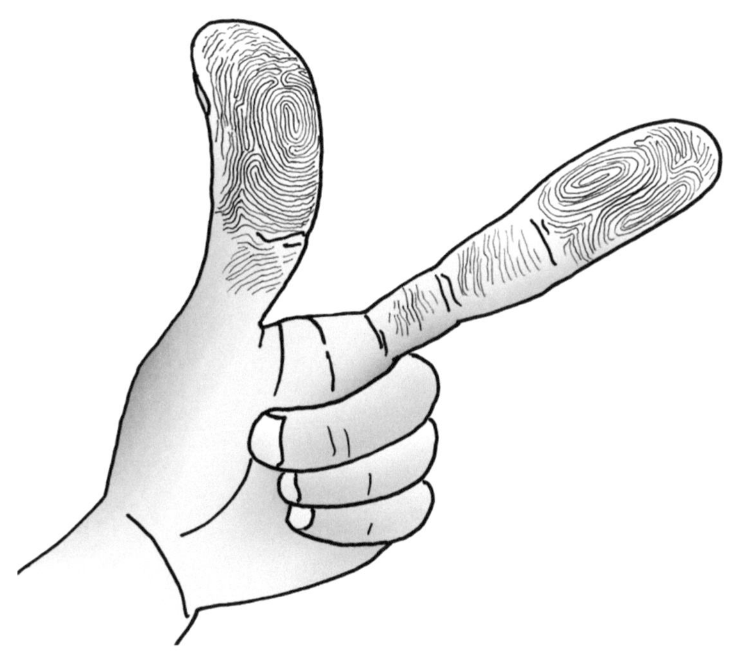

## I　研究の概要　※文中右上の（ ）数値は参考文献（「作品について」を参照）の番号

### ■ 1．はじめに

霊長類の指腹部は，指紋の凹凸や発汗によって，摩擦が大きくなると言われている。一方，指腹部は摩擦力が接触面積に比例するゴムの特性を示し，指紋で接触面積が減ると摩擦力も減るとする学説(1)があった。本研究は，この説に考慮されていない凹凸の変形を戻そうとする応力を含め，指紋のメカニズムを明らかにすることを目的とした。

### ■ 2．摩擦発生の原理

#### 2-1　静止摩擦力(2, 3)

肉眼で滑らかに見える面も原子レベルでは凹凸があり，凸同士の真実接触面積 $A_r$ は見かけより小さい（図1）。最大静止摩擦力 $f_0$ は，真実接触点の構成粒子同士に働く分子間力による凝着を切り離す力に相当し，切り離しに必要な真実接触面積 $A_r$ あたりの力（せん断強さ）$s$ を用いて，$f_0=sA_r$…①と表される。

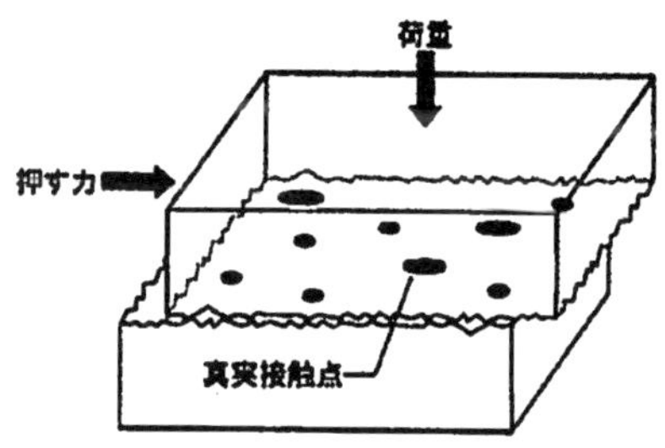

図１　真実接触点の模式図

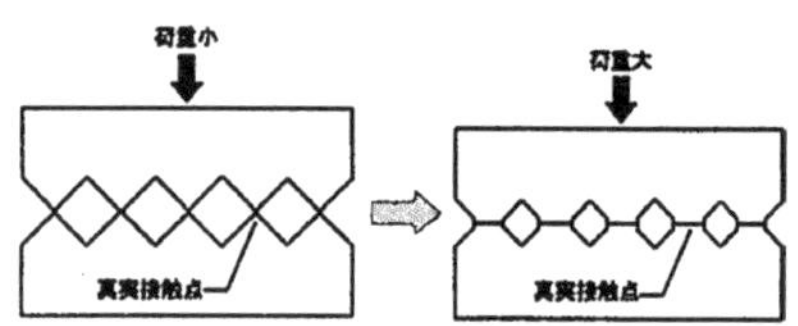

図２　変形による真実接触面積の増加

一方，真実接触面積 $A_r$ は，凸部が変形（塑性流動）し，弾性限界を超えて変形しなくなる塑性流動圧力 $P_m$ まで増加する（図2）。垂直抗力 $N=A_rP_m$…②と表され，式①②より導かれる $f_0=(s/P_m)N$ は，$f_0$ が $N$ に比例し，接触面積によらないことを示している。

#### 2-2　動摩擦力

物体が別の物体と接触したまま滑り出すと，真実接触点では凝着が切り離され，剥(はく)離が起きる。実験から，この剥離によって真実接触面積 $A_r$ は減少することが分かっており(4)，一般に動摩擦力は最大静止摩擦力よりも小さくなると考えられている。

#### 2-3　アモントン - クーロンの法則　→「作品について」を参照

#### 2-4　ゴムの摩擦特性

ゴムの弾性係数は金属の約１万分の１と小さく，真実接触面積 $A_r$ が極めて大きくなり凝着力 $f_a$ も大きい。「アモントン−クーロンの法則」は適用されず，摩擦力は接触面積に比例する(5)。また，マクロな変形では元の形に戻ろうとする応力も生じ，摩擦力を増幅させる（変形損失摩擦力 $f_h$）。よって，マクロなスケールでのゴムの静止摩擦力 $f_g$ は，$f_g=f_a+f_h$ と表される。物体表面が球面で構成され，$A_r$ は荷重 $w$ の $n$ 乗（$1/9<n<1/3$）に比例すると仮定すると，凝着力 $f_a$ は $f_a=aA_r=acw^n$（$a$：単位面積あたりの凝着力，$c$：比例定数），摩擦係数 $\mu_a$ は $\mu_a=f_a/w=acw^{n-1}$ となる。これから，

摩擦係数は荷重が小さくなるほど大きくなることが分かる。

溝などが存在する場合の見かけの単位面積あたりの凝着力は，荷重 $w$ を見かけの接触面積 $A_\mathrm{f}$ で割った $w/A_\mathrm{f}$ を用いて $ac(w/A_\mathrm{f})^n$ と表せる。よって，見かけの接触面の凝着力は，これの合計 $f_{\mathrm{a}\,みかけ} = ac(w/A_\mathrm{f})^n \times A_\mathrm{f} = ac(w^n/A_\mathrm{f}^{\,n-1})$ となり，一定の荷重では接触面積が小さいほど全最大静止摩擦力が大きくなることが示せる。

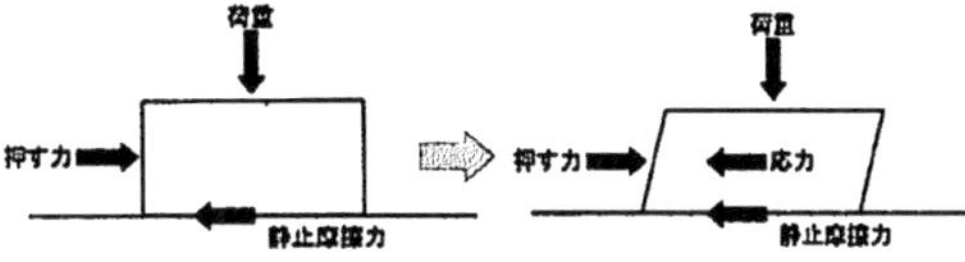

図３　ゴムの静止状態での変形の模式図

一方，実験から，全摩擦係数 $\mu_g$ は荷重 $w$ が小さいほど大きくなることが分かっているが[(5)]，これは，$f_\mathrm{h}$ が荷重 $w$ に比例すると仮定すると，全最大静止摩擦力 $f_\mathrm{g} = acw^n + hw$（$h$ は比例定数）となり，全摩擦係数 $\mu_g = acw^{n-1} + h$ とすることによって説明される。

## ■ 3．実験１

### 3-1　仮説

指紋の凸部の変形は，元に戻ろうとして変形損失摩擦が生じる。単位面積あたりの荷重は増えて変形損失摩擦力も大きくなり[(5)]，総合の摩擦が減るとは限らない。そこで，ゴムの凹凸がある板を指紋のモデルとして作製し，溝の有無や溝の深さの違いで荷重あたりの最大静止摩擦力を比較した。

### 3-2　準備物

プラスチックの板（縦 12 cm × 横 8 cm）にゴムシートを貼りつけた板１～板５と貼りつけなかった板６を用意した（図４）。

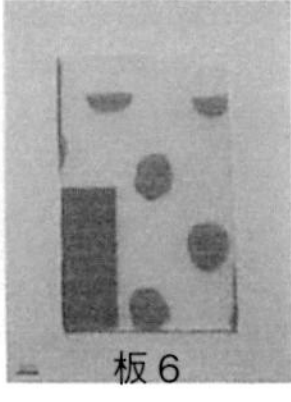

図４　下から見た図（左から板１～板６）

板１：ゴムシート（縦 12 cm × 横 8 cm × 厚さ 1 mm）を全面に貼りつけた

板２：ゴムシート（縦 12 cm × 横 8 cm × 厚さ 2 mm）を全面に貼りつけた

板３：ゴムシート（縦 0.5 cm × 横 8 cm × 厚さ 1 mm）12 枚を 0.5 cm の間隔で貼りつけた

板４：ゴムシート（縦 0.5 cm × 横 8 cm × 厚さ 2 mm）12 枚を 0.5 cm の間隔で貼りつけた

板５：ゴムシート（縦 0.5 cm × 横 8 cm × 厚さ 3 mm）12 枚を 0.5 cm の間隔で貼りつけた

板６：加工なし（比較対象）

次に，板にかかる荷重を 50～150 gw まで 20 gw ずつ増やし，各荷重につき最大静止摩擦力の大きさを５回ずつ測定した（図５）。

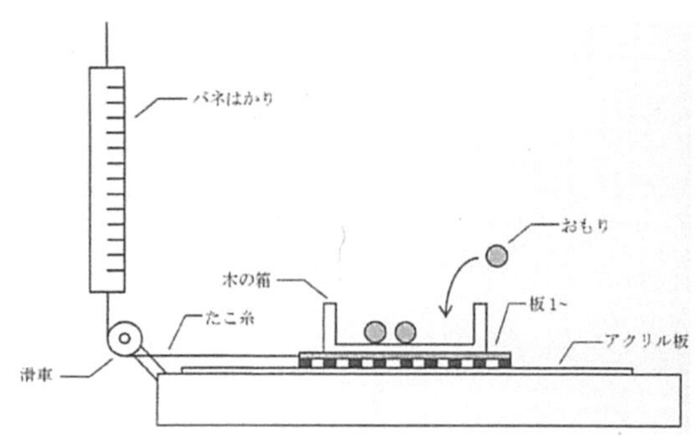


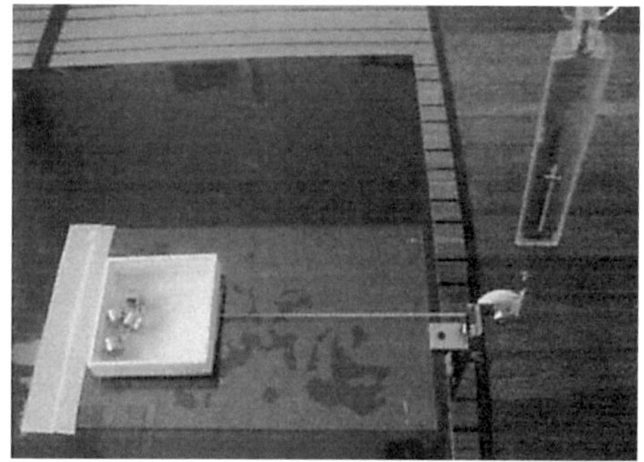

図5　装置の模式図と実際の装置写真

### 3-3　結果

結果を表計算ソフトの最小二乗法を用いた次数2の多項式近似で示す（図6）。①2-4の通り，凹凸のない板1の摩擦係数は荷重が大きいほど小さい。②凸部の厚さが異なる板3〜5では，2 mmの板4の最大静止摩擦力が大きい。③荷重が90 gwを超えると，それまで最大静止摩擦力が最も大きかった板1を板4が抜いている。④凹凸のない板1，2の最大静止摩擦力は，厚さが2 mmの板2が1 mmの板1より小さい。

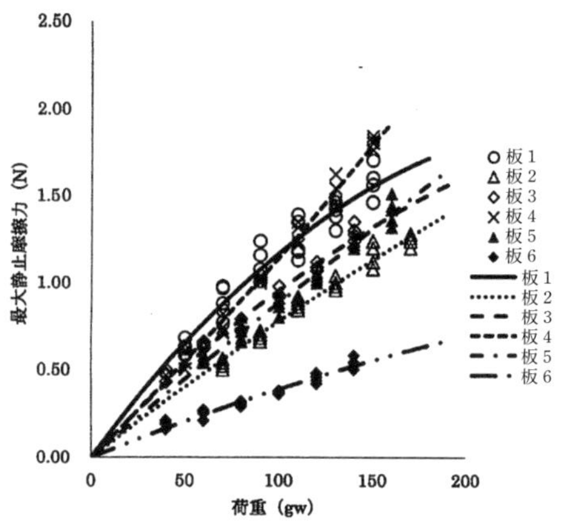


図6　板1〜6の最大静止摩擦力と荷重

### 3-4　考察

③について。荷重が小さいときは変形損失摩擦力が小さく，最大静止摩擦力は見かけの接触面積に依存するため，接触面積の大きい板が大きくなり，荷重が大きくなると変形損失摩擦力が大きくなり，接触面積の小さい板が追い抜いたのだと考えられる。

②④について。変形を戻そうとする応力は，ゴムの厚さが増すほど大きくなり摩擦力を増幅させる。しかし，この応力が凝着による摩擦力を超えると，それまでと逆向きに働くので最大摩擦力を減少させると考えられる。

## ■ 4．実験2

### 4-1　仮説

溝によって接触面積が減り単位面積あたりの荷重が大きくなると，応力も大きくなるので最大静止摩擦力は大きくなる。一方，応力には限界があり，接触面積を減らしても最大静止摩擦力は増え続けないのではないかと考えた。そこで，接触面積を変えて単位面積あたりの荷重が異なる板を準備し，最大静止摩擦力を比較する。

### 4-2 準備物

プラスチックの板（縦 12 cm × 横 8 cm）にゴムシート（縦 0.5 cm × 横 8 cm × 厚さ 2 mm）を貼りつけた板 7 と板 8 を用意し，板 4 と比較した（図 7，8)。

板 7：ゴムシートを 0.3 cm 間隔で貼りつけた

板 8：ゴムシートを 0.7 cm 間隔で貼りつけた

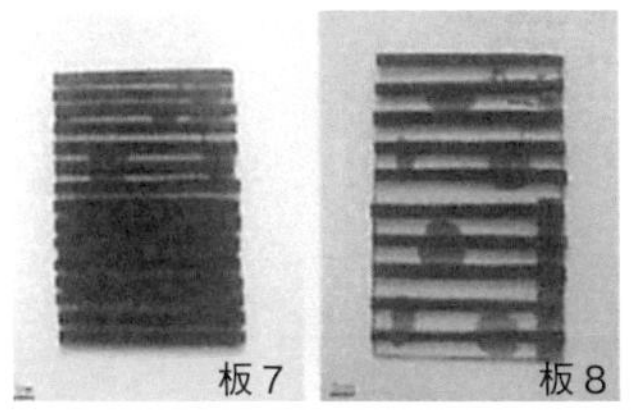


図 7　下から見た図

図 8　横から見た図

### 4-3 結果

最大静止摩擦力は，荷重が 150 gw あたりまでは接触面積が大きいほど大きい。しかし，これを超えると板 7 が板 4 を下回った（図 9)。そこで，さらに荷重を大きくした場合について追実験を行った。

### 4-4 追実験の結果

荷重がさらに大きくなっても，板 7 の値が板 4 を下回る状態が続いた。

### 4-5 考察

接触面積が大きい板は，荷重が 150 gw を超えると，荷重の増加量に対する最大静止摩擦力の増加量が鈍る傾向がうかがえる。荷重が小さいときには，単位面積あたりの荷重も小さく弾性が限界に達しないため，この傾向を示すことはなかったと考えられる。

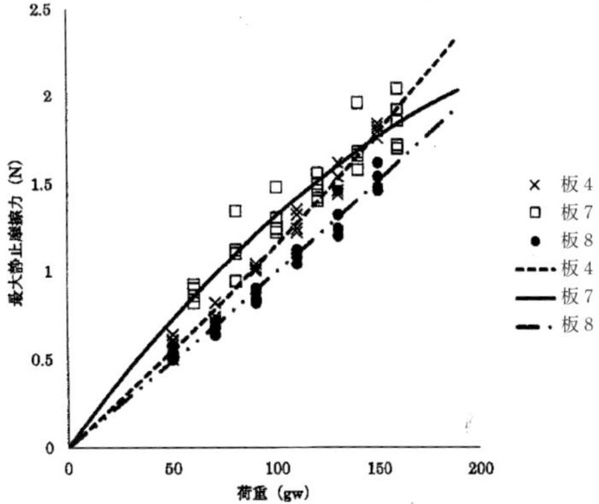


図 9　板 4，7，8 の最大静止摩擦力と荷重の関係

## ■ 5. おわりに

### 5-1 まとめ

ゴム板の摩擦力は，接触面での「凝着力」と「応力」という 2 つの要素が決め手となり，両者のバランスによって，最大静止摩擦力が最も大きくなるゴム板の溝の深さは異なる。また，最大静止摩擦力は，荷重がある一定値を超えるまでは接触面積の大きい溝のないゴム板が大きく，その一定値を超えると接触面積の小さい溝のあるゴム板が大きくなることから，指紋は力を入れたときにより強い摩擦力を発生させ，力を抜いたときは摩擦力の発生を抑えることができると考えられる。

### 5-2 課題

モデルの作製や測定もすべて手作業で行ったので，データがばらついた。力の測定とゴム板の変形の記録を同時に行うなど，実験方法の改良が課題として残った。

# 作品について

まず，研究の概要で省略した「2-3 アモントン－クーロン法則」は，「摩擦力は垂直抗力に比例し，見かけの接触面積によらない」，「動摩擦力は速度に依存せず，最大静止摩擦力よりも小さい」とまとめられ，いずれも高校の物理の授業で触れる内容です。しかし，この経験則が成立する背景や適用範囲について，深く考える高校生はそう多くいないかもしれません。指紋と摩擦の関係に関心を持った大村さんは，現実には法則が当てはまらない現象も多くあること，またそれを対象にした研究も数多くあることを知ります。これらの先行研究を参考にしながら，自分が進める研究の方向性を明確にしていった点が，この作品の大きな特徴と言えるでしょう。

次に，大村さんは，摩擦力に影響を与える要因の一つに「荷重による変形」を挙げ，手の指腹部は力が加わると変形し，力を除くとほぼ元の形に戻るゴムと似た性質があると考えました。これを基に仮説を立て，ゴムを用いて指紋凹凸をモデル化した装置を自作して実験を行った点，また，その結果を詳細に解析・検証した点は，いずれも科学的手法に沿った優れた取り組みとして評価できます。

さて，緊張すると手に汗をかくのは，天敵から逃げる際に木の枝を握る手を滑りにくくする作用で，サルのころの名残だと聞いたことがあります。また，雪道でタイヤがスリップするのは，タイヤの踏み込む力で雪が融け，タイヤと雪の間に水の膜ができるからと言われています。摩擦の大きさに影響を与える要素はまだまだ多くあり，指紋との相互作用を考えるとさらに奥が深い現象と言えるでしょう。今後もさまざまな切り口で研究に取り組み，さらなる追究につながることを期待したいと思います。

最後に大村さんが作品に記した参考文献を挙げます。英語の論文もありますが，共通したテーマに興味・関心がある人は，是非参考にしてみてください。

参考文献

(1) Peter H.Warman, A.Roland Ennos : “Fingerprints are unlikely to increase the friction of primate fingerpads”（Journal of Experimental Biology, 2009）

(2) 松川宏：「摩擦の物理」（日本表面科学会会誌「表面科学」2003 年 6 月号 特集「摩擦研究の最先端と応用」総合報告）

(3) Bo N.J.Persson : “Sliding Friction : Physical Principles and Applications, 2nd edition”（Springer, 2000）

(4) Shmuel M.Rubinstein, Gil Cohen & Jay Fineberg : “Detachment fronts and the onset of dynamic friction”（Nature 430, 1005-1009, 26 August 2004）

(5) 酒井秀男：「走りをささえるタイヤの秘密」（裳華房，2000 年）

# 固まりにくい食塩をつくる
## ～尿素を用いた八面体食塩の作製～

笹田 翔太（ささだ しょうた）
［京都府立洛北高等学校 3年］

私は鉱物に興味があり、その成長過程を研究のテーマとしました。先行研究を漁っているときに見つけたのがこの媒晶剤という素材で、本研究で明らかにした結晶の成長阻害は意外な結論だと思います。
このことが新発見であるとの自信は持てないのですが、自分の納得の行く説明が導けて満足しています。

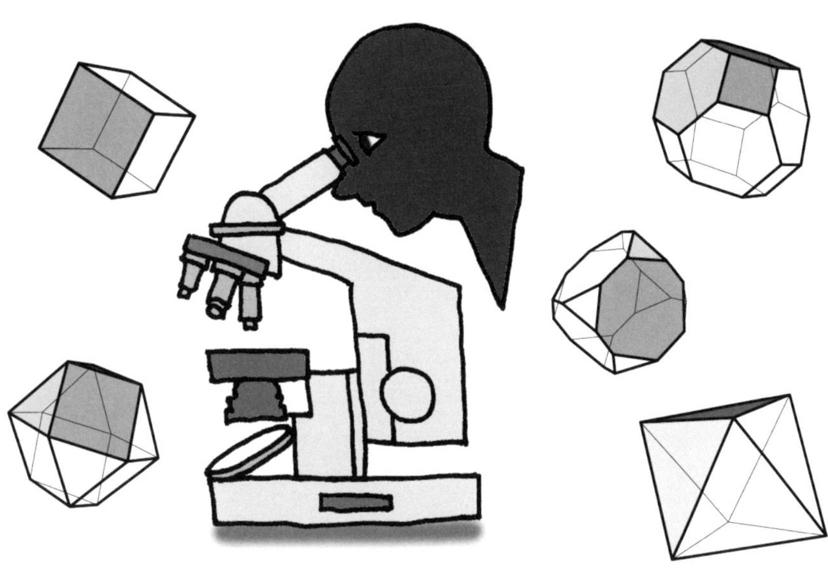

## I　研究の概要

### ■ 研究の動機・目的

媒晶剤は，純粋な水溶液に不純物として加えることで，結晶格子の変化なしに結晶の外形を変化させる。食塩に媒晶剤を加えると，一般的な六面体の結晶ではなく八面体の結晶が得られることが知られている。媒晶剤の種類や濃度を変えて食塩の結晶を作成することで，外形の変化を引き起こすメカニズムを探ろうと考えた。

また，食塩の結晶は，湿度が高いとき表面に飽和食塩水の液滴ができ，これが隣の結晶とつながったまま乾燥することで固化する。媒晶作用によって八面体になった食塩は結晶同士の触れ合う面積が小さくなるため，固まりにくい食塩結晶が作れるのではないかと考え，これを研究の第二の目的とした。

### ■ 実験方法

実験1では，媒晶剤に尿素，グリシン，塩化マンガンを設定し，それらの濃度を三段階に変化させながら食塩を析出させ，その形と大きさを観察した。大きな結晶が析出しなかった塩化マンガン，予想と異なる複雑な結晶が析出したグリシンに対して，媒晶剤を尿素としたとき結晶が大きく，観察しやすかったことから，実験2では媒晶剤に尿素を設定し，その濃度を細かく変化させた場合の食塩結晶の外形，大きさの関係を調べた。実験3では尿素結晶の析出を防ぐため，毎週一度食塩水をシャーレに加え，尿素濃度を一定に保ちながら観察を行った。実験4では結晶中に含まれる尿素の量を測定した。本研究では，以後図1にあるようにミラー指数と呼ばれる{ }の内の数で結晶面を表す。結晶格子を各指数の面で切ると図2のようになる。

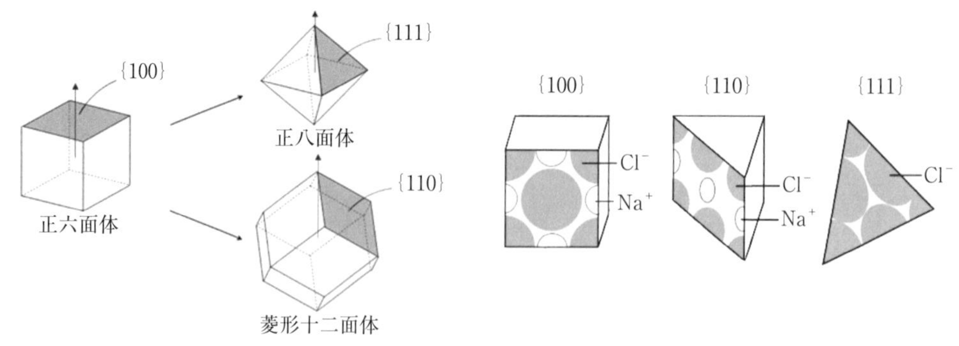


図1　ミラー指数と結晶の外形

図2　各指数面での結晶格子の断面

### ■ 実験と結果

**【実験 1：媒晶剤の選定】**（内容は省略）

**【実験２：尿素濃度と媒晶作用】**

シャーレ６枚に６mol/L 食塩水 50mL と濃度が５mol/L，６mol/L，７mol/L，８mol/L，９mol/L，10mol/L となる量の尿素を加え，蓋をせずにガーゼを張ったバットに入れて風通しの良い場所で乾燥させた。対照実験として純粋な飽和食塩水を乾燥させた。乾燥まで３カ月かけ，乾燥後，結晶の大きさについてはシャーレの写真から結晶の対角線の長さを測り，外形については判別できるものを肉眼で観察した。

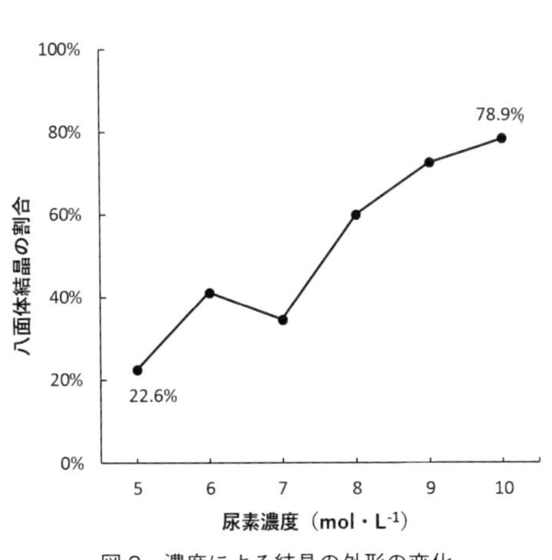


図３　濃度による結晶の外形の変化

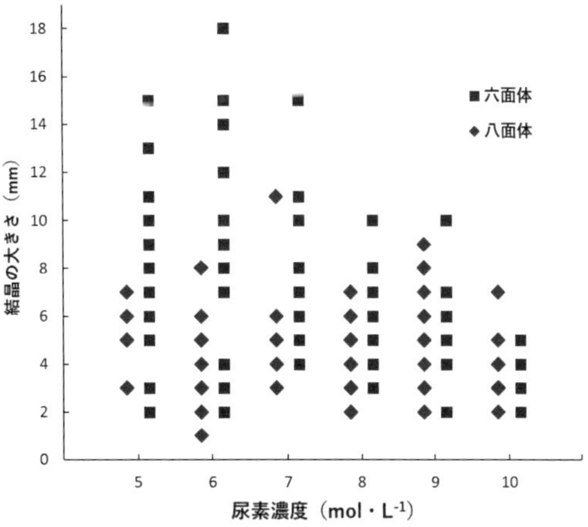

図４　結晶の外形による大きさの違い

尿素結晶の析出により小さな結晶については観察による個数の把握が難しかったが，大きな結晶については調べることができた。食塩結晶の外形は，図３のように尿素濃度が高いほど八面体の結晶が多く析出し，濃度が低いほど六面体の結晶が多く析出した。食塩結晶の大きさは，図４のように六面体では尿素濃度が高いほど結晶が小さかったのに対して，八面体では濃度によらず結晶が小さかった。

**【実験３：尿素結晶を除く】**

実験２と同じ操作に加えて，一週間に一度６mol/L 食塩水を 10 mL 注ぎ足し，水溶液の濃度を一定に近づけた。乾燥まで５カ月かけ，観察の際にはシャーレに飽和食塩水を加え，尿素を溶解させて結晶を取り出した。また，計測の簡略のためにシャーレの 1/8 を区画として区画内の結晶ごとの最大の大きさと外形を調べた。

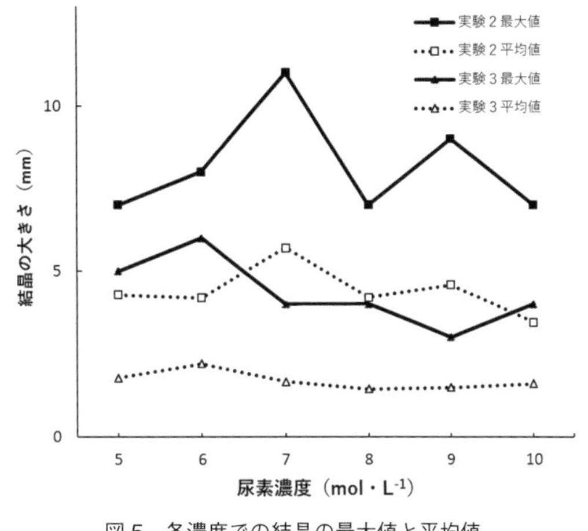


図５　各濃度での結晶の最大値と平均値

高校生の部

結晶の外形は全て八面体であった。また，結晶の大きさについて，図5のように尿素濃度との関係は見られなかった。これは実験2と同様である。しかし，結晶は実験2より小さく，結晶の個数も各濃度において計測個数が200個を超え，実験2より多かった。図5の最大値からも分かるように，尿素濃度が6 mol/Lのとき大きな結晶が増えているが，平均値は他の濃度との差は大きくなく，実験2の結果よりも標準偏差が小さいから，八面体の大きさの変化は無視してよいと考えた。

**【実験４：尿素の吸着を確認】**

シャーレに6 mol/L食塩水50 mLと濃度が5 mol/Lとなる量の尿素を加え，水が全て蒸発することのないように1週間乾燥させた。できた八面体結晶を全て取り出してろ紙で水気を拭き取ったのち，飽和食塩水で洗って表面の尿素を取り除いた結晶の質量を電子天秤で量った。これを純水100 mLに加えて溶かした後に，溶液5 mLとイオン交換樹脂2 gを入れた遠沈管を2本つくった。これを5分間振り混ぜ，3000 rpmで1分間遠心分離し溶液中のイオンを取り除いた。10 mLは試験管にウレアーゼとともに加えて15分静置して試料中の尿素をアンモニアにしてウレアーゼ処理の試料とし，ウレアーゼ処理ありと遠沈管内のウレアーゼ処理なしについてアンモニアパックテスト（共立化学研究所 WAK-NH4）を用いてアンモニアの濃度を測定した。

食塩の結晶は八面体であり，大きさは1～4 mm程度であった。

ウレアーゼ処理ありの試料について，溶液は黒ずんでいたが，図6に示した比色表から$NH^{4+}$濃度は0.5 mg/Lであることが読み取れた。尿素には2つのアミノ基があるので，これをモル濃度に換算したのち2で除すと尿素の溶液中のモル濃度が分かる。計算すると，尿素のモル濃度は$2.8 \times 10^{-5}$ mol/Lであった。また食塩の質量は5.1gであり，そのモル濃度は$8.7 \times 10^{-1}$ mol/Lになるので，結晶中に尿素は物質量比で0.0016％，質量比で0.00098％含まれていたことが分かる。ウレアーゼ処理なしの場合，$NH^{4+}$は検出されなかった。

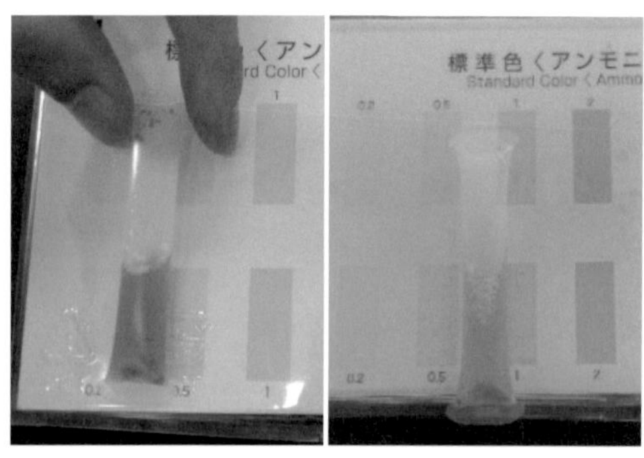

図6　パックテストの様子
（左が処理なし，右が処理あり）

## ■ 考察

実験2で，尿素濃度が高くなるほど八面体の割合が大きくなることから，媒晶剤は濃度が高いほど作用が大きいと考えられる。また，結晶の外形と大きさの関係からは，

{111} 面は濃度による大きさの変化が少ないのに対して，{100} 面は尿素濃度が高いほど小さくなっているので，{100} 面が作用を受けていることが分かる。これらのことから，尿素は {100} 面の成長を阻害することで {111} 面を形成していると考えられる。等軸晶系結晶各面（食塩が作りうる面）の安定度は {100} 面，{110} 面，{111} 面の順に高いため，{100} 面が形成されなくなると {110} 面，{111} 面が形成されると考えられる。

実験 4 の結果は尿素が食塩結晶に吸着していることを示している。よって八面体の食塩は，{100} 面への尿素の吸着によりその面の成長速度が遅くなってできたものであると考えた。また実験 4 で結晶に含まれる尿素の量が非常に小さかったのは結晶の成長過程において {100} 面ができないためであると考えられる。

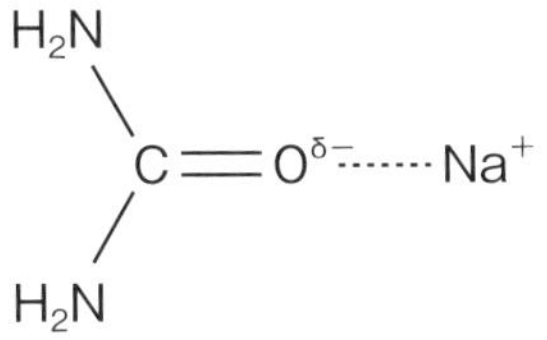

$H_2N$

$C{=}O^{\delta-} \cdots\cdots Na^{+}$

$H_2N$

図 7　尿素分子の結晶への吸着

吸着のモデルについて，尿素分子と $Cl^-$ の大きさはほとんど同じなので，尿素の酸素原子がもつ非共有電子対または負電荷が $Na^+$ に吸着していることが考えられる（図 7）。

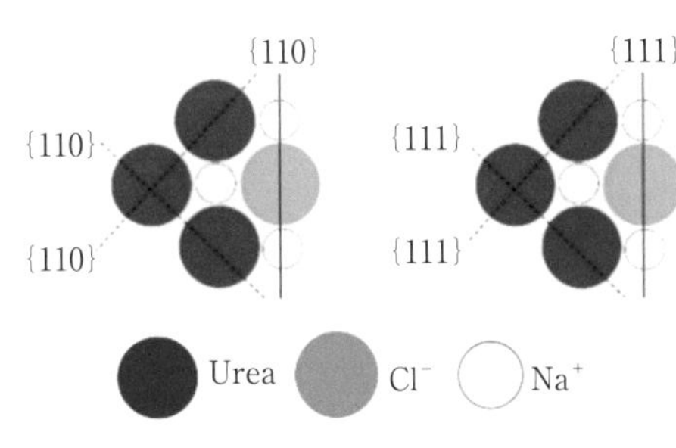


図 8　{100}，{110} 面への尿素の吸着

このモデルでは図 8 のように {100} 面と {110} 面両方への尿素の吸着を説明できる。

$Cl^-$ の代わりに吸着した尿素分子が新たな $Na^+$ の吸着を阻害することが分かる。また {100}，{110} 面上に新たな面ができたが，これらはそれぞれ {110}，{111} 面である。{100} 面に作用してできた {110} 面がさらに媒晶作用によって {111} 面を形成することが考えられる。この吸着によって $Na^+$ はその面上に吸着できなくなり，その面の成長速度は著しく遅くなると考えられる。

## ■ さらに研究したいこと

今後の展望として，今回できなかった媒晶作用を受けた食塩結晶の固化についての検証を行いたい。もし固化しにくければ 99.999 wt%という高純度であるため，実験用の試薬としての用途も視野に入れたい。

# 作品について

素材や扱っている物質がなじみ深く，高校生らしい自然な発想が感じられました。実験で得た結果をもとにしながら過去の文献にも当たって考察した上に，さらに様々な条件で結晶をつくっていく過程で結晶成長の阻害要因を丁寧に考察しており，研究に対する熱意が感じられるとても興味深い作品でした。論理の飛躍や思い込みが感じられず，論文としての体裁も整っており，作品としての完成度が高い点にも目をひかれました。

実験 1 では身近な器機で実験可能な媒晶剤として尿素を使用した根拠について明確に示しており，実験 3 では食塩結晶の観察を阻害する尿素結晶をどのように除去するか工夫を凝らしていることが覗えます。また，文面からは分かりにくいですが，実験 1 に 1 カ月，実験 2 に 3 カ月，実験 3 に 5 カ月かけるなど，根気よく研究を継続していることにも感心させられます。さらに，媒晶剤の働きについては下記の文献 1）2）から引用し，尿素吸着のメカニズムについては文献 3）と実験結果を比較，媒晶剤ごとの作用の違いについては文献 4）を参照して考察しており，その考察に関わる姿勢も評価されています。

なお，本作品を紹介するにあたって，とても丁寧にまとめられた完成論文を 4 ページに集約することが困難でした。本誌「研究の概要」では，媒晶剤を選定するための実験とその結果について，誌面の関係上，短縮して掲載させていただきました。

引用文献

1）新藤斎，小瀬多門，松川崇志，玉木敦，甲田啓，櫻木喬規，2006，食塩結晶の形態制御の原子機構，第 18 回助成研究発表会要旨集

2）山田保，1971，媒晶剤，化学工学，35, 9, 22

3）槙尾瞳，加藤大地，加藤萌喜，北嶋直樹，2018，八面体食塩～生成の条件と機構について～，平成 30 年度 SSH 生徒研究発表会要旨集，154

4）Neda Radenović, Daniel Kaminski, Willem van Enckevort, Sander Graswinckel, Ismail Shah, Mendel in't Veld, Rienk Algra, Elias Vlieg, 2006, Stability of the polar {111} NaCl crystal face, THE JOURNAL OF CHEMICAL PHYSICS 124

# オカダンゴムシの共生菌による抗カビ物質生産

片岡 柾人（かたおか まさひと）
［島根県立出雲高等学校 2年］

小1からダンゴムシを飼い→小4「飼育箱にカビが生えない」と気づき → 小6「防カビ力はフンと唾液だ」と突きとめ→中学「フン中の微生物」と気づき → 高校「単離したH4株が揮発性の防カビ物質を生産する放線菌だ」と発見しました。
カビが生える前でも後でも効果あり！ 医療の予防薬・治療薬、生活のカビ除去につなげます！

## I　研究の概要

### ■ 動機・目的

小学1年生のときからダンゴムシを飼育・研究している。ダンゴムシのいない飼育ケースは掃除してもすぐカビが生えるのに，ダンゴムシのいる飼育ケースはカビも悪臭も発生しない。なぜなのか。

今年の研究では，フン中で抗カビ力を発揮しているであろう微生物に着目した。抗生物質生産菌については多くの報告があるが，ダンゴムシのフンから単離した報告はない。それ以外の場所から単離された菌については，カビの抑制の報告は細菌の抑制の報告に比べると極めて少ない。そこで，オカダンゴムシのフンから様々な常在菌を単離することで，新規性の高い，抗カビ物質生産菌及びそれらが生産する抗カビ物質を発見できるのではないかと期待した。将来的に実用化を見据えた実験も行い，新しい抗カビ薬の開発も目指す。

### ■ 研究内容

**【実験の準備】**

被験カビ：*Penicillium chrysogenum*　餅から単離
*Penicillium steckii*　青竹から単離（実験2・4のみ）
※両者とも，遺伝子解析（外注）と形態観察により，菌種を同定したもの
使用培地：PDA 培地（真菌用），ブイヨン寒天培地（一般細菌用），
ハートインヒュージョン寒天培地（一般細菌用），LB 培地（一般細菌用）
放線菌培養液の調製，カビ胞子懸濁液の調製

**抗カビ物質生産菌の選抜**

**【実験1：フン中の常在微生物の単離】**

・PDA 培地から14株，ブイヨン寒天培地から11株，ハートインヒュージョン寒天培地から14株，計39株を単離した。単離した菌は，カビ様，細菌様，放線菌様と様々で，コロニーの色・形状も様々だった。

**【実験2：抗カビ物質生産能スクリーニング】**

・全39株のうち，13株が，抗カビ活性を示した。抗カビ力の強度は様々であった。
⇒オカダンゴムシのフン中には様々な菌がおり，カビの生育を抑制する働きを持つ種が複数存在している。

・H4株（ハートインヒュージョン寒天培地で4番目に単離した菌）は，シャーレ全体にわたって被験カビの成長を完全に抑制し，濃度勾配の影響は見られなかった（図1）。

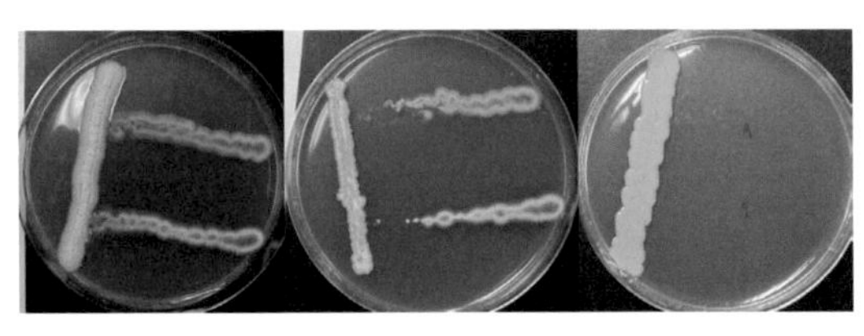

図1 実験2の様子
左 ：P1株（抗カビ活性なし）
中央：P6株（抗カビ活性あり）
右 ：H4株（抗カビ活性あり）

⇒この現象に着目し，H4株を研究対象とした。

## H4株の菌種同定

**【実験3：H4株の形態観察】**

・H4株のコロニーは平滑で円状だった。単離した1世代目は黄色をしていたが，植え継いで2世代目以降はクリーム色になった。グラム染色では濃い紫色に染色された。細胞によって形状が異なり，長さ0.6〜1.0 μm，幅0.6 μm程度の球状や短い棒状など，いびつな形をしていた。

**【実験4：H4株の16S rDNA遺伝子解析】**

・BLAST検索では，次の菌種と98%以上の相同性が見られた。
*Brevibacterium sediminis* CGMCC 1.15472$^{T}$…100%，
*Brevibacterium linens* VKM Ac-2119…99%，*Brevibacterium aureum* Enb12$^{T}$…99%，
*Brevibacterium iodinum* DSM 2062$^{T}$…98%，*Brevibacterium epidermidis* NIOT-Cu-18…99%，
*Brevibacterium oceani* BBH7$^{T}$…98%，*Brevibacteirum permense* VKM Ac-2280$^{T}$…98%

・系統樹解析では，次の菌種と近い位置にあった。
*Brevibacterium sediminis* CGMCC 1.15472$^{T}$，*Brevibacterium aureum* Enb12$^{T}$，
*Brevibacterium iodinum* DSM 2062$^{T}$，*Brevibacterium linens* DSM 20425$^{T}$

**【実験5：H4株の生化学性状解析】**

・H4株は，*Brevibacterium sediminis* JCM 32488$^{T}$と近い反応パターンを示した。
⇒H4株は，*Brevibacterium*属の放線菌である。*B.sediminis*の可能性が最も高い。
この種に関する論文で報告された細胞の形状及びコロニー性状と近い。
⇒H4株は，*Brevibacterium* sp.

## H4株が生産する抗カビ物質

**【実験6：H4株は，カビの発芽を抑制しているか】**

・H4株は，被験カビの発芽を完全に抑制していた。また，被験カビ*P.chrysogenum*及び*P.steckii*の胞子から菌糸の伸長は確認されなかった。

**【実験7：H4株の培養液は，抗カビ活性を示すか】**

・コントロールとH4処理群（H4株の培養液）との間に，有意差は見られなかった。

**新たな仮説：実験２で生育阻止帯が非常に広いのに，実験７で培養液が抗カビ活性を示さなかったのは，抗カビ物質が作業中に『揮発』したからではないか？**

**【実験８：H4 株は，揮発性の抗カビ物質を生産するか】**

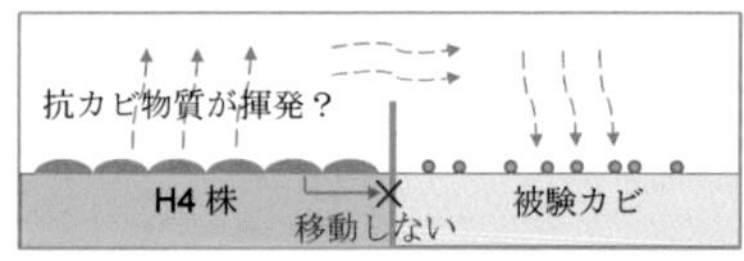


図２　２分割シャーレの断面図
抗カビ物質は培地中を移動できないので，
揮発したときのみ効果を示す

・H4 株を塗布したものは，コントロールに比べて被験カビの面積が有意に小さかった。
⇒ H4 株が生産する抗カビ物質は，揮発性である。

**【実験９：H4 株の生産物質は，カビの胞子の成長を抑制しているか，死滅させたか】**

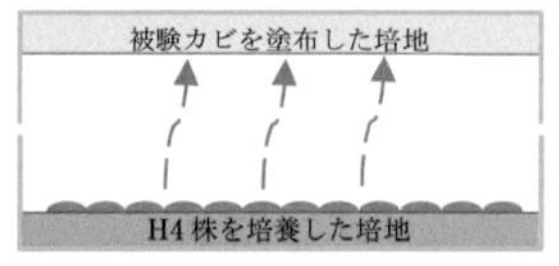


図３　実験９・10 で，培地を重ねた状態の断面図

・コントロール（未処理群）は，被験カビが順調に，発芽２日後には直径 10 mm 程度まで生育し，胞子を生産した。
・H4 株を作用させた被験カビ（H4 処理群）は，うち 33%が，H4 株培養プレートを取り外した後も，４日間発芽さえしなかった。残り 64% の被検カビは，H4 株取り外し後，５日目に若干発芽しかけたがそのまま止まった。そのコロニーは拡大せず，菌糸が密に固まり，非常に硬くなり，胞子生産はなく，容易に剥がれ落ちた。
⇒ H4 株生産物質がカビ胞子を死滅させた可能性がある。
⇒実験２で，シャーレ内で抗カビ物質が揮発していたことによって，濃度勾配の影響が見られなかったと考えられる。
⇒実験６・８・９で，H4 株は，発芽する前のカビの成長を抑制していた。

**【実験 10：H4 株生産物質は，すでに成長してしまったカビでも抑制するか】**

・コントロール（未処理群）は，実験９同様，被験カビのコロニーが順調に成長した。
・H4 処理群では，被験カビが３日間でコロニーを形成し胞子を生産した状態のところへ，H4 株を作用させた。
・被験カビは成長が減速し，６日目にはほとんど成長が止まった。H4 株を取り外すと，被験カビは成長を再開したように見えたものの，９日目に表面を観察すると，中心付近が白く大きく盛り上がり，コロニーの縁の近くに残った緑色の部分も白みがかり，明らかな形質の異常が起きていた（図４）。

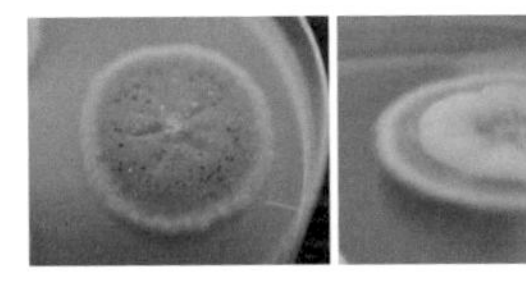

図4　実験 10 の様子
左：通常のカビのコロニー
右：成長途中に H4 株の作用を受けたカビのコロニー

・実験 10 で，すでに成長したカビは，H4 株の作用を受けると成長が停止し，作用を中断すると成長を再開した。

⇒ H4 株生産物質は，カビが発芽前でも，すでに成長していても，いずれに対しても抑制効果がある。カビの形質そのものに異常を起こし，不可逆的に影響を残す。

### H4 株とダンゴムシの共生関係

**【実験 11：H4 株はダンゴムシのフンに常に存在するか】**

・3 条件（自宅，学校，自宅で採取し学校の土で 1 年間飼育）のフンから，いずれも 478 bp の位置にバンドが検出された（図 5）。

1000bp
500bp
400bp
1 2 3 4

図5　実験 11 の特異的プライマーを用いた PCR 産物のアガロースゲル電気泳動
1. DNA ラダーマーカー
2. 自宅庭で採取
3. 出雲高校地内で採取
4. 自宅庭で採取し，出雲高校地内の土で飼育

・実験 11 で，H4 株に特異的なプライマーを用いて PCR 反応を行うと，実験 1（単離）から 1 年後にサンプリングしたフンからも，別の場所のフンからも，飼育土が変わっても，目的の 478bp の位置にバンドが検出された。

⇒ H4 株は，出雲市内の自宅庭や出雲高校地内に生息するダンゴムシのフンに，安定的に存在している。

## ■ さらに研究したいこと

今回使用しなかった他の培地を使用すればさらに他の菌を単離できる可能性がある。H4 株（*Brevibacterium* sp.）については，H4 株の作用期間や濃度を上げることで完全に「殺菌」まで至るかどうか，今後確認したい。H4 株の単離 1 年後に，再び検出できたことは，H4 株とダンゴムシとの共生関係の示唆が考えられる。H4 株と最も近縁な *B.sediminis* は，現時点ではインド洋の深海からのみ単離されている（Ping Chen ら 2016 年）。これが陸上のダンゴムシのフン中に存在することとの関係は，追求していくと学術的価値がありそうだ。

H4 株生産物質は，カビの発芽前でも，カビの成長後でも，抑制効果を発揮することが確認できた。これは将来，医療分野で予防薬及び治療薬としての利用や，工業的な利用についても期待できる。

# 作品について

小学1年生のときからダンゴムシを飼育し，現在まで継続してきた研究。

飼育ケースを全く掃除したことがないのに，野菜などの腐りやすい餌を与えても，カビも悪臭も発生しないことに，片岡さんは4年生のときに気づきました。ダンゴムシのいない飼育ケースは掃除してもすぐカビが生えるのに，そうならないのはなぜなのか。素朴な疑問を抱いてから2年後の6年生のときには，フンと唾液が抜群の防カビ力を持つことを突き止めました。中学生のときには，無菌装置を用いて，フンにいる細菌やカビの培養を始め，39株の細菌を見つけました。細菌だって生き物ですからそう簡単には育ちません。培養するには，その培地にどのような栄養が必要か，先行研究から適切な培地を探し出し，培地だけでも3種類用意しています。培養だけでもどれだけ大変だったか分かります。そしてその中の13株に防カビ活性があることを発見。この頃から家庭での実験には限界が出てきましたが，高校生になり設備の整った生物室での実験が可能になったこともあり，研究はさらにグレードアップ。抗カビ物質にまで辿り着きました。

研究をするには，まず「疑問を持つこと」から始まります。片岡さんは，身近にいたダンゴムシとワラジムシの丸くなる・ならないについて不思議に思い，ダンゴムシを飼育するなかで，さらに疑問を持ち今に至ります。誰にでも，身近なところにその機会はあります。そして研究を続けるには，ただやみくもに実験するのではなく，長期的目標（ビジョン）が大事になります。これは，ノーベル生理学・医学賞を受賞した山中伸弥教授が，アメリカで研究していたときのモットー「VW（vision and work hard）」としてよく話しています。

片岡さんには，その「VW」が常にあります。

研究で辿り着いた抗カビ物質は，揮発性物質ということもあり，将来的には医療分野で予防薬及び治療薬としての利用や，生活のなかですでに生えてしまったカビの除去など工業的な利用も期待できそうです。

片岡さんの夢は研究者。大学では幅広い分野を学んで研究を続けたいそうです。その成果を楽しみに待っています。

# 科学者とはどういう人たちか

山﨑　剛

私は素粒子理論物理学が専門で，自然界の４つの力（重力，電磁気力，強い力，弱い力）のうち特に強い力について研究を行っています。このページを読んでいる皆さんなら，私たちの体は突き詰めていくと素粒子であるクォークからできていて，そこには強い力が関係していることを聞いたことがあると思います。このことは実験的にはよく理解されていますが，理論的にはほぼ理解されていません。その原因は，強い力の計算は難しすぎて，とても人間の頭では計算できないからです。強い力の厳密な理論計算を行うには，スーパーコンピュータを使う必要があります。私の研究は，日本でもトップクラスの性能を持つスーパーコンピュータを使って，なんとなく理解されていると思われているけれど実は奥深い，強い力を解き明かすことを目標としています。さて，自己紹介はここまでにして，自分を含めて科学者という人たちをもう少し身近に感じてもらうために，今までの私の体験から，科学者とはどういう人たちかについて書いてみたいと思います。

「科学者」と聞いた時，皆さんはどのような人をイメージするでしょうか。私が子どものころは，科学者と聞くと白衣を着ていて何か難しい物（主にロボット）を作っている人たちをイメージしていました。そんなころから漠然と将来の夢は科学者と決めていましたが，今の自分は白衣も着ていなければロボットも作っていないので，いつの間にかイメージとは違う科学者になっていました。

私が出会ってきた多くの科学者の性格をおおまかにまとめると，好奇心が強く，向上心があり，楽観的で我慢強い性格と言えると思います。また，興味があることには強い信念を持っていますが，興味がなくなると途端に全く関心を示さなくなるという，良い意味でも悪い意味でもメリハリのある一面も持っています。研究を行い，物事の本質を理解するためには，大小様々な障害をいくつも乗り越える必要があります。そのような障害に直面した時に，うまくいくかはわからない状況で地道な研究を続けるには，いつかうまくいくだろうという希望を持ち続けられる楽観的な性格と，根気よく地道な作業を続けられる我慢強さがないと研究はやっていられません。また研究を行う上では，一つの失敗をしても長く落ち込まないで，次々に新しいアイデアに挑戦できる切り替えの早さも大事になります。

たまに科学者は，推理小説に出てくる探偵にたとえられます。これは，手元に集めた証拠をもとにして矛盾のない論理を組み立て，犯罪を解き明かす探偵の考え方が，科学者が研究で行っている思考過程と似ているからです。このうまいたとえの他に，科学者に似ていると最近思っているのが陸上選手です。私の勝手な想像かもしれませんが，陸上選手は自己ベストを更新することを目指して，日々苦しい練習を続けています。その努力が報われて自己ベストが更新できると達成感を味わいますが，それが終わりではなく，また新しい自己ベスト更新を目指す練習が始まります。一方，科学者は理解できない問題があると，苦しくなるのはわかっているのに，その問題をなんとか理解しようと努力してしまいます。そして問題を理解できれば，とりあえず満足しますが，すぐに次の問題へと興味がうつっていきます。このように目標達成の障害があれば，それを乗り越えた先にある束の間の達成感を味わうために，障害を乗り越える努力をしてしまうところが陸上選手と科学者の似ているところだと思います。

ここまでは科学者をひとくくりにして話をしてきましたが，科学者にも色々なタイプの人がいます。研究の進め方で大きく二つに分けると，研究の障害を乗り越えるアイデアを次々に思いつくことが得意な，瞬発力のある短距離走タイプと，そのような障害をじっくり考察して研究を進めることが得意な，持久力のある長距離走タイプに分けることができます。私の印象では，短距離走タイプの人は話が面白く，難しい話もわかりやすく話してくれて，質問をすると質問以上に色々なことを教えてくれます。長距離走タイプの人は普段は物静かですが，困っている問題を相談すると，目からウロコが落ちるような奇抜なアイデアをサラッと出してくれることがあります。科学者の話を聞く機会があれば，「この人は短距離走タイプと長距離走タイプどっちかな？」と思いながら話を聞くと，もっと科学者を身近に感じてもらえるかもしれません。

科学者は，自分で納得するまで人の話を簡単に受け入れてはいけません。以上の話には私の体験による勝手な思い込みがたくさん含まれています。この話が本当かどうかは，皆さん自身で科学者という人たちを観察して確かめてみて下さい。その観察から自分の目指したい科学者のタイプを見つけて，10 年後か 20 年後に科学者になっていたら，この話に出てきた科学者をふと思い出して，その時の皆さん自身と比べてもらえるとうれしいです。

［筑波大学数理物質系准教授］

SCIENCE

# 第Ⅱ編

# 朝永振一郎博士を語る

# 朝永先生と「科学の芽」の世界

金谷和至

朝永振一郎先生は，1906（明治39）年3月31日，東京の小日向三軒町（現在の文京区小日向）で生まれました。お姉さんが１人いました。その後，弟と妹が家族に加わります。お父さんは哲学者で，お父さんの京都帝国大学（現在の京都大学）への着任とともに，一家は京都に移りました。しかしすぐに，お父さんの海外留学で東京に戻り，本郷の誠之小学校に入学しました。自筆の年譜[1]によると「学校では泣き虫で有名」だったそうです。お父さんが帰国し，１年生の２学期の終わりに再び京都に戻ります。1913（大正２）年のことです。平安神宮の北にある錦林小学校に転入しました。京都ことばがわからず「学校へ行くのをいやがり両親を困らせる」。病気がちで，微熱が取れず何日も寝たきりになっていたことがしばしばあったそうです。

中学１年生の時は，入学早々１学期間休学しなければならず，特に英語は追いつくのに苦労したとのことです。「そのころ私は，中学校では予習ということをやるんだということを全然知らなかった。（中略）こっちは小学校のつもりですから，予習なんてことをするとは夢にも思わなかった。それで予習していないからさっぱりわからない。」[2] それでも２学期の末には追いついた。見かけと反対に，芯は負けず嫌いでした。

寝たきりが続くと退屈です。寝床の上に座ってもいいとのお医者さんの許しがやっと出ると，早速ボール紙や御飯粒の糊（のり）を使っていろいろな工作を行っていたとのことです。当時住んでいた家の模型をつくり，背景の絵も描き，カメラを使って自ら撮影したジオラマ写真が残っています（図１）。また，お父さんに買ってもらった『理科十二か月』という本や『理科少年』という子ども向けの科学雑誌をネタにして，それに自分の工夫を加えて，さまざまな科学実験をやっていたそうです。

朝永少年がどのような実験や工夫を行ったかについては，「私と物理実験」と題された随筆にいくつか紹介されています[3]。それによると，

- 小学校３年の頃，節穴がある引出を立てて，その前に紙のスクリーンを置いて，ピンホールカメラをつくった。あるとき，拾った虫眼鏡と組み合わせてみると，

図１　朝永少年自作の京都吉田の自宅の模型。
ボール紙でつくり，図３と同じ蛇腹式
カメラで自ら撮影された
（筑波大学ギャラリー朝永記念室蔵）

スクリーンの上に，「前より小さいが，驚くばかり鮮明な像がくっきり現れた」。

- 中学生の時，幻灯機をつくったが，大きなレンズがなかった。フラスコに水を入れて代用してみると，うまくいった。
- 次に，幻灯板を自分でつくろうと思った。幻灯板というのは，透明なガラスの上に画像を焼き付けた物で，それを通した光をスクリーンに大きく映す装置が幻灯機です。今なら，透明なフィルムの上にプリンターで画像を印刷すればいいのですが，当時は，何もなかった。試行錯誤の末，寒天に青写真の薬をしみこませ乾かして，お父さんが外国で撮ってきた写真ネガの映像を焼き付けてみると，予想以上に透明で色の濃い青写真がガラスの上にできた。得意になって，友達を集めて試写会をした。
- おもちゃの顕微鏡の倍率を上げるために，ガラス管の切れはしをガスで溶かし，ガラス玉をつくり，対物レンズにしてみた。倍率が 200 ～ 300 倍くらいになって，古井戸の水の中にいたツリガネムシがよくみえた。
- アスピリン錠の空きビンに鉛を入れ，針金を差し込んで溶かして，ビンを筒としたピストンをつくった。ビンの底を抜いて，コルクの栓をはめ，ガラス管を２本差し込んだ。ガラス管の１部を細くくびって玉を入れると，弁になり，小さな押上げポンプとなった。

「私と物理実験」には紹介されていませんが，朝永先生が中学３年生の頃，外国航路の船乗りだった叔父さんがおみやげとしてドイツ製の蛇腹式カメラを朝永家にもってきて，朝永少年は，それを使って，いろいろなものを写していました。自宅模型のジオラマ写真もその１枚です。

図２の写真は，朝永少年が弟の陽二郎さんを写したものです。別に双子が写っているわけではなく，陽二郎さん１人を二重に写したトリック写真です。そのときの様子を陽二郎さんが書き残しておられるので，少し長いのですが引用します。

「ときに，兄はこの写真機にちょっとした工夫を加えて，変わった写真を撮ったことがある。いま，その原板が残っているのは二枚だけだが，そのうちの一枚はトリック写真を撮るといって，私を撮ったものである。一枚の写真に同じ背景の前にわたしが双子兄弟のように並んで写っている写真である。わたしの記憶によれば，カマボコ板を二枚，鉤形（かぎがた）に釘で打ちつけ，表面に墨を塗ったものである。それでレンズの半分を屏風（びょうぶ）を立てるようにして覆（おお）って撮った後，わたしを移動させて，こんどは，さきに覆われた方の半分を同じように覆ってシャッターをきるという簡単な仕組みであった。」[4)]

ここでみなさんに問題です。この話を聞いて，１枚の写真フィルムに左右半分ずつ写真を撮ったのだと単純に思われるかもしれませんが，朝永少年が使っていたような昔のカメラでは，レンズを半分覆っただけでは，実は，画面が半分になるということはありません。私は骨董品（こっとうひん）の２眼レフをもっていますが，レンズを黒い紙などで半分覆ってファインダーから覗（のぞ）くと，全体に暗くなってはいるけれど，ちゃんと画面全体をみることができます。ただし，これは昔のフィルム式のカメラでの話です。今のデジカメでは，レンズを半分隠すと画面も半分になります。実験をする時は，誰かに昔のカメラを借りて，やってみてください。

さて，問題ですが，

問題１：レンズを黒い紙などで半分覆うと，フィルム式のカメラでは，どうして画

図２　朝永先生が撮ったトリック写真
（筑波大学ギャラリー朝永記念室蔵）

面が暗くなるだけで全体がみえるのでしょう？ また，同じことをして，デジカメではどうして画面が半分になるのでしょうか？

問題２：朝永少年はどんな工夫をしてこの写真を撮ったのでしょう？

しばしば寝たきりになる生活の反動からか，寝たきりから少しずつ開放された喜びからか，中学の終わり頃からよく，友人や弟さんを連れて，京都近郊の山に，植物採集や野歩きに出るようになったそうです。いろいろなエピソードがありますが，私が特におもしろいと思ったのは，同じ場所に行くのに，その度に道筋を変えていたという話です。人１人が通れるくらいの小道を抜けると，思いがけない風景が広がったり，ときにはヘビが鎌首(かまくび)をもたげて探検者たちを迎える。自然が好きで，山歩きは晩年まで続きました。

残りページ数が少なくなってきたので，今度は，朝永少年の先生たちのことを書きましょう。朝永少年を理科好きにしたのは，お父さんが買ってくれた本や，叔父さんたちの影響もあるでしょうが，学校の先生たちも，大きく関わっているようです。

小学校のときは，運動場や体育館に生徒を集めて，酸素を発生させて鉄の針金などを燃やしてみせたり，水素を詰めたゴム風船を飛ばしたりといった，物理や化学のデモンストレーション実験がよく行われていたそうです。また，体が弱くて学校を休んだときに，担任の先生が補習に来て，長さを半分にすると体積がどうなるかを，立方体にした芋を包丁で切って，小さなサイの目が８つできるのをみせて，ほら８分の１になるだろうと教えてくれたそうです。

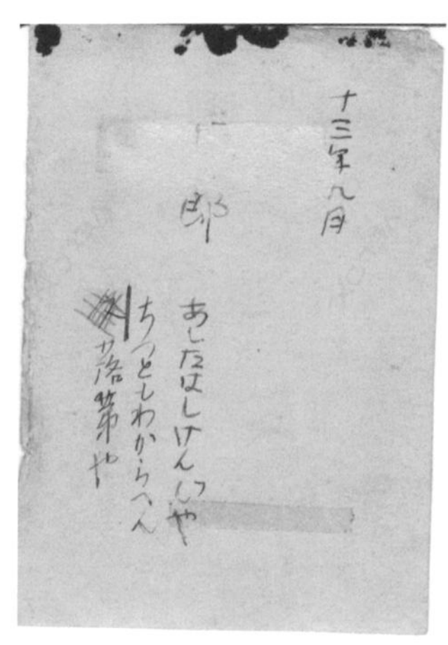


図３　高校生時代の写真。前述の蛇腹式カメラをセットして自分で撮影されたものと思われる。裏に「あしたはしけんじゃ　ちっともわからへん（又）落第や」の自筆の書き込みがある。（筑波大学ギャラリー朝永記念室蔵）

日本で２番目のノーベル賞を受賞した朝永先生と，日本で最初のノーベル賞を受賞した湯川秀樹先生は，京都第一中学校・第三高等学校・京都帝国大学と，同じ学校に通いました。旧制の学校なので，今の中学・高校とは少し違います。湯川先生は，中学では朝永先生より１学年下でしたが，早期修了で１年早く高校に進み，高校から朝永先生と同級になりました。この一中・三高は，森外三郎校長による，自由を重んじ「生徒諸君を紳士として扱う」校風のもとで，当時としてもユニークな教育を行っていたようです[5)]。各先生が実験的な授業をしていました。朝永少年には特に数学の授業が印象に残ったようです。紙にいろいろな三角形を書いて，角の角度を測ってみる。それらを足し合わせると，どんな三角形でもだいたい180°くらいになる。あるいは，いろいろな丸い筒をもってきて，糸で周りの長さを測ってみる。それを筒の直径の長さで割ってみると，これもだいたい同じ比率になる（いくつになるか，みなさんは知っていますね？ 何桁まで言えますか？）。１歩の長さを調べておいて，歩いて距離を見積もって，巻き尺で測った距離と比べてみる。電信柱の頂上までの角度を測って，高さを計算してみる，などなど。こうした手足も動かす勉強が，２人にノーベル賞をもたらしたのかもしれません。

最後に，これを読んでおられるお父さんお母さんや先生方に，朝永先生の「好奇心について」という講演を紹介します[6)]。1972（昭和47）年の講演ですが，36年前のものとは信じられないくらいに，現在のインターネット社会で子どもたちを育てていく上で本質を突いたポイントが含まれています。先生はおよそ次のようなことを言っておられます。

自然現象の中にある隠れた脈絡をなんとかして見つけ出そうという好奇心が科学の基礎にあります。これは人間の本能に根ざしていて，子どもは非常に小さいときからこの好奇心をもっています。

英語の辞書によると，好奇心には「精密あるいは精緻（せいち）を好む」という意味があり[7)]，これは「いい加減なことではなかなか満足しない」ということです。ここで，好奇心とよく似た言葉に「野次馬」があり，人々の中に混乱があるようだけれど，区別をはっきりさせておく必要があります。ほかの人がやるから自分もやるという軽薄さの中には，科学に大切な「徹底的に精密にかつ精緻に追求する」という気持ちがありません。

このもって生まれた好奇心を刺激し，鈍らせないためには，ドイツ語の好奇心wissensdurstigに含まれる「知識に対する渇き」が大切です。しかし，今の学生は，情報過多の世の中で，情報を得るのに大変熱心だが，それでもうお腹が一杯になってしまって，本当に自分の知的な要求がどこにあるのか，わからなくなってしまう傾向があります。「ともすれば，つまらない知識の間食で満たされ，本当の食欲がなくなってしまうという傾向を，どうすれば取り除くことができるか，みなさんに考えていただきたいのです。」

さて，最後の最後に，別の話。この本の最初に書いた，習字が苦手の件ですが，いつも「乙の下」や「丙の上」の点で，そのうえ冒頭に引用したようなことまで先生に言われ，朝永少年は小学校に行くのが嫌になり，登校拒否になりかかったそうです。それが，小学３年生の夏頃から急に，「甲」や「進歩」の判が押されるようになって，おかげで学校に行くのがそれほど嫌でなくなったとのことです。当時の習字が残っていますが，私には「丙」と「甲」でほとんど上達した様子はみえませんでした。また，体が弱かった朝永先生は，小学校の体操の時間も苦手だったそうです。運動会の日はいつも雨になりますようにと願っていました。それが，平安神宮の回りを１周するマラソンをやらされたときに，落伍（らくご）しないでよく戻ってきたと先生にほめられます。そのことをよく覚えておられるそうです。習字も体操も，朝永先生が活躍された分野ではないですが，これらの経験が，その後の何事にものびのびと自然体で全力を注ぎ込む朝永流の，その原点につながっているように思えてなりません。どんな形でどの芽からどんな花が咲くか。大らかな目で育ててあげてください。

〈注〉

1）みすず書房『回想の朝永振一郎』（松井巻之助編　1980）。
2）朝永振一郎「京都と私の少年時代」，岩波文庫『科学者の自由な楽園』（江沢洋編　2000）に収録。
3）朝永振一郎「私と物理実験」は，みすず書房『鏡の中の世界』（1965）や，岩波文庫『科学者の自由な楽園』（江沢洋編　2000）に収録されています。
4）朝永陽二郎「少年のころの兄の思い出の断片」，みすず書房『回想の朝永振一郎』（松井巻之助編　1980）に収録。
5）当時の一中・三高に関しては，京都大学学術出版会『素粒子の世界を拓く――湯川秀樹・朝永振一郎の人と時代』（湯川・朝永生誕百年企画展委員会編集　佐藤文隆監修　2006）の第６章に解説があります。２人の少年時代に関しては，同書第１章もご覧下さい。
6）朝永振一郎「好奇心について」，岩波文庫『科学者の自由な楽園』（江沢洋編　2000）に収録。
7）私のもっている辞書では，残念ながらこの訳を見つけられませんでした。

［筑波大学名誉教授］

（『もっと知りたい！「科学の芽」の世界 PART2』より再掲）

# 日本のノーベル賞受賞者と筑波大学関係者（敬称略）

**1901年 第一回 ノーベル賞**
アルフレッド・ノーベルの遺言によって始まった賞

| 年 | 物理学賞 | 化学賞 | 生理学・医学賞 | 文学賞 | 平和賞 | 経済学賞 |
|---|---|---|---|---|---|---|
| 1949年 | 湯川秀樹 | | | | | |
| 1965年 | 筑波大学関係者 朝永振一郎（注1）[1906〜79] | | | | | |
| 1968年 | | | | 川端康成 | | |
| 1973年 | 筑波大学関係者 江崎玲於奈（注2）[1925〜] | | | | | |
| 1974年 | | | | | 佐藤栄作 | |
| 1981年 | | 福井謙一 | | | | |
| 1987年 | | | 利根川 進 | | | |
| 1994年 | | | | 大江健三郎 | | |
| 2000年 | | 筑波大学関係者 白川英樹（注3）[1936〜] | | | | |
| 2001年 | | 野依良治 | | | | |
| 2002年 | 小柴昌俊 | 田中耕一 | | | | |
| 2008年 | 南部陽一郎<br>小林 誠<br>益川敏英 | 下村 脩 | | | | |
| 2010年 | | 鈴木 章<br>根岸英一 | | | | |
| 2012年 | | | 山中伸弥 | | | |
| 2014年 | 赤崎 勇<br>天野 浩<br>中村修二 | | | | | |
| 2015年 | 梶田隆章 | | 大村 智 | | | |
| 2016年 | | | 大隅良典 | | | |
| 2017年 | | | | カズオ・イシグロ | | |
| 2018年 | | | 本庶 佑 | | | |
| 2019年 | | 吉野 彰 | | | | |

（注1）
超多時間理論と「くりこみ程論」を建設して，光と電子の相互作用を解明により

（注2）
トンネルダイオード発明の業績により

（注3）
導電性高分子の発見と開発の業績により

# SCIENCE

# 第Ⅲ編
# 資 料 編

## ●応募状況一覧（第1～14回） ※応募作品数

| 区　分 | 第1回（2006年） | 第2回（2007年） | 第3回（2008年） | 第4回（2009年） | 第5回（2010年） | 第6回（2011年） | 第7回（2012年） | 第8回（2013年） | 第9回（2014年） | 第10回（2015年） | 第11回（2016年） | 第12回（2017年） | 第13回（2018年） | 第14回（2019年） |
|---|---|---|---|---|---|---|---|---|---|---|---|---|---|---|
| 小学生部門 | 281 | 411 | 682 | 596 | 588 | 608 | 874 | 917 | 799 | 816 | 1,050 | 924 | 982 | 1,106 |
| 中学生部門 | 328 | 416 | 519 | 530 | 737 | 1,602 | 1,629 | 1,070 | 1,258 | 1,402 | 1,736 | 1,936 | 1,711 | 1,719 |
| 高校生部門 | 36 | 19 | 47 | 32 | 50 | 65 | 120 | 63 | 98 | 162 | 133 | 226 | 160 | 530 |
| 合　　計 | 645 | 846 | 1,248 | 1,158 | 1,375 | 2,275 | 2,623 | 2,050 | 2,155 | 2,380 | 2,919 | 3,086 | 2,853 | 3,355 |

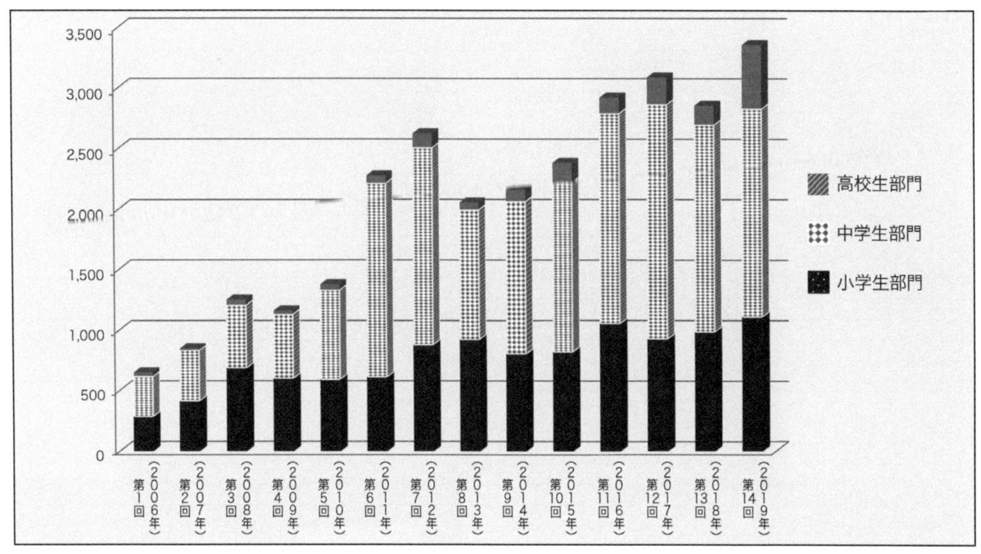


| 都道府県 | 第1回（2006年） | 第2回（2007年） | 第3回（2008年） | 第4回（2009年） | 第5回（2010年） | 第6回（2011年） | 第7回（2012年） | 第8回（2013年） | 第9回（2014年） | 第10回（2015年） | 第11回（2016年） | 第12回（2017年） | 第13回（2018年） | 第14回（2019年） |
|---|---|---|---|---|---|---|---|---|---|---|---|---|---|---|
| 北海道 | 0 | 0 | 0 | 7 | 11 | 16 | 6 | 1 | 5 | 2 | 4 | 6 | 3 | 3 |
| 青森県 | 1 | 2 | 4 | 0 | 2 | 2 | 4 | 5 | 2 | 9 | 3 | 4 | 3 | 1 |
| 岩手県 | 0 | 1 | 1 | 0 | 2 | 0 | 0 | 0 | 0 | 0 | 0 | 0 | 0 | 9 |
| 宮城県 | 0 | 0 | 2 | 2 | 0 | 0 | 0 | 1 | 0 | 5 | 3 | 65 | 65 | 69 |
| 秋田県 | 39 | 3 | 3 | 3 | 1 | 1 | 0 | 1 | 7 | 8 | 1 | 0 | 0 | 0 |
| 山形県 | 0 | 1 | 3 | 1 | 1 | 0 | 1 | 1 | 0 | 1 | 0 | 0 | 0 | 0 |
| 福島県 | 6 | 15 | 23 | 1 | 2 | 1 | 0 | 3 | 1 | 3 | 4 | 1 | 3 | 6 |
| 茨城県 | 96 | 7 | 96 | 43 | 19 | 190 | 247 | 233 | 225 | 221 | 242 | 227 | 198 | 195 |
| 栃木県 | 1 | 0 | 0 | 0 | 1 | 1 | 0 | 0 | 3 | 1 | 0 | 1 | 2 | 1 |
| 群馬県 | 0 | 0 | 5 | 6 | 4 | 3 | 15 | 5 | 0 | 0 | 1 | 1 | 1 | 1 |
| 埼玉県 | 21 | 0 | 2 | 5 | 9 | 3 | 10 | 9 | 10 | 10 | 21 | 101 | 107 | 37 |
| 千葉県 | 34 | 4 | 1 | 4 | 2 | 9 | 7 | 9 | 11 | 19 | 27 | 18 | 12 | 34 |
| 東京都 | 267 | 406 | 327 | 326 | 308 | 749 | 624 | 352 | 543 | 690 | 840 | 969 | 699 | 1339 |
| 神奈川県 | 13 | 9 | 15 | 18 | 10 | 2 | 20 | 55 | 14 | 33 | 28 | 71 | 54 | 34 |
| 新潟県 | 2 | 15 | 15 | 0 | 11 | 7 | 0 | 2 | 1 | 10 | 6 | 7 | 13 | 12 |
| 富山県 | 0 | 0 | 3 | 3 | 0 | 1 | 1 | 0 | 2 | 7 | 3 | 0 | 0 | 0 |
| 石川県 | 0 | 0 | 3 | 2 | 3 | 2 | 0 | 0 | 0 | 0 | 1 | 5 | 2 | 2 |
| 福井県 | 0 | 0 | 1 | 1 | 1 | 0 | 0 | 0 | 0 | 0 | 0 | 0 | 1 | 4 |
| 山梨県 | 0 | 0 | 0 | 0 | 2 | 0 | 2 | 1 | 0 | 0 | 0 | 0 | 3 | 1 |
| 長野県 | 1 | 0 | 2 | 2 | 2 | 0 | 0 | 0 | 0 | 0 | 3 | 1 | 0 | 0 |
| 岐阜県 | 1 | 1 | 1 | 0 | 1 | 0 | 2 | 4 | 12 | 20 | 3 | 7 | 7 | 5 |
| 静岡県 | 0 | 2 | 9 | 2 | 3 | 0 | 8 | 5 | 15 | 15 | 10 | 23 | 7 | 13 |
| 愛知県 | 11 | 12 | 27 | 8 | 15 | 36 | 43 | 27 | 12 | 30 | 25 | 44 | 31 | 52 |
| 三重県 | 0 | 1 | 5 | 1 | 99 | 14 | 5 | 0 | 21 | 1 | 2 | 1 | 2 | 8 |
| 滋賀県 | 0 | 0 | 0 | 0 | 0 | 0 | 2 | 0 | 0 | 1 | 0 | 0 | 0 | 0 |
| 京都府 | 0 | 0 | 2 | 1 | 1 | 5 | 6 | 11 | 13 | 24 | 264 | 204 | 250 | 190 |
| 大阪府 | 14 | 239 | 355 | 366 | 567 | 711 | 893 | 896 | 839 | 801 | 952 | 913 | 1011 | 851 |
| 兵庫県 | 3 | 103 | 190 | 187 | 73 | 217 | 360 | 241 | 150 | 179 | 180 | 179 | 166 | 174 |
| 奈良県 | 94 | 0 | 6 | 1 | 2 | 3 | 12 | 9 | 16 | 21 | 8 | 10 | 2 | 4 |
| 和歌山県 | 1 | 0 | 0 | 0 | 0 | 78 | 79 | 0 | 0 | 30 | 1 | 4 | 0 | 0 |
| 鳥取県 | 0 | 0 | 0 | 0 | 1 | 0 | 0 | 0 | 2 | 1 | 0 | 1 | 0 | 0 |
| 島根県 | 0 | 0 | 0 | 0 | 0 | 0 | 0 | 3 | 6 | 8 | 2 | 5 | 3 | 7 |
| 岡山県 | 0 | 1 | 2 | 3 | 3 | 3 | 14 | 18 | 19 | 16 | 17 | 9 | 5 | 6 |

| 都道府県 | 第1回（2006年） | 第2回（2007年） | 第3回（2008年） | 第4回（2009年） | 第5回（2010年） | 第6回（2011年） | 第7回（2012年） | 第8回（2013年） | 第9回（2014年） | 第10回（2015年） | 第11回（2016年） | 第12回（2017年） | 第13回（2018年） | 第14回（2019年） |
|---|---|---|---|---|---|---|---|---|---|---|---|---|---|---|
| 広島県 | 4 | 1 | 3 | 3 | 8 | 2 | 2 | 7 | 5 | 3 | 5 | 1 | 9 | 14 |
| 山口県 | 1 | 1 | 2 | 4 | 6 | 5 | 4 | 3 | 3 | 1 | 1 | 2 | 3 | 0 |
| 徳島県 | 0 | 0 | 0 | 0 | 0 | 0 | 0 | 0 | 0 | 0 | 0 | 0 | 0 | 0 |
| 香川県 | 0 | 0 | 0 | 0 | 0 | 0 | 33 | 9 | 15 | 2 | 2 | 5 | 2 | 5 |
| 愛媛県 | 2 | 1 | 2 | 0 | 2 | 0 | 1 | 1 | 2 | 1 | 4 | 6 | 8 | 13 |
| 高知県 | 29 | 3 | 0 | 1 | 1 | 1 | 0 | 0 | 0 | 1 | 0 | 4 | 0 | 1 |
| 福岡県 | 2 | 2 | 34 | 21 | 64 | 60 | 28 | 46 | 53 | 74 | 27 | 48 | 58 | 114 |
| 佐賀県 | 0 | 1 | 0 | 0 | 0 | 0 | 0 | 0 | 0 | 0 | 5 | 5 | 0 | 1 |
| 長崎県 | 1 | 1 | 1 | 0 | 1 | 1 | 2 | 3 | 8 | 5 | 33 | 38 | 10 | 7 |
| 熊本県 | 0 | 0 | 1 | 0 | 0 | 0 | 0 | 1 | 0 | 1 | 1 | 2 | 1 | 2 |
| 大分県 | 0 | 0 | 0 | 0 | 20 | 8 | 6 | 8 | 38 | 60 | 1 | 0 | 0 | 0 |
| 宮崎県 | 0 | 3 | 3 | 60 | 0 | 0 | 0 | 0 | 0 | 0 | 1 | 16 | 10 | 17 |
| 鹿児島県 | 0 | 1 | 0 | 0 | 0 | 0 | 1 | 0 | 3 | 0 | 1 | 1 | 2 | 1 |
| 沖縄県 | 1 | 2 | 1 | 2 | 3 | 5 | 8 | 4 | 9 | 10 | 5 | 9 | 4 | 9 |
| ドイツ連邦共和国 | 0 | 4 | 54 | 59 | 47 | 50 | 47 | 34 | 34 | 0 | 0 | 0 | 0 | 0 |
| ポーランド共和国 | 0 | 1 | 0 | 0 | 0 | 0 | 0 | 0 | 2 | 0 | 0 | 1 | 1 | 0 |
| オーストラリア連邦 | 0 | 1 | 0 | 0 | 0 | 0 | 0 | 0 | 3 | 0 | 0 | 0 | 1 | 0 |
| 大韓民国 | 0 | 2 | 44 | 15 | 66 | 66 | 84 | 6 | 0 | 0 | 20 | 13 | 24 | 32 |
| アラブ首長国連邦 | 0 | 0 | 0 | 0 | 1 | 0 | 0 | 0 | 0 | 3 | 0 | 0 | 0 | 0 |
| 中華人民国共和国 | 0 | 0 | 0 | 0 | 0 | 15 | 8 | 1 | 6 | 2 | 120 | 5 | 11 | 40 |
| 中華民国 | 0 | 0 | 0 | 0 | 0 | 0 | 1 | 0 | 0 | 0 | 0 | 0 | 0 | 0 |
| インドネシア共和国 | 0 | 0 | 0 | 0 | 0 | 1 | 0 | 0 | 0 | 0 | 0 | 0 | 0 | 0 |
| タイ王国 | 0 | 0 | 0 | 0 | 0 | 2 | 1 | 5 | 4 | 13 | 3 | 4 | 8 | 2 |
| シンガポール共和国 | 0 | 0 | 0 | 0 | 0 | 4 | 1 | 1 | 1 | 3 | 0 | 0 | 0 | 0 |
| マレーシア | 0 | 0 | 0 | 0 | 0 | 1 | 10 | 1 | 0 | 0 | 0 | 4 | 20 | 12 |
| メキシコ合衆国 | 0 | 0 | 0 | 0 | 0 | 0 | 1 | 2 | 7 | 0 | 0 | 0 | 0 | 0 |
| ハンガリー | 0 | 0 | 0 | 0 | 0 | 0 | 24 | 24 | 31 | 35 | 35 | 37 | 27 | 24 |
| イタリア共和国 | 0 | 0 | 0 | 0 | 0 | 0 | 0 | 1 | 2 | 0 | 0 | 5 | 0 | 3 |
| パキスタン・イスラム共和国 | 0 | 0 | 0 | 0 | 0 | 0 | 0 | 1 | 0 | 0 | 0 | 0 | 0 | 0 |
| イラン・イスラム共和国 | 0 | 0 | 0 | 0 | 0 | 0 | 0 | 0 | 0 | 0 | 2 | 1 | 1 | 0 |
| インド | 0 | 0 | 0 | 0 | 0 | 0 | 0 | 0 | 0 | 0 | 2 | 2 | 1 | 0 |
| チェコ共和国 | 0 | 0 | 0 | 0 | 0 | 0 | 0 | 0 | 0 | 0 | 0 | 0 | 1 | 0 |
| オランダ | 0 | 0 | 0 | 0 | 0 | 0 | 0 | 0 | 0 | 0 | 0 | 0 | 1 | 0 |
| 合計 | 645 | 846 | 1,248 | 1,158 | 1,375 | 2,275 | 2,623 | 2,050 | 2,155 | 2,380 | 2,919 | 3,086 | 2,853 | 3,355 |

●第13回　表彰式・発表会（2018年12月22日：筑波大学大学会館）

表彰式

発表会

受賞記念品（楯）

受賞記念品（クリアファイル＆下敷き）

## ●第13回 「科学の芽」賞受賞作品

（代表者学年順）

| 作品の題名 | 学 校 名 | 受賞者氏名 |
|---|---|---|
| 〔小学生部門〕 | | |
| 地すべりが起きるのはなぜ？ | 京都・私立洛南高等学校附属小学校３年 | 太田 瑛麻 |
| 金魚はかしこいのか？<br>～えさをもらうために人間をよぶのか～ | 大阪・大阪教育大学附属池田小学校３年 | 松本 七星 |
| ぴったりうちわを探れ | 東京・筑波大学附属小学校３年 | 丸山 紗楽 |
| ザ・塩 Part3 | 愛知・刈谷市立住吉小学校５年 | 加藤 恵硫 |
| カレーのカビが生える条件を調べよう | 京都・私立洛南高等学校附属小学校５年 | 金城 凜子 |
| 継母のひみつ。 | 京都・私立洛南高等学校附属小学校５年 | 村上 智絢 |
| スーパーボールを水面で弾ませたい！パート３ | 岐阜・多治見市立根本小学校５年 | 坂崎 希実 |
| 天下一の『通し矢』の記録を生み出した三十三間堂の秘密<br>～ 120 m の距離を射通す驚異の成功率の謎を解く～ | 東京・筑波大学附属小学校６年 | 雨宮龍ノ介 |
| デントコーンはなぜキセニアをおこさないのか | 栃木・矢板市立片岡小学校６年 | 小野 琴未，坂部 汐梨 |
| カマキリの眼 ～カマキリが見ている世界～ | 熊本・熊本市立帯山小学校６年 | 出口 周陽 |
| 〔中学生部門〕 | | |
| ハスの葉柄内にみられた謎の膜様構造に迫る | 東京・私立慶應義塾中等部１年 | 小平 菜乃 |
| 糸が切れる仕組みの解明 | 神奈川・大磯町立大磯中学校２年 科学部 | 糸班<br>山口仁香流，河合 昴 |
| 塩ラーメンは発電している !? | 大阪・大阪教育大学附属池田中学校２年 | 小路 瑛己 |
| 音響学と物理学から考えたアップライトピアノに関する研究 | 東京・筑波大学附属中学校２年 | 寺井健太郎 |
| うちわのメカニズム | 東京・筑波大学附属中学校２年 | 北島 優紀 |
| 風力発電に適した羽根の研究（その 2）<br>～ペットボトルを使った風力発電に適した羽根とは～ | 長崎・長崎大学教育学部附属中学校３年 | 山道 陽輝 |
| ダンゴムシ類の乾燥に耐える力 | 広島・廿日市市立野坂中学校３年 | 塚迫 光 |
| つるの研究<br>～つるは光の色を認識できるのか？～ | 静岡・藤枝市立高洲中学校３年 | 大川果奈実 |
| 〔高校生部門〕 | | |
| 指紋モデルの凹凸による摩擦力増加の研究 | 千葉・私立渋谷教育学園幕張高等学校３年 | 大村 拓登 |
| 固まりにくい食塩をつくる<br>～尿素を用いた八面体食塩の作製～ | 京都・京都府立洛北高等学校３年 | 笹田 翔太 |

## ●第13回 「科学の芽」奨励賞受賞作品

（学年順）

| 作品の題名 | 学　校　名 | 受賞者氏名 |
|---|---|---|
| 〔小学生部門〕 | | |
| 海の魚はどうして海で生活できるの？ | 東京・筑波大学附属小学校３年 | 平井　沙季 |
| ぼくの夢「空飛ぶ車を開発したい」<br>～車は空中でどうなるのかな？～ | 神奈川・鎌倉市立関谷小学校３年 | 伊藤　允人 |
| ビル風はどう起きるのか？ | 東京・筑波大学附属小学校４年 | 矢部　泰旺 |
| 逆さまの世界でめだかの姿勢はどうなるの？ | 京都・京都市立西陣中央小学校４年 | 神崎　　音 |
| 地下鉄が運ぶ風のゆくえ | 東京・筑波大学附属小学校５年 | 平下えみり |
| 美味しいトマトはどんなトマト？ | 東京・筑波大学附属小学校５年 | 黒住明日香 |
| 秘伝のタレ（つぎ足し）は安全なのか？<br>～ PART 2 ～ | 静岡・裾野市立西小学校５年 | 川合　唯月 |
| 金緑色に輝く5mmの昆虫　種の特定に迫るとともにその生態を探る | 愛知・名古屋市立大森北小学校６年 | 加藤　　立 |
| 射的で景品をたくさん獲りたい！ | 東京・筑波大学附属小学校６年 | 堀江　咲空 |
| 〔中学生部門〕 | | |
| あんかけが，今、熱い！！ | 大阪・大阪教育大学附属池田中学校２年 | 和田　明佳 |
| 汗にはどのような利点があるのか？ | 大阪・大阪教育大学附属池田中学校２年 | 木村　峻大 |
| ３次元二重振り子の不規則運動の観測 | 東京・筑波大学附属中学校２年 | 藤本彩由佳 |
| 2018年度版　根本の川の蛍研究 | 岐阜・多治見市立小泉中学校２年 | 坂﨑　巧実 |
| 熱気球を長く飛ばすには２ | 新潟・新潟大学教育学部附属長岡中学校３年 | 丸山　陽大 |
| 身近にひそむ危険「土砂災害」 | 東京・私立田園調布学園中等部３年 | 篠塚　茉那 |
| 〔高校生部門〕 | | |
| 金コロイドを用いた、システインの定量 | 兵庫・私立仁川学院高等学校１年 | 川村ヒカル |
| ダンゴムシとワラジムシのフンから防カビ物質を抽出したい！ | 島根・島根県立出雲高等学校１年 | 片岡　柾人 |
| ネオジム磁石球を用いた地磁気の測定 | 北海道・私立札幌日本大学高等学校<br>２年　宮本　悠史，石黒　駿斗 | |
| 扇風機による音の変化 | 愛媛・愛媛県立松山南高等学校<br>３年　和氣　史佳，上田　朝陽，大原　千尋<br>廣川　直哉 | |
| 加熱の有無による水の冷却曲線の違い<br>―密度が冷却曲線に与える影響― | 京都・京都府立洛北高等学校　サイエンス部<br>３年　清水　花音，土岐　壱生，笹田　翔太<br>伏見　宗紘，廣瀬奈穂美 | |
| 規格外枇杷の有効利用法について<br>～枇杷の保存方法及びカステラ製品の開発と普及～ | 長崎・長崎県立諫早農業高等学校　食品科学部<br>３年　岡村　彩加，前田　悠花，德永かほり<br>２年　岩村　優輝，舩津　歩武，水口　喬太<br>安部　幸音，仙田　　優，鶴﨑　めぐ<br>中原　希美，西村　友里，二宮　愛衣<br>濱﨑　莉未，峰　ちはる，森　凪沙<br>１年　市川　美幸，松尾　歩香 | |
| 光度変化から分かる小惑星の形状 | 愛媛・愛媛県立松山南高等学校　マイナープラネット班<br>３年　北本　菜々花，山本　千聖 | |

## ●第13回 「科学の芽」学校奨励賞

宮城県・宮城県立仙台第一高等学校
茨城県・茨城県立並木中等教育学校
茨城県・私立茨城中学校
埼玉県・私立本庄東高等学校附属中学校
東京都・大田区立蒲田中学校
東京都・私立慶應義塾中等部
東京都・私立國學院大學久我山中学校
東京都・私立成城中学校
東京都・私立田園調布学園中等部
神奈川県・私立サレジオ学院中学校
新潟県・新潟県立新発田高等学校
神奈川県・私立慶應義塾湘南藤沢中等部
愛知県・刈谷市立住吉小学校
京都府・私立洛南高等学校附属小学校
大阪府・大阪教育大学附属池田小学校
大阪府・大阪教育大学附属天王寺小学校
大阪府・大阪教育大学附属池田中学校
大阪府・私立金蘭千里中学校
大阪府・太子町立中学校
兵庫県・私立雲雀丘学園中学校
福岡県・私立明治学園中学高等学校
福岡県・私立小倉日新館中学校
宮崎県・宮崎県立五ヶ瀬中等教育学校
ハンガリー共和国・ブダペスト日本人学校
大韓民国・釜山日本人学校
マレーシア・在マレーシア日本国大使館附属
クアラルンプール日本人会
中華人民共和国・香港日本人学校香港校小学部

## ●第13回 「科学の芽」努力賞受賞作品

〔小学生部門〕

○環境にやさしい燃料電池（小田結以，空本桃奈・3年，空本亜緒依・5年）○氷のひみつ ～とけにくい氷、とけやすい氷～（三科亮太・3年）○アゲハの幼虫はだっぴしたかわをかならず食べるとはかぎらない。グルメな幼虫（吉本隆良・3年）○なぜヒョウモントカゲモドキはトカゲモドキというのか？（堀田 蓮・3年）○スーパーボール大じっけん！はねる、しずむをしらべてみた（竹内優梨香・3年）○「くすぐったい」のなぞ（小海実桃・3年）○ウズラを育てたい パート2 －自然孵化と人工孵化－（木下悠真・3年）○ドジョウは地震を察知できるのか？（諸岡遼哉・3年）○かつおとこんぶのだしVSとまとのだし どっちがおいしい？（鶴埜瑠璃・3年）○トランプはなぜそんなに飛ぶの？（西﨑あおい・3年）○カーネーションを長もちさせるにはどうすればいいの？（的場友里・3年）○僕が犬と快適にくらすには⁉（中山諒一・3年）○脈拍数と体の調子との関係について（本岡由琴・3年）○リント昆虫記（植田稟都・3年）○ザリガニ どうかわる？（倉本恵生・3年）○われにくいシャボン玉はどうやって作るの？～ビッグバブルに挑戦～（柴悠一郎・3年）○なぜ飛行機は飛ぶのだろうか？（吉形凌太朗・3年）○ほねのやくわりってなにかな？（中川実玲・3年）○アリの好物は何でしょう？（杉並 慧・3年）○夏を涼しく過ごすには～どうして暑いの？涼しいの？～（竃 美里佳・3年）○様々な結晶（土井一真・3年）○太陽対水（種井誠真・3年）○人体実験 納豆で鼻水を減らせるか⁉（兒玉望来・3年）○鉱物大好き（大野優晟・3年）○どの5感がストレスをさげるのによいか（中谷愛貴・3年）○カブト虫の生まれたときのオスとメスの数（平嶋久大・3年）○宇宙服の秘密（東條夏撫・3年）○昆虫の口の形のちがい（藤永 直・3年）○熱いベランダを冷やしたい！～プログラミングで自動水まき機を作ってみた～（藤本暖大・3年）○おいしい野さいを作りたい！－わが家の土じょうかい良－（岩井飛祐・3年）○浮力の不思議 ～どうして物が水に浮くの？～（山根勝利・3年）○けん玉の「もしかめ」は音楽をかけると長く続けられるのか（藤澤由佳莉・3年）○凍らせたポカリスエットはなぜ甘い？（出野穂和奏・4年）○さかさ川たんけんたい －さかさ川の水質のひみつにせまる－（齊藤理桜・4年）○植物の種はどうやって発芽の日を決めるの？～気温と植物の成長を比べてみる～（和田明日香・4年）○安心なお弁当のために ～カビを防げ！～（船越美伶・4年）○アリの巣と電磁波の影響（関 睦人・4年）○自分の力で火を起こす（池野志季・4年）○花火の色の仕組み（小寺 葵・4年）○蚕って？（乾 日和・4年）○環境にやさしいプラスチック（渡邊史子・4年）○コップ無し糸電話の研究（野辺泰志・4年）○セミとかの活動は気温と関係があるのか？（蓑輪映心・4年）○100均一の保冷カバーに負けない！ 最強の手作り保冷カバー！（渡邊怜斗・4年）○立体プラネタリウムを作ろう パート2（笹川双葉・5年）○科学のバトン 寄り添う水（笹川若葉・5年）○枝豆に共生する根粒菌を科学する～光の量が与えるえいきょうと根粒菌の生物的なえいきょうについて～（溝口貴子・5年）○ろかするのはどんな物？（田原優香・5年）○輪ゴムで実験！火星ローバーでサンプルを取るために！（ベイン波龍・5年）○炭酸ガスから電気エネルギーを生み出す試み（石井一輝・5年）○七転び八起き 植物の偉大な力 PART2（椎木双葉・5年）○夏の思い出に美しいヤンマの色を残す－色落ちしないヤンマの標本の作り方－（河合翔太・5年）○オジギソウのひみつをさぐる ～3年間の研究から分かったこと～（田山智捺・5年）○おいしいプリンの作り方（藤田 樹・5年）○ダンゴムシの習性（尾野悠人・5年）○効率の良い暗記の仕方（箕輪怜晟・5年）○童謡「とんぼのめがね」はなぜ3番までなのか（矢野久志・5年）○ぶどうはどの部分が甘いのだろう？（谷口真歩・5年）○本当に海水に含まれる塩は1$l$あたり約34 g なのかどうか。（北岸由光・5年）○4つの世界の成長日記（小西咲楽・5年）○葉でお茶を作ってみよう（飯田結斗・5年）○食中毒・注意 ZERO へ ～食中毒と注意を ZERO にするための手洗い～（髙田直輝・5年）○お米を美味しく炊こう（綱島瑞葵・5年）○メダカの追随運動実験 ～メダカはたてに動くのか？～（出口実日子・5年）○地上10000 m の気温はなぜ低い？（蕨 優希・5年）○ピン札接近大作戦（東裏旺武・5年）○家の周りのアリの観察～迷子アリの救出活動～（保田清修・5年）○アオスジアゲハの翅の秘密（松澤 蒼・6年，松澤 新・4年）○冷たい麦茶を早く飲みたいお湯を早く冷ますには（宗田将英・6年）○プロジェクト Ryu-Q ～リュウキュウオオスカシバをさがせ～（眞榮城綾香・6年）○環境によって変わる集中力について（高橋叶隠・6年）○セミの羽化（6年次）～パート9：ニイニイゼミ救出大作戦 No.2. 美しいふるさとの自然観察（清水美里・6年）○クモの糸にできる「水滴」の研究（加藤楓菜・6年）○室温を30分間保つ方法は見つかるか（大久保 蓮・6年）○渦と水の流れ ～どうして渦はできるのか～（武田悠楽・6年）○夜景のしかけの種明かし（稲野辺 開・6年）○記憶のメカニズム研究（青木幸聖・6年）○料理が上手になるために ～メイラード反応を使いこなす～（佐藤祐華・6年）

〔中学生部門〕

○ニホンヤモリの体色変化 ～壁色によって変化する体色の観察～（大久保 悍・1年）○カタツムリとナメクジの体はなぜ切れないのか？（片岡嵩皓・1年）○ミニグライダーの研究（芦ヶ原寛之・1年）○マローブルーでものを染める（津曲香遥・1年）○太陽系の火山地形（山田優斗・1年）○どうすれば輪ゴムを遠くに飛ばせるか？（大平 七・1年）○紙はどのくらい水に耐えられるのか（青山沙那恵・1年）○靴下・洗濯のひみつ（伊藤梨菜・1年）○ジェルボールから手間なし調理～Part 1～（江原寧々・1年）○バックウォーター現象って何だろう？～再現してみる～（星野夏葉・1年）○天秤はなぜ傾いて静止するのか（矢野祐奈・1年）○屈折率の研究（屈折率測定方法と求め方及び屈折率と濃度の関係）（石本光歌子・1年）○新たな蛍光物質の探究（横井野恵美・1年）○合成着色料について（竹末海修・1年）○人工照明によるカイワレダイコンの生長について（山川良空・1年）○ハカラメの発芽のメカニズムを探る（服部開都・1年）○《金星の謎》スーパーローテーションに迫る ～「あかつき」のデータによる 金星の風の観察～（山田 結・1年）○キャッチャーはつらいよ part2 ～キャッチャーが猛暑を乗り切るために～（神﨑 咲・1年）○伸ばしたクリップの長さの違いや折れ曲がりとの着磁関係～棒磁石を半分に切ると強さはどうなるか～（松原来未・2年）○鉄粉を用いた発熱材の研究Ⅱ－使い捨てカイロの材料を用いて条件を探る－（黒部佑大・2年）○自宅庭の雑草のアレロパシー調査への挑戦3 ～雑草の一生においてアレロパシー効果は変化するのか？～（宮嵜夢太・2年）○温暖化から世界を救うおじぎ草 塩分濃度と水温による気孔コントロールの可能性（髙垣有希・2年）○食品品質保持剤って本当に効いているの？（吉田瑛貴・2年）○酷暑を気化熱で乗り切る（西川響名子・2年）○台風の雲を作る実験（西村百桃・2年）○風による建物への影響（武田優希・2年）○ペットボトルを遠くに飛ばすには No.2（笠原岳士・2年）○セミの抜け殻の利用法を考える（藤巻碧一，安西 輝，高橋伶典，藤森敦史，緑川浩太朗・2年）○モン・サン＝ミシェルのオムレツをしぼませないためには ⁇（堤 そよ佳・2年）○鏡よ鏡、～あなたを美しくするものは何？～（小川志穂・2年）○美しい錆はつくれるか？（園田さら・2年）○制服の墨のシミを落とすには？（髙橋カレム・2年）○家造りの達人 ⁉ 大家族を支えるツバメの巣（溜島和花・2年）○箱根火山がつくった地層（佐藤千央・2年）○土はどうやって乾いていくのだろうか（大野 栞・2年）○人工宝石の製造（辻 泰地，松永一汰，松島昌輝，清髙翔宇，三好琢磨・2年）○ムラサキゴテンについて ～クロロフィルとアントシアニン～（中井 愛・2年）○シャンプーの成分比較（吉永芽生・2年）○食塩の脱水作用と食べ物の浸透圧の関係（那波佳乃・2年）○ゴミは生活をかえるのか ゴミを有機肥料に変える Part 3（椎木一那・2年）○錯体の色の変化を探るⅡ（岡野太雅・2年）○身の回りの油について（堂本和希・2年）○「さ・し・す・せ・そ」の科学 ～味の染み込みやすさと 濃度・加熱の関係～（神 佐緒里・3年）○現生ワニのプロポーション2型と絶滅種ワニの全長推定（田中拓海・3年）○ストローから出る「ズズズっ音」の正体を探れ！（安田匠吾・3年）○ A3紙で空気をとらえよう（奥村美賀子・3年）○物体同士がくっつく速さとゆがみの大きさの関係（寺澤千聡・3年）○食材を使ったパクチーの香りを抑える方法（乾野隼之介・3年）○貝殻変色の理由（本間皓大・3年）○酢豚にパイナップルは必要か（佐藤 薫・3年）○化学発光（三浦隆嗣・3年）○非電化冷蔵庫の研究3（平田亜花莉，那須茉生・3年）○パラシュートのキャノピーと頂部通気孔の関係（石黒湧暉・3年）○セルロースを利用したバイオ電池

vol.2 ～備長炭を利用したバイオ電池の工夫～（清水亮祐・3年）○新郷村と五戸川第8章～河川と水路の調査～（小坂高義・3年，下栃棚弘大，橋端圭太・2年）○クワガタムシ、北半球は右利き？南半球は左利き？（嶋田星来・3年）○混合物の炎色反応（野崎浩気・3年）○リングキャッチャーを誰でも成功する条件を探るパートⅢ ～リングキャッチャーを百発百中に～（北野 志，角野 亮・3年）

〔高校生部門〕

○コップから流れる水の形（岡野修平・1年，佐々木大和，堀田悠真，笠井圭太・2年）○クモの糸の粘球とクモの歩行 ―円網の巣を作るクモの縦糸には本当に粘球がないのか―（小寺康太，徳岡直樹，高部侑汰，館山大輝・3年，筧 迅，杉浦太智，橘 広将，西木杏佳・1年）○ヒダサンショウウオの産卵行動の解明（三宅遥香・1年）○炭酸水と純水の気泡の温度は冷却過程でどう変化するのか（内橋春香，芝本悦希，内藤 諒，藤本朱音，松本陽菜子，吉田朱里・3年，小林すずみ，西村向遥，深瀬 葵，藤田ちなつ・2年，岸本ななみ，小林万起，藤井咲幸，横山 渚・1年）○「良い数列」について（古川真守・2年）○くず鉄を用いてCO2回収とH2製造を同時に行う（恒川 隼，水野元葉・2年，大西 遥，兼田航希，藪崎菜奈子・1年）○イオン液体 1-ブチル-3-メチルイミダゾリウムクロリドを用いたセルロース加水分解の高効率化（深野木豪太，谷相俊輔・2年，武藤優里，神崎七海，樋田一貴・1年）○流紋岩、安山岩、玄武岩の貫入岩にみられる流理構造の比較（神崎直哉，笹倉瑠那，津田晟俊，西山太一，福田俊介，藤原宏馬，村上凱星・3年，足立大将，友藤奈津歩，西山壮人，松井陵記，村上由奈・2年，荻野幹太，北口龍河，小林裕和，富田直希，田中陽来，伊藤大翔・1年）○カイコの幼虫に対する赤色光LEDライトによる成長促進の研究（市川尚人・2年）○物理的観点による沖縄方言と標準語の母音の比較2 ～後世に残す沖縄方言～（島袋航弥，城間未唯，仲村春乃，銘苅紗也・3年）○ハノイの塔への条件付与（久住駿介，高口和真，藤原景惟，松橋亨弥・3年）○空気抵抗についての研究（薄井空良，川口翔大，平野和輝，宮﨑 聖・3年）○フラクタル構造を持った正多面体（長田梨伽，眞野暁子・3年）○糖の分子構造と浸透現象の関係性（井上愛理，桐畑咲良，野中綾乃，河野華緒，宮本存大・3年）○簡易的な電気泳動ゲルの開発及び天然色素の新規単離法の確立（金城 藍，伊集 俊，屋富祖百音・3年）○アミノ-カルボニル反応の濃度依存性について（村井千絃，野崎優奈，横溝芽衣，吉田晴香・3年）○活性炭に代わるコーヒー炭の開発 ～溜川の持続可能な水質改善～（福島優乃，渡邉玲奈，長田巧太，白神海斗・3年）○メチレンブルーと糖類の反応による脱色時間（中山優大・3年）○特定外来種ウチダザリガニの駆除 ～有効利用法の検証及び個体推定法の検証～（伊藤里久旺，川原聡真，遠藤汰地，小田島幹太，橋本虎大朗・3年，坂本佑人，佐々木大輝，澤田悠樹，三浦礼遠，池田愛花・2年）○チャバネゴキブリは飛べないのに、なぜクロゴキブリは飛べるのか（棚倉有紀，岩田真菜佳，甘中詩乃，橋本眞子，藤井陽菜子，寶谷 舞・3年，棚倉淳朗，山添和花，吉田拓真・2年，川上和美，蔦川拓真，西浜崇登，寶谷 唯・1年）○ゾウリムシは回避反応を記憶するか（田中明理・3年）○岩石に圧力を加えるとどのような亀裂が生じるのか？（椿 陽仁，垣内幸太，友澤青空，野中綾乃・3年）

## ●第13回 「科学の芽」探究賞受賞作品

〔中学生部門〕

○たべものの　いろの　へんか　に関して（高橋るい・3年）

## ●第13回 「科学の芽」探究特別賞受賞作品

〔中学生部門〕

○命の色 ～おおつかぞめ～（筑波大学附属大塚特別支援学校 中学部3年・3年）

●第14回　表彰式・発表会（2019年12月21日：筑波大学大学会館）

表彰式

発表会

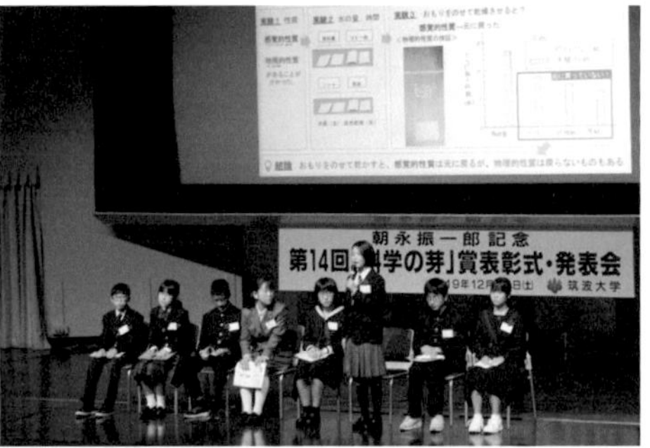

受賞記念品（楯）

受賞記念品（クリアファイル＆下敷き）

## ●第14回 「科学の芽」賞受賞作品

（代表者学年順）

| 作品の題名 | 学校名 | 受賞者氏名 |
|---|---|---|
| 〔小学生部門〕 | | |
| 街にある虹 | 東京・筑波大学附属小学校３年 | 松本　晴人 |
| バッタランド 生息地によってちがいがあるのか？ | 愛知・名古屋市立猪高小学校３年 | 井上　雄翔 |
| ハンミョウはさい速の虫か<br>～虫の走る速さの研究～ | 大阪・大阪教育大学附属天王寺小学校３年 | 鈴木　健人 |
| 不思議だな、カニの巣穴 | 広島・私立学校法人鶴学園なぎさ公園小学校３年 | 高橋　真湖 |
| ３本足のひみつ | 東京・筑波大学附属小学校４年 | 菊地　　灯 |
| 新聞紙の底力 | 東京・筑波大学附属小学校４年 | 鶴丸　　梓 |
| 水は力持ち！ | 東京・筑波大学附属小学校４年 | 丸山　紗楽 |
| カタツムリ生活の秘密　巣箱の工夫 | 千葉・筑波大学附属聴覚特別支援学校６年 | 日川　義規 |
| うちの猫は天気予報士!? | 岐阜・多治見市立根本小学校６年 | 坂崎　希実 |
| 植物の発根の観察実験 PART 4<br>シロツメクサの花と発根の関係 | 愛知・豊橋市立二川南小学校６年 | 石川　春果 |
| 〔中学生部門〕 | | |
| ニホンヤモリとミナミヤモリの体色変化パート２<br>～光と模様の関係～ | 茨城・茨城県立並木中等教育学校２年 | 大久保　惺 |
| シングルリード楽器における吹奏音の研究 | 埼玉・坂戸市立城山中学校２年 | 矢野　祐奈 |
| 混ぜるとすごい！カタツムリとナメクジの粘液 | 島根・出雲市立第三中学校２年 | 片岡　嵩皓 |
| 「響け！クラリネット」～閉管楽器についての音響学的検討・管楽器の響きを可視化する～ | 東京・私立慶應義塾中等部３年 | 谷口　あい |
| 吊り橋と振動のメカニズム | 東京・筑波大学附属中学校３年 | 北島　優紀 |
| 波打った紙を元に戻す方法<br>～紙のパリパリ，ザラザラから考える～ | 神奈川・私立慶應義塾湘南藤沢中等部３年 | 坂本　帆南 |
| ラトルバック　めざせ !! 360° | 岐阜・多治見市立北陵中学校３年 | 東裏　昂士 |
| 雑草なんて言わせない !! 本当はすごい！タンポポ | 愛知・豊橋市立東陽中学校３年 | 岩田くるみ |
| 〔高校生部門〕 | | |
| オカダンゴムシの共生菌による抗カビ物質生産 | 島根・島根県立出雲高等学校２年 | 片岡　柾人 |

## ●第 14 回 「科学の芽」奨励賞受賞作品 （学年順）

| 作品の題名 | 学 校 名 | 受賞者氏名 |
|---|---|---|
| 〔小学生部門〕 | | |
| パンのカビからわかる手洗いの大切さとてんか物のふしぎ | 東京・筑波大学附属小学校３年 | 落合 晴寿 |
| 最強の保冷剤の探究 | 東京・筑波大学附属小学校３年 | 今野 柚希 |
| セミのしがいはどうなるか？ | 東京・筑波大学附属小学校３年 | 矢野 真悠 |
| なるべくすすを付けない野外カレー作り | 東京・筑波大学附属小学校４年 | 平井 沙季 |
| 金魚はかしこいのか？パートⅡ ～金魚は芸ができるのか？～ | 大阪・大阪教育大学附属池田小学校４年 | 松本 七星 |
| 木の葉のくるくる回転落下の研究 | 東京・筑波大学附属小学校５年 | 野辺 泰志 |
| 夏のまちの快適さ | 東京・筑波大学附属小学校５年 | 矢部 泰旺 |
| 田んぼから学べ！熱中症対策 | 岐阜・多治見市立根本小学校６年 | 東裏 旺武 |
| 紙の実験～紙の強さはぬれ方と関係があるのか～ | 鹿児島・出水市立西出水小学校６年 | 溝口 貴子 |
| 〔中学生部門〕 | | |
| 植物のヒゲとツルの巻き方，バネの形成を観察する | 茨城・私立茨城中学校１年 | 前野 蒼衣 |
| 街路樹におけるロウソクゴケについて | 新潟・新潟大学教育学部附属新潟中学校１年 | 五十嵐龍正 |
| 自宅の庭に生息するアシナガバエ —種の特定と生態に関する調査— | 愛知・名古屋市立大森中学校１年 | 加藤 立 |
| 花の色素はどこにある？～細胞レベルで探る～ Part Ⅱ | 茨城・茨城県立並木中等教育学校 ２年 | 沈 美優，三浦 愛生 |
| エチレン効果を探る ～エチレンが引き起こす植物の利益～ | 茨城・茨城県立並木中等教育学校２年 | 山川 良空 |
| 《金星の謎》スーパーローテーションに迫る Part 2 ～ 金星の雲の動きと温度分布を考える ～ | 茨城・茨城県立並木中等教育学校２年 | 山田 結 |
| 新たな蛍光物質の探求 ～キュウリの赤色蛍光を探る～ | 茨城・茨城県立並木中等教育学校２年 | 横井野恵美 |
| セロハン膜は分子のふるい | 兵庫・私立仁川学院中学校２年 | 岡田隆之介 |
| 多方面の科学から考えた電車の揺れに関する研究 | 東京・筑波大学附属中学校３年 | 寺井健太郎 |
| シュリーレン現象を応用した砂糖水濃度測定機 | 東京・私立國學院大學久我山中学校３年 | 篠 七海 |
| 根本の川の蛍研究 2019年度版 | 岐阜・多治見市立小泉中学校３年 | 坂﨑 巧実 |
| 〔高校生部門〕 | | |
| 機能性集水システムの開発 | 青森・青森県立名久井農業高等学校 Treasure Hunters ２年 | 松橋 大希，田村 侑晟，中堤 康仁，宮木 琢愛，岩間 友紀 |
| 持続可能な海浜植物保全 ～海浜植物調査と種子活用法と希少種調査～ | 静岡・私立東海大学付属静岡翔洋高等学校 自然科学部 | ２年 森田 晃大，綿野 壮，久保田魁人，１年 梶山 稜輔，岸本 翔太 |
| ２点観測によるふたご座流星群の研究 | 岡山・私立金光学園中学・高等学校２年 | 佐藤 駿帆 |
| iPhone の音声認識の特徴 | 愛媛・私立松山聖陵高等学校 理科同好会 チーム iPhone ２年 | 片山 翼，上田 陽介，岡村 凌太，八木 颯汰，松永 璃空 |
| 中城湾の砂浜における有孔虫遺殻の分布とその来歴について | 沖縄・沖縄県立美里高校 チーム有孔虫 ２年 | 崎山 昌真，川畑 祐琳 |
| 金属葉 ～有機溶媒が電析金属薄膜の形態に与える影響～ | 茨城・茨城県立水戸第二高等学校 ３年 | 高橋 美幸 |
| 植物の緑色光の光受容体を発見 ～フィトクロム変異体を用いた緑化実験～ | 新潟・新潟県立新発田高等学校 理数科３年イネ研究班 ３年 | 小武 泉琉，河瀬 悠大，小林 夏乃，中倉 実悠 |
| 水流による侵食作用の研究 | 兵庫・兵庫県立龍野高等学校 ３年 | 坂川 陽紀，川人 康史，高田 錬，松永丞太郎 |

| | | |
|---|---|---|
| フラッシュコットンの窒素は燃えると何になるのか | 兵庫・私立仁川学院高等学校３年 | 本田　千紗 |
| 靴底のゴムとスキールノイズ | 広島・広島大学附属高等学校　科学研究班<br>３年　古賀　翔太，岡本　大輝，河尻　萌絵<br>中本　幸乃，原田　光，村上　直生 | |
| イチョウの灰を使った 釉薬の 研究 | 愛媛・愛媛県立松山南高等学校　砥部焼シスターズ<br>３年　尾野木美緒，池田　夢叶，上岡　万夏<br>嘉村彩佳里 | |

## ●第 14 回　「科学の芽」学校奨励賞

宮城・宮城県立仙台第一高等学校
茨城・茨城県立並木中等教育学校
茨城・私立茨城中学校
埼玉・私立本庄東高等学校附属中学校
千葉・私立成田高等学校付属中学校
東京・大田区立蒲田中学校
東京・私立慶應義塾中等部
東京・私立國學院大學久我山中学校
東京・私立成城中学校・成城高等学校
東京・私立田園調布学園中等部
東京・西東京市立田無第四中学校
神奈川・私立慶應義塾湘南藤沢中等部
新潟・新潟県立新発田高等学校
愛知・刈谷市立住吉小学校
京都・私立洛南高等学校附属小学校
大阪・大阪教育大学附属池田小学校
大阪・大阪教育大学附属天王寺小学校
大阪・大阪教育大学附属池田中学校
大阪・私立金蘭千里中学校
大阪・私立高槻中学校
兵庫・私立雲雀丘学園中学校
福岡・私立明治学園中学高等学校
福岡・福岡県立城南高等学校
福岡・私立福岡工業大学附属城東高等学校
ハンガリー共和国・ブダペスト日本人学校
大韓民国・釜山日本人学校
大韓民国・ソウル日本人学校
中華人民共和国・青島日本人学校
マレーシア・在マレーシア日本国大使館附属
クアラルンプール日本人会

## ●第 14 回　「科学の芽」努力賞受賞作品

〔小学生部門〕

○び生物の力で生ごみをしょ理できるのか？（浅尾理結・3 年）○記憶～ぼくに合った勉強法を見つけろ～（小野寺 諒・3 年）○どれがきれいに消せるかな？（垣本和洋・3 年）○いつもとちがう世界（高瀬彩希・3 年）○野菜でほれいざいを作ろう！（竹中開人・3 年）○ネムの木のきそく正しい生活（竹中理紗・3 年）○カマキリの口けんきゅう（壷内宇宙・3 年）○カビのふしぎ（西村隆汰・3 年）○かみの毛のひみつ～わたしと家族のかみの毛～（八反丸結衣・3 年）○コケの元気！グランプリ（濱野史帆・3 年）○蝶はどの様に餌を見分けるのか？（山岡優月・3 年）○次のバス停まで普通の速度で歩いて間に合うには（若林 想・3 年）○アオウキクサ　田んぼの「てき」「味方」どっち ⁉（東裏侑芽・3 年）○少ないエネルギーで空気を冷やす研究（宮治芽生太・3 年）○ダンゴムシのまるまり方とまるまるスピード（杉浦誠太・3 年）○日焼け止めクリームで紫外線をふせげているのか（大瀬佑花・3 年）○潮の満ち引き（大橋彩子・3 年）○恐竜は何色だったのか（市川稜一朗・3 年）○ビールのあわのせいしつ（楠山舞子・3 年）○なぜ雑草はコンクリートの上に生えるのか（近久祐希菜・3 年）○環境によってちがうセミのしゅるい～どこにどんなセミがいるのかな？～（釣賀奏音・3 年）○多肉植物のふしぎ（安岡大駕・3 年）○虫よけ探検 ～蚊にさされない夏をすごすために～（岡田麗央・3 年）○カーネーションを長持ちさせるには？（加藤桃香・3 年）○イーストを元気にする砂糖と塩のいい関係（神川菜穂子・3 年）○じ力と電気（川畑尚史・3 年）○カメレオンの体色変化について（小林麗未・3 年）○野菜の水分を調べる（辻本開理・3 年）○き生虫を薬以外で弱らせることはできるの？（肖 瑞希・3 年）○プールのタオルのふしぎ（松井雄一朗・3 年）○身近なもので作ったエコようき（プラスチックゴミをへらすために）（寺田一心・3 年）○インコが覚えるのはどっち？ ～人が教えることば VS iPad から流れる音～（中川佳穂・3 年）○「セミ」はどんな木にとまっているの？（藤原悠人・3 年）○色の三原色でいろんな色は作れるか（水谷美伶・3 年）○オジギソウは，手で触れる以外に何をすれば葉がおじぎするのか（道田優太・3 年）○どんどんふえるよマザーリーフ（村井椛恋・3 年）○ハエはどんな食べ物がすきか？（森居晴菜・3 年）

○私のまわりのアレルギー（吉田万桜・3年）○メダカの体の色は、住む場所の色によって、かわるのかな（上田奈穂・3年）○京成線全線運休の衝撃！ ～台風24号通過から5日後に発生した大規模塩害のなぞに迫る～（横内敬子・4年）○星がきれいに見える場所はどこか？（阿出川祐輔・4年）○おいしい手羽先のひみつ（荒井ひとみ・4年）○花粉観測（今城綾太・4年）○保冷されるコップを探せ！（大熊レオ淳之介・4年）○たまごのむきにくい原因（風間太朗・4年）○しわのひみつ（春日井美緒・4年）○ダンゴムシは本当に夜行性？（高橋利佳・4年）○働きアリは働かなくなることがあるのか（林 昴之介・4年）○線香花火を長持ちさせるには？（福本 新・4年）○カブトムシ 調べてみよう のぼる理由（降籏紗良・4年）○トカゲは建築家？（堀田 蓮・4年）○猛暑のサマーキャンプに最強の水筒はどれだ。（松山優子・4年）○納豆はまぜるほど粘る？（森崎さつき・4年）○雨粒をつかまえろ！（湯川 爽・4年）○田子の浦の石はどこからくるのか？（吉本隆良・4年）○シャープペンシルの替芯の強さのヒミツ（岡田 遥・4年）○だるま落としの仕組みはどんな仕組み？（中村祐香子・4年）○チリモンから見た海（西尾華奈・4年）○ありは本当に甘いものが好き？ Part.2（野口真理子・4年）○おじぎ草について（山崎 桜・4年）○カブトエビとブラインシュリンプのふ化りつ ～タマゴはどんな光が好き？～（井上 慧・4年）○食べものの匂いに迫る 鼻に入る匂い vs 鼻から抜ける匂い（河合美空・5年，河合勇学・3年）○10円玉をみがいてきれいにできる植物のちょうさ（阪田朱里・5年）○しみぬき王にオレはなる！カレーと墨汁編（石川 奏・5年）○『みずとはなんじゃ？』から疑問に思ったこと（今井千尋・5年）○猫のトイレの大問題（梅﨑 潤・5年）○エコせんざいは本当に環境にやさしいのか？（櫻井紫音・5年）○カニに秘密はあるかに？（對馬健心・5年）○メダカには鼻があるか？（羽賀郷気・5年）○海を海で守れ！（松﨑光永・5年）○微生物とプラスチック（渡邉史子・5年）○石が砂になるまで ～石達の旅～（勝見遥斗・5年）○保湿剤で乾燥を防ぐことが生活の中でどのように役立つのか（辻 涼子・5年）○おいしい玉子焼きをつくるには（出口 周・5年）○オタマジャクシの秘密（池野志季・5年）○紅茶の色はなぜ変わる？～酸性とアルカリ性，硬度の影響調査～（松本 聖・5年）○変化球について（大河内悠翔・5年）○ハムスターの頭の中を調べる（根岸よりの・5年）○卵の殻は本当になくなるのか？（濱田啓太・5年）○深海魚に触れてみて（守屋慶祐・5年）○ふわふわマシュマロの大変身！（山中楓花・5年）○さなぎのコーディネート（白井柑名・5年）○ご飯はよく噛んで食べましょう（井上聡人・5年）○磁石の力で幼虫を救え（仲野勇毅・5年）○最強モンスター！クマムシボールを作れ！！（久下沼文也・6年）○ぼくの家の周辺のアリの観察 仲間を運ぶアリの特性 part2（保田清修・6年）○ハスの植木鉢の水生態の研究（クリュコワ レイヤ・6年）○繊維が濡れるしくみの研究（米田浩大・6年）○ニンジン長持ち大作戦（綱島瑞葵・6年）○なぜ、ボールは曲がり、跳ねるのか？（門井美空・6年）○コイン落としゲーム必勝法（河津迪子・6年）○二階から目薬，入りやすいようにするには？（大穀涼太郎・6年）○効率的に歩くために（藤山俊輔・6年）

〔中学生部門〕

○牛乳から作った生分解性プラスチックの性質の違いを調べる（小林柚太郎，川口諒久，遠藤虹亮・1年）○UV-Cの影響と対策（長 ちひろ・1年）○りんごの褐色の予防と復元について（阿部悠理奈・1年）○超長距離飛行のチョウの羽の秘密（雨宮龍ノ介・1年）○がんこな墨汁のシミは、あの食材で落とす!!（鈴木紗羽・1年）○卓球のスマッシュを絶対に返したい。ラケットの角度を科学的に検証（福島空真・1年）○おいしい麺の性質とは（森 詩音・1年）○風の通り道とその強さの関係（大﨑岳仁・1年）○日焼けを防ぐために（北風友紀乃・1年）○物体が落ちる速さは本当に質量と無関係なのか？（伊奈祐葵・1年）○錠剤は砕いて飲んではいけないのか ～錠剤の形にかくされた仕掛け～（樫原来実・1年）○ガウス加速器の実験（宮本晶平・1年）○浸透圧 －魚・きゅうり・刺身・卵で実験－（渡邊奏良・1年）○昆虫の視界 ～昆虫がみている世界～（出口周陽・1年）○崎枝地区の野鳥の調査（石垣秋果・1年，立津琉人・3年）○豆苗の再生についてⅡ～3回再生させる～（小栗健人・2年）○服の素材による乾燥の違い（浅賀友貴・2年）○吸水性と速乾性（伊藤梨菜・2年）○植物が日焼けしない理由は色素にあった⁉（牧村恒希・2年）○ハスの葉柄内にみられた謎の膜様構造に迫る PART2（小平菜乃・2年）○プラナリアをより大きな個体へと再生させる条件とは？（伊東日向・2年）○インクの謎にせまる（福西美緒・2年）○色と明かりの関係性（小山 司・2年）○出ていく水はどこの水（清水萌衣・2年）○食後の歯磨きはいつするべきなのか？（有川結菜・2年）○紅茶の美味しい入れ方（金田秀雅・2年）○生活を支える形～最強の形を探せ！～（伴 百合子・2年）○寒剤を使用した温度変化（細川菜々・2年）○地震の波の地盤の中での伝わり方（大平 七・2年）○屋部川周辺の小鳥類調査Ⅲ ～スズメが少ない原因を探る～（北村渓登・2年）○雨水がサラセニアの消化液分解力に与える影響について（梅村理紗子・2年）○火成岩の磁力と磁鉄鉱の抽出（安部美咲・3年）○モンモリロナイトの吸着性を調べる実験（今村歩果・3年）○砂糖の溶解に関する研究（天谷健人・3年）○クビキリギスの色彩変異の謎に迫る ～ピンク色は遺伝するか？～（永井洸暉・3年）○身近な調味料と汚れた10円玉（石村優季・3年）○天気予報は本当に当たるのか（佐藤宏洋・3年）○白色の絵の具を使うのはやめてください？（辻野直輝・3年）○風の流れを見てみよう（福島はな・3年）○ヒメハゼにも感情はあるのか⑤（ヒメハゼの感情と顔色変化の関連性）（藤田匡信・3年）○メダカの走流性の実験（金原壮志・3年）○空飛ぶ水生半翅類の光に対する行動（小畑議枇，奥原真理子・3年）○十脚類の感覚と生態 ～その定位と走性を調べる～（渡部史子，吉本奈那，船倉理花・3年）○磁石の性質と鉄芯の変化による磁化に関する研究（その2）（松原来未・3年）

〔高校生部門〕

○セミの羽化 Platypleura kaempferi ～Part 10：ニイニイゼミのぬけがらについている白い物質調査②～清水一秀・1年，清水美里・中学1年）○イシマキガイの繁殖戦略（佐藤希音，清水まこ・1年）○つるの研究～つるの成長は光・重力に影響されるのか？～（大川果奈実・1年）○外部電源なしでネオジム磁石を用いて金属パイプ抵抗率を測定する方法（上原昂大，藤本瑞士，今村美咲・2年，宮本悠史，石黒駿斗・3年）○アカメモチの新芽の緑化、発生と紫外線量・気温における関係（唐澤明希・2年，山本唯真，柴田航輝，小川雄一郎・3年）○セロハン膜と$\beta$-CDを用いた、薬剤緩行拡散のモデル（川村ヒカル・2年）○「音の通りやすさ」に関するFFT解析を用いた振動数依存性の解明（山田日和理，平山彩美里，平野由佳子・2年）○銅樹の色と大きさの不思議～銅樹生成モデルの提案～（能智航希，大岩葵己，山内陽海・2年，伊藤龍ノ介，宗﨑拓斗・1年）○小型望遠鏡を用いたスペースデブリの観測（甲斐涼雅・2年）○今帰仁村内の河川調査Ⅱ ～瀬切れ現象からの水生生物の回復過程について～（新城航也，山口 宙，新垣柊人，比嘉智也，渡邉鼓太朗，真栄田星花海・2年，玉城憂人・1年）○Oohoの膜の厚さの研究（藤原温紀，大友空斗，本城佑大・3年）○コケ無性芽へのＩＡＡ処理の効果 ～仮根発生のメカニズムと分化～（髙橋諒香，直江彩花，平川莉紗・3年）○水蒸気でなくても雲はできるのか ～エタノール、アセトン等による雲の生成～（浦松彩乃・3年）○糖類がコンクリートの凝結遅延に与える効果の研究（井上芽生・3年）○エコクーラーの検証（北村光輝，菅原 愛，見藤 駿，山川 司・3年）○体積変化によって津波を軽減させるには（村井杏伍，阿部海斗，阪下涼介，冨樫 陸，渡邉朝陽・3年）○凝固による水溶液の体積変化は何で決まるか？（和田卓登，佐藤寛大，山崎堅也，山﨑友滋・3年）○蛇腹の筒内における音速減少（宇津野陽菜，大矢初花，川合 琳，鋤野 栞・3年）○下部中新統瑞浪層群明世層から産出した微化石（川合正広，三輪彩佳，五十嵐天飛，木村知寛・3年）○ウミホタルの色覚について（松井哲次郎，渥美日奈子，森田愛可，四元さくら・3年）○塩害の植物に対する影響（林 久乃・3年）○クエン酸によるシステインプロテアーゼの阻害（新免佳穂，滝口美雨，近藤奈央，讃井慶吾，河野隼士・3年）○低圧条件下における発芽後の成長と二酸化炭素分圧の関係 ～カイワレダイコンを使って～（小林楓賀，岡 晃季，桒名陽貴，藤本 光，宮原萌絵・3年）○歩行時に生じる泥跳ねの研究（松本宙実，岸 彩音，中本鴻紀，中山弥央，平川知佳，福重 茜，蓬莱直哉・3年）○電極の表面状態と金属箔の生成条件（大野莉実，苅田恵未，田窪朋佳，長岡桃子・3年）○イチョウの葉再生プロジェクト ～永遠に残る脱臭ペーパーへ～（福垣内尭良，向井拓海・3年）○淡水魚の飼育には好適環境水が適しているのか（森本拓実，大原慶暉，田中直輝・3年）

# 〈参考〉第1回（2006年）～第12回（2017年）受賞作品一覧

## ●「科学の芽」賞

### 第1回：2006年

〔小学生部門〕

○ヒマワリの種はなぜ平らにまかなければいけないのか？（棚田莉加・3年）○あわでないでね（土田葉月・3年）○百日草のさき方と花について（永原彩瑚・3年）○「はねて・たつ・しゃりん」のひみつを調べよう（松原花菜子・3年）○モンシロチョウは葉のどこに卵をうむのか？（鳴川真由・5年）○カブトムシが集まるエサの研究Ⅲ（新居理咲子・5年）○くりの木の不思議 ～お母さんの木と子どもの木～（渡部京香・5年）○風力発電機の研究（河村進太郎・6年）

〔中学生部門〕

○流れと渦の研究 ～なぜ渦はできるのだろう？～（荒井美圭・1年）○紙おむつの秘密を探る（齋藤琴音・1年）○ラジカセの音を大きくするには（永井亜由美・中等1年）○のびろカイワレダイコン（松下美緒・1年）○人の色の見え方（佐川夕季・2年）○土壌汚染の植物への影響 PART3（仁熊佑太・2年，仁熊健太・1年）○納豆の醗酵に及ぼす「音」の影響（樫村琢実・3年）○キンギョの活動性に及ぼすミネラルの効果 ～軟水と硬水の比較実験～（古川詩織・3年）

〔高校生部門〕

○融解塩徐冷法による塩化ナトリウムの結晶作り（中川恵理，長谷川 薫・2年）○Brz が植物の耐塩性に与える影響（木村あかね・3年）○リニアモーターカーの理論と模型の製作（出口雄大・3年）

### 第2回：2007年

〔小学生部門〕

○2つの花だんの不思ぎ（佐藤三依・3年）○かいこのペットフードを作ろう（森 翠・3年）○「光の不思議」～ラップはとう明なのになぜしんは見えないのか～（小田島華子・3年）○スイカ，カボチャ，メロンの種の数は大きさに関係あるのか？（岡野史沙・4年）○植物の研究（樫村理喜・4年）○指のシワシワ実験（嶋 睦弥・5年）○魔球のひみつ（小原徳晃・6年）○くりの木の不思議Ⅱ～お母さんの木と子どもの木～（渡部京香・6年）○氷のカットグラス ～どうして斜めの線ができるのか 氷にできる模様の観察～（伊知地直樹・6年）○カブトムシが集まるエサの研究Ⅳ（新居理咲子・6年）

〔中学生部門〕

○ナミアゲハの蛹の色を決める一番の条件は？（橘 智子・1年）○海水の二酸化炭素の吸収について（日原弘太郎・中等1年）○粘着テープの強度比較（村岡健太・中等1年）○ジャム作りの秘密（中島可菜・1年）○サッカーボールの科学（笠原 将・2年）○ニホンイシガメの行動パターン（竹内捷人・2年）○漂白と液性の研究（太田みなみ・2年）○五平もちを上手に作りたい！ ～ラップにつきにくいご飯の条件ともち米を加える秘密～（杉浦 健，清水大貴・3年）○寄生 ～2次寄生の発生条件～（清水 壮・3年）

〔高校生部門〕

○植物の特性を活かした観賞用インビトロ・プランツの開発（漆戸 啓，山一哲也，吉本慎二，中村秀樹・3年，三津谷慎治，中野渡 遥，蔵川千穂，橋端早紀，斗沢拓実・2年）

### 第3回：2008年

〔小学生部門〕

○オオカマキリのふ化からせい虫になるまで ～オオカマキリと共にすごした303日間～（板橋 茜・3年）○苦くてくさいパセリは，味つきパセリになれるかな？（大枝知加・3年）○ホテイアオイ・プカプカうきぶくろのひみつ（松井悠真・3年）○一つの骨から（岡村太路・4年）○テーブルの上に置いたおわんが動くのはなぜ？（中島澄香・4年）○紙でなぜ手が切れるの？（溝渕將父・4年）○きゅうすで注ぐ水の音と湯の音がちがうのはなぜ？（川上和香奈・5年）○謎の砂団子 コメツキガニのしわざ？（永原彩瑚・5年）○ひっくりかえるめんこのひみつ（松原花菜子・5年，松原汐里・3年）○よく回る硬貨の順番は？（嶋 睦弥・6年）○植物に必要な色は何色か（德田翔大・6年）

〔中学生部門〕

○アサガオから考える私たちの環境（石井萌加・中等1年）○セイタカアワダチソウを利用した生物農薬の研究（白井有樹，土田悠太，竹内 賢・中等1年）○くりの木の不思議Ⅲ ～お母さんの木と子どもの木～（渡部京香・1年）○ホットケーキを焼く ～重曹とベーキングパウダーの違いに注目して～（菊島悠子・2年）○心臓や声帯の動きを測れるか？（佐藤信太・2年）○セミの抜け殻における羽化の場所の研究（須藤克誉・2年）○ドルフィンボールの高さと深さの研究（廣川和彦・2年）○接着剤の強度比較 ～紙用接着剤の実験～（村岡健太・中等2年）○緑青の発生スピードについて（山田祐太朗・2年）

〔高校生部門〕

○航空機内での静電気による電磁波の研究 ～帯電した金属の衝突によるモデル実験～（大津拓紘・2年）○紅葉の仕組みと環境要因の解明（三澤亮介，藤原雅也，鈴木宏典・2年）○地球温暖化に対応した光触媒技術の開発と導入（青木達哉，大川井裕乃，下川智代，永倉頌子，穂積友介・3年，佐藤博美，平井泉美・2年，糟屋真菜，寺田結香，森 勝太，田中優平・1年）

## 第4回：2009年

〔小学生部門〕

○本当にめ花は少ししか咲かないのか（山﨑公耀・3年）○かいこのまゆ作りにお気に入りの形や場所はある？（永原蒼生・3年）○むしの起き上り方（蟹谷 啓・3年）○ピキピキのなぞ（秋吉喜介・3年）○青虫は，冷蔵庫でも生きる？（森 翠・5年）○「巣あな」の仕組みと日なたのアリジゴク（湯本拓馬・5年）○ありとオレンジ（大澤知恩・5年）○泥はねの研究（竹田悠太・5年）○アリは輪ゴムがきらい？（笠井美希・5年）○謎のウェービング　コメツキガニのあいさつ？ ～コメツキガニ Part 2～（永原彩瑚・6年）

〔中学生部門〕

○トビズむかでの習性をさぐる（金子一平・1年）○水と石鹸の謎（和田純麗・1年）○赤外線の研究（野崎 悦，萩原康平，日野裕輝・1年）○動物の「まばたき（瞬き）」に関する研究 ～草食（被食）動物の瞬きは素早い？～（大見聡仁・3年）○フィルムケースロケットが飛ぶ秘密（辻田宗一郎，広野龍一・3年，浅井啓志，野澤秋人，松ヶ谷玲弥・2年）○「水かけ」の科学（水野夢世，加藤翔湖・3年，浅野紘希，野村拓生・2年）○玄関先に営巣したメジロの研究（秋元勇貴・3年）○自然のカーテン（對木雄太朗，遠藤颯洸，古谷龍一・3年）

〔高校生部門〕

○宮古島の湧水域環境保全を目指した研究 ～湧水域に生息する生物の保全を目指して～（洲鎌理恵，本永 明，下地瑞姫・3年，西里公作・2年，垣花武志・1年）○堆積物中の二硫化鉄（$FeS_2$）生成の物理化学的検討 ～地質比較における生成条件・温度圧力条件の検討～（山﨑晴香・3年）

## 第5回：2010年

〔小学生部門〕

○謎の生物大発見!!（伊藤杏樹・3年）○雨の日でもなぜ蝶はとべるの？ ～蝶のはねのひみつ～（植田紗優奈・3年）○色は何色でできているの？（永原蒼生・4年）○酸性・中性・アルカリ性によってニガウリの育ち方は違うのか（山﨑公耀・4年）○ボウフラのきらいな光ときらいなものの研究（井上拓哉・5年）○眠れないアサガオ ～なぜアサガオのつぼみがつかないのか～（鈴木ゆみ子・5年）○バッタの羽が急にのびた！（花牟禮優大・5年）○アリジゴクの研究（4年次）（和田龍馬・5年）○まゆの色七変化 ～まゆの色とえさの関係～（杉村虎祐・6年）

〔中学生部門〕

○ボールはなぜ曲がるか（赤津颯一・1年）○貝のカタチというもの（東 弘一郎・1年）○コーラの泡をあまり出さずにグラスにたくさん入れる方法は？（福田優衣・1年）○バイオエタノールとエタノールロケット（槙野 衛・1年）○流れ－自動車に関する空力の実験－～自動車のボディーは流線形ではいけない？～（中西貴大・2年）○工業用ホースを使った音響実験（平井裕一郎・2年）○セミの発生周期の研究（湯本景将・中等2年）○ギラギラ光る油の研究（浅野紘希・3年，水野佑亮，森下貴弘・2年）○転がる速度はなぜ物体によって違うのか（外山達也・3年）

〔高校生部門〕

○炭素による酸化銅の還元について（岡崎めぐみ・中等4年）○白いリンゴと黄色いサクランボ ～植物の特性を活かした新商品開発～（上田若奈，東 のどか，鹿島真由美，川井絵美，佐々木理紗，千澤里花，沢口 舞・3年）○筑豊の「赤水」調査 2010 ～坑道廃水の調査と環境に及ぼす影響，及び水の浄化に関する試み～（瀬戸渓太，早田亜希・3年，永井智仁，曽根裕子・2年，花田真梨子，井上 薫・1年）

## 第6回：2011年

〔小学生部門〕

○ノコギリクワガタとコクワガタの生活のちがい（飯田実優・3年）○ぬけがらから分かるアブラゼミの生たい（鈴木詠子・3年）○アブラゼミのウロウロくん（井出 麟・4年）○アリのチームワーク ～エサ運びで協力するアリたち～（伊藤知紘・4年）○変形菌の研究 変形体の動き方と考え方 2008～2011年 ～変形体どうしが出合うと何が起きるのか？～（増井真那・4年）○エンゼルフィッシュの消える『しま』の秘密 ～消えたりあらわれたりする『しま』その意味とは!?～（髙澤英子・5年）○紙ふぶきの舞い方（田中琴衣・5年）○もそもそダンゴムシは何が好き？（永原蒼生・5年）○美味しいトマトの見分け方とそれを生む環境とは（山﨑公耀・5年）○ハゼの研究実験総集編 ～植物ロウを作ろう～（鎌田彩海・6年）

〔中学生部門〕

○沖縄島名護市屋部川周辺の鳥類調査 ～探鳥地としての可能性を探る～（北村育海・1年）○温度差による打ち水の効果を調べる（鈴木万紀子・1年）○ヘイケボタルの成虫を長期飼育することは可能か？（橋本理生・1年）○紅茶の色を変化させる要因 ～液性面と糖の種類の面からの実験と考察～（大田香緒里・2年）○カエルの体色変化に関する研究 Part2 ～ストレス（刺激）は体色変化に影響するか～（大見智子・2年）○不死身の秘密・甦る植物 ～根からの植物の再生とメカニズム～（樫村理喜・2年）○野菜くず紙は使えるか（永原彩瑚・2年）○なぜ氷は空気中よりも水中の方が融けやすいのか（髙塚大暉，伊藤光生・3年，広野 碧・2年）○人間の体温調節に関する研究（堀田文郎・3年）

〔高校生部門〕

○2つ穴空気砲および非円形の空気砲の考察（佐藤健史，梶原理希・1年）○光は農薬の代わりになるか？ ～LEDによる草花の伸長制御～（荒谷優子・3年，逸見愛生・2年）○花のチカラ ～被災地復興支援プロジェクト～（市沢理奈，中山歩美，若本佳南，荒谷優子，赤石譲二，西塚 真，山田大地・3年，小町一磨，阿部加奈江，佐々木里菜，砂沢愛依，日沢亜美，逸見愛生・2年）

## 第7回：2012年
〔小学生部門〕
○液ダレしないしょう油さし（安田匠吾・3年）○アオスジアゲハの最後のフンの正体（渡邉大輝・3年）○猪名川でミニ水車発電（熊ノ郷健人・3年）○アサガオの不思議な芽（中村一雄・4年）○変形菌の研究　変形体の動き方と考え方 2008〜2012年 変形体の「自分と他人」の区別と行動について（増井真那・5年）○庭の水の秘密（中里真尋・5年）○びっくり!! 水面散歩する貝のナゾ（永原蒼生・6年）○本当に古いゆで玉子ほどむき易くなるのか（山﨑公耀・6年）○紙ふうせんの不思議（田中琴衣・6年）○種のカラの役割の研究 〜ひまわりとかぼちゃの種を使って〜（河村杏衣・6年）
〔中学生部門〕
○ゲル化に関する研究（小板橋里菜・1年）○アサガオ 〜モーニングブルーの謎に挑む Part Ⅱ〜（鈴木ゆみ子・1年）○生分解性プラスチックの研究 Part2（大澤知恩・2年）○カメの秘密調べ　9年次 〜コンクリート化された水田地域のクサガメ行動調査〜（金澤 聖・3年）○ダンゴムシの交替性転向反応に関する研究（今野直輝・3年）○かやぶき屋根はどうして雨もりしないのか？（池田隼人・3年）○パンを焼くと柔らかくなる秘密（渡部 舞・3年，與那覇勝龍，ロ シンイー・2年）
〔高校生部門〕
○木質燃料の質量と燃焼効率 〜おがくずとヒノキチップ，自作ストーカー炉を使った実験〜（中西貴大・1年）○地元の主要産業品である高級石材凝灰岩「竜山石」の特性を活かした塗装剤の開発（松下紗矢香，岩本有加，竹谷亮人・2年）○旋光現象の巨視的考察（岡田知治，足立享哉，佐嘉田悠樹，中塩莞人・3年）
## 第8回：2013年
〔小学生部門〕
○おまつりの屋台の輪投げでねらったけい品を取りたい！（小長谷純世・3年）○消しかすがよくでる消しゴムは，よく消える消しゴムか？（東 虎太郎・3年）○弟の肌をしっとり大作せん（西村貫太朗・3年）○アオスジアゲハの最後のフンの正体2 〜ワンダリングの目的を推理する〜（渡邉大輝・4年）○せん入・くもの巣城（熊ノ郷健人・4年）○ベランダ熱っちっち お母さんを助けろ（野田哲平・5年）○だんごむしとわらじむしの甲らが白く，土が黒くなってきたのはなぜだろう？（片岡柾人・5年）○音の伝わり方の秘密（石 楓大・6年）
〔中学生部門〕
○アリのフェロモンについて（大輪奏太朗・1年）○ラワンの紙模型の研究（佐藤璃輝・1年）○りんごの変色を防ぐには（下津千佳・1年）○ぬれると色が変わるのは何故？（田中琴衣・1年）○6種の繊維の性質（町田華子・2年）○環境の中から見つけるセルラーゼ（田渕宏太朗・2年）○植物のネバネバ汁に意外なパワーを発見！（片岡澄歩・2年）○ゲルマニウムラジオに関する研究 〜コンデンサとコイルを手作りして〜（南雲千佳・3年）○スピンくるが逆回転する仕組み（ロ シンイー・3年，市川浩志，深谷夏希，古田創士・2年）
〔高校生部門〕
○草花による水質浄化システムの研究（葛形小雪，野田寿樹，四戸美希，佐藤晴香，松橋奈美，佐々木 愛，種市雪菜・2年）○粉体の堆積（中西貴大・2年）○効率よく風を送るうちわ（田中晋平，藤野功貴，前垣内 舜・3年）
## 第9回：2014年
〔小学生部門〕
○くるくるコインのらせん運動 〜なぜ後から入れたコインが先に入れたコインをぬかすのか？〜（木村佳歩・3年）○カラをぬいだカタツムリ発見！（片岡嵩皓・3年）○アゲハチョウの大きさの謎 〜幼虫を枯渇させるとどうなる？〜（立花 健・4年）○「葉」は植物の「脳」だった!! 〜カイワレの観察から分かったこと〜（安田匠吾・5年）○蛹の25%から分かること…（渡邉大輝・5年）○黄色って何色？! 〜色のひみつにせまる〜（田中拓海・5年）○セミの羽化のひみつ 〜生死をかける30分〜（清木 葵・5年）○吸い付く水と戦って浮きゴミをうまく取る方法（熊ノ郷健人・5年）
〔中学生部門〕
○千里浜なぎさドライブウェイは砂浜なのにどうして車で走れるのか（佐藤 和・1年）○変形菌の研究2008〜2014年 変形体の「自他」を見分ける力とカギ（増井真那・1年）○紙飛行機の研究 どうしたら長く飛ぶ紙飛行機が作れるか 〜主翼の翼型と飛行時間〜（茂木幹太・1年）○お茶の泡はなぜたつか（岩松千佳・2年）○大気中の二酸化炭素濃度の動態に関する研究（降雨の影響）（稲田雅治，賈 元日・2年）○スウィーツを科学する 〜スポンジケーキ編〜（河村杏衣・2年）○（生物模倣）昆虫の翅型風力発電機の開発（佐藤圭一郎・3年）○ゴルフボールのディンプルにヒントを得てプロペラを考える（田渕宏太朗・3年）
〔高校生部門〕
○切断した根が接着する！？ 〜セイヨウタンポポの根の傷が接着するための内的・外的要因を探る〜（樫村理喜・2年）○人間による音声の知覚と分解 －それに表れる計算機との相違－（中西貴大・3年）
## 第10回：2015年
〔小学生部門〕
○甘藷珍学（稲波里紗・3年）○床屋のサインポールのひみつにせまる 〜もっときれいに見えるポールをさぐれ!!〜（中條朋香・3年）○キノコがはえた お父さん、お母さんが子どもだったころと日本の気候はちがうの？（木村佳歩・4年）○最後までおいしいふりかけのひみつ（長野佑香・4 年）○図工の作品を壊さずに持ち帰りたい ～学校帰りの荷物の運び方～（東 虎太郎・5 年）○アオスジアゲハの色調べ パート 5 ～光で変身，不思議な仕組み～ 変身に必要な光の量と光の色は？（井原愛佳，三谷京子・6 年）○家庭用正倉院（熊ノ郷健人・6 年）○斜面をリズミカルに下る動物の秘密（松園若奈，諸岡亜胡，酒井理心，杉本悠弥，小深田拓真・6 年）○光で幼虫の色を操る（渡邉大輝・6 年）

〔中学生部門〕
○ダンゴムシとワラジムシに『防カビ力』を発見！（片岡柾人・1 年）○歌詞とメロディーで変わる学習効果の不思議 －脳の聞き分けに注目して－（勝山 康・2 年）○人とすれ違った際に起きる風について（柳田彩良，千葉さくら・3 年，加藤佐和，清水ひかり・2 年）○継続的観察によって解明した平戸市に生息するワスレナグモの生態 ～特にキシノウエトタテグモと比較した生息環境の違いについて～（相知紀史・3 年）○壁を登る動物の足のつくりの応用 ヒトの力で壁を登る（沖山颯斗，浦木勇瑠，西村泰雅・3 年，山下慎太郎・2 年）○地衣類と微環境 3 年次 ～つくば市内の公園に生育する樹木における着生地衣類の分布と微環境の関係～（小野寺理紗・3 年）○嘉津宇岳のバタフライ・ウォッチングⅣ ～チョウの年変動と温度耐性実験～（北村 澪・3 年）○アリの役割分担を探る② 2015 年クロオオアリ観察日記 part5（世鳥山和也・3 年）

〔高校生部門〕
○セミ研究 10 年次 終齢幼虫が羽化場所を決めるための習性について －先に羽化した他個体の羽化殻に集まるのか－（内山龍人・1 年）○後頭骨化石からイルカの首の動きを復元できるのか（岡村太路・2 年）

## 第11回：2016年

〔小学生部門〕
○冷凍庫のひみつ（村上智絢・3 年）○根りゅうきんできるかな？（溝口貴子・3 年）○洪水で浸水した常総市の虫は生き残れたのか？（田村和暉・4 年）○五重塔はなぜたおれないのか？（雨宮龍ノ介・4 年）○“種のパワー”研究 発芽の秘密（武田悠楽・4 年）○走れ走れハムスター（恒松望花・4 年）○ぼくの絵具（蘭 裕太・4 年）○風鈴が風を受けるとき（長野佑香・5 年）○海水から世界を救うおじぎ草 ～耐塩性から海岸植栽の可能性まで～（髙垣有希・6 年）○ジンリックをカッコよく飛ばせたい ～フリースタイルスキーを科学的に考える～（東 虎太郎・6 年）

〔中学生部門〕
○クワガタムシは右利き？左利き？（嶋田星来・1 年）○ワニを解剖してみたら… ～1 本の骨から全長を推定する～（田中拓海・1 年）○つるの研究 ～正確な測定と解析～（大川果奈実・1 年）○斜面を下る二足歩行のおもちゃの秘密（小深田拓真・1 年）○回れ！不思議なタネ ボダイジュ（大谷深那津・2 年）○「ながら勉強」をするとなぜ学習効果が落ちるのか ～脳のマルチタスク処理に注目して～（勝山 康・3 年）○飛ばそう！クルクルグライダー ～主翼の回転するグライダーに，レゴ人形を乗せて滑空できるか～（服部泰知・3 年）○風船ポテトチップス作りの秘訣（嚢部 誉，佐野充章，瀬尾圭司，小野佑晃・3 年）

〔高校生部門〕
○ファンプロペラの効率アップ ～風を変えるシンプルな表面加工～（田渕宏太朗・2 年）○蚊が何故人間の血を吸いたくなるのかを，ヒトスジシマカの雌の交尾数で検証する（田上大喜・2 年）○「粉体時計」の実現報告及びそのメカニズムの数理的考察（國澤昂平，伊東陽菜，友野稜太・3 年，荒谷健太，大西巧真，岡部和佳奈，籠谷昌哉，三俣風花・2 年）

## 第12回：2017年

〔小学生部門〕
○ウジが発生しないミミズコンポストを作る（池野志季・3 年）○スーパーボールを，水面で弾ませたい！パート 2（坂崎希実・4 年）○立体プラネタリウムを作ろう（笹川双葉・4 年）○オリーブの不思議な力（蔀島駿貴・4 年）○昆虫の新能力を発見か⁉ 水死したはずのゾウムシが生き返った‼ パート 2（田村和暉・5 年）○最強のポイ（稲波里紗・5 年）○夢を見るのはどんな時？（德留理子・5 年）○清水の舞台の秘密（雨宮龍ノ介・5 年）○キャッチャーはつらいよ ～少年野球のキャッチャーが暑い夏を乗り切るために～（神﨑 咲・6 年）

〔中学生部門〕
○つるの研究 ～巻きつるは光を感じるのか～（大川果奈実・2 年）○風力発電に適した羽根の研究 ～ペットボトルを使った風力発電に適した羽根とは～（山道陽輝・2 年）○金の赤色コロイドをつかまえろ（川村ヒカル・3 年）○一滴から深まるクレーターの研究（吉田優音・3 年）○水の輪のメカニズムの解明（伊東実聖，加藤聖伶，中島大河，龍岡紘海・3 年，千葉大雅，乙津昂光海，古屋良幸・1 年）○コップから流れる水の形（岡野修平，原田大希・3 年，塚越 新・2 年）○ヤマビルの刺激因子に対する応答に関する室内および野外実験（鞠子けやき・3 年）○凍らせたジュースのおいしい飲み方 ～溶解・冷却時間と凝固点降下から考える～（宮内唯衣・3 年）

〔高校生部門〕
○水切りの謎に迫る（山下龍之介，中尾太樹，山下ひな香・3 年）

# 「科学の芽」賞　募集ポスター

第 13 回　2018 年

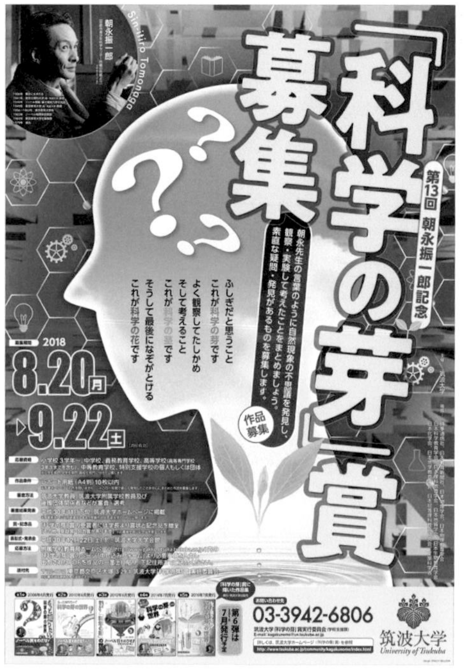


第 14 回　2019 年

筑波大学にゆかりのあるノーベル賞受賞者 3 名の方々を記念して，下記の『筑波大学ギャラリー』には「朝永記念室」,「白川記念室」があり，また「江崎玲於奈博士記念展示」が行われています。ぜひ一度，筑波大学の見学の際に訪問しましょう。

## 筑波大学ギャラリー（University of Tsukuba Gallery）の紹介

開館時間：　9：00–17：00
休 館 日：　土曜日，日曜日，年末年始，その他特に定める日
問 合 せ：　大学会館事務室（TEL.029-853-7959）

筑波大学ギャラリーは，本学の歴史的資料や芸術作品等を展示し，「総合交流会館」とあわせて，広く社会に向けた情報発信と，皆様との交流の場とするために整備された展示施設です。このギャラリーには，朝永振一郎博士，白川英樹博士及び江崎玲於奈博士の本学関係ノーベル賞受賞者記念の展示，オリンピックで活躍した選手をはじめとする体育・スポーツの展示，主に東京キャンパスに位置し，歴史と伝統のある附属学校の展示，石井昭氏から寄贈された美術品を展示しています。

アクセス：　関東鉄道バス：つくばセンター（つくば駅）から筑波大学中央行き又は筑波大学循環（右回り）「大学会館前」下車

# あとがき　～子どもたちのふしぎを育てる「科学の芽」賞～

茂呂雄二

『もっと知りたい！「科学の芽」の世界』シリーズは，筑波大学が主催しております「科学の芽」賞の受賞作品を掲載した書籍で，2008年から2年ごとに発行されています。本書『もっと知りたい！「科学の芽」の世界PART7』は，第13回（2018年度）と第14回（2019年度）の「科学の芽」賞受賞作品を掲載しています。

「科学の芽」賞は，全国の小学生・中学生・高校生を対象として，自然や科学への関心や思いを育てることを目的として行われている科学コンテストです。筑波大学の前身である東京教育大学の学長を務め（1956年～1961年），1965年にノーベル物理学賞を受賞した朝永振一郎先生の功績を称え，筑波大学における「朝永振一郎博士生誕100年記念事業」の一環として，2006年に始まり、以来筑波大学主催で毎年実施しています。小学生から高校生を対象とした科学コンテストには多くのものがありますが，本賞は，一つの大学が全国の小・中・高校生を対象として実施しているコンテストとして唯一のものと言えます。

第1回目（2006年度）の応募総数は645 件でしたが，本書に掲載されている第13回目は2,853件，第14回目は3,355件と，回数を追うごとに応募数は増えてきています。国内のみならず，海外の日本人学校からの応募も増えてきています。これまでに応募いただいた海外日本人学校の国には，中華人民共和国，大韓民国，タイ王国，マレーシア，インド，イラン・イスラム共和国，ハンガリー共和国，イタリア共和国，ポーランド共和国などがあります。一方，「科学の芽」賞受賞数は，毎回大きく変わらず，小学生部門8～10件，中学生部門7～9件，高校生部門1～3件で推移しています。

なお，「科学の芽」賞には，「科学の芽」賞の他に，「科学の芽」奨励賞，「科学の芽」努力賞，「科学の芽」学校奨励賞がありますが，第11回目より「科学の芽」探究賞を新たに創設しました。探究賞は，第11回目の募集から，特別支援学校（知的障害）の児童・生徒さんからも応募いただくようになり，その姿勢を表彰するために設けたものです。

『もっと知りたい！「科学の芽」の世界』シリーズは，「科学の芽」賞受賞作品の全てを第１回目から掲載しています。児童・生徒を対象とした科学コンテストはいろいろありますが，全ての受賞作品の内容を見ることができる本書のような出版物はあまりないのではないでしょうか。受賞作品は，大人顔負けの最先端の研究成果というよりも、むしろ小学生から高校生までの子どもたちが素直な眼で見て感じた世界のふしぎを，それぞれの子どもたちの発想や工夫により解明しようとした作品が多く含まれています。これが，本シリーズの特色でもあり，「科学の芽」賞の特徴でもあると言えます。本シリーズは，科学を通して世界に向き合う子どもたちの独創的な発想や姿勢を大人たちに示してくれるものです。また，夏休みの自由研究など子どもたちの研究を指導される学校の先生方や親御さん，そして，何よりも身の回りのいろいろな事柄に『なぜだろう？』，『なんだろう？』とふしぎの眼を向ける子どもたちに役立てていただけるものと考えています。

ところで，「科学の芽」賞の名称の「科学の芽」という言葉は，朝永先生が書かれた色紙の言葉から引用されたものです。その色紙は，1974 年 11 月 6 日に国立京都国際会館で行われた，湯川秀樹先生，朝永振一郎先生，江崎玲於奈先生の３名のノーベル物理学賞受賞者による座談会「ノーベル物理学賞受賞三学者　故郷京都を語る」で，子どもたちに向けた言葉を請われて，朝永先生が書かれました。この色紙は，京都市青少年科学センターに保存されています。筑波大学ギャラリー朝永振一郎名誉教授記念室（http://tomonaga.tsukuba.ac.jp/room/purpose.htm）にはそのコピーがありますので，筑波大学に来られる機会がありましたらご覧いただければと思います。

ふしぎだと思うこと　これが科学の芽です
よく観察してたしかめ　そして考えること　これが科学の茎です
そうして最後になぞがとける　これが科学の花です

この朝永先生の言葉には，科学することの流れが述べられています。しかし自然科学に限らず，あらゆる学びに共通することを表しているとも言えるのではないでしょうか。「科学の芽」賞は，誰もが感心するような高度な研究だけを求めるものではありません。ふしぎだなと思う，子どもたちの学びの始まりを大切にしようと考えています。

「科学の芽」賞は，これからも，ふしぎだなと感じる子どもたちの「科学の芽」を大切に育てていきたいと考えています。本書をご覧いただいている大人の方たちにも，子どもたちのそうした素朴な疑問を大事にしていただければと思っております。今後とも，「科学の芽」賞へのご理解とご支援をどうぞよろしくお願いいたします。

［「科学の芽」賞実行委員会委員長］

## 著者紹介

### 監　修
永田　恭介　国立大学法人筑波大学長

### 編集責任
茂呂　雄二　筑波大学副学長：附属学校教育局教育長
濱本　悟志　筑波大学附属学校教育局次長
雷坂　浩之　筑波大学附属学校教育局教育長補佐

### 執　筆
筑波大学長　永田恭介
筑波大学副学長：附属学校教育局教育長　茂呂雄二
筑波大学名誉教授　金谷和至
筑波大学准教授　丸岡照幸　山﨑　剛
筑波大学助教　山本容子

筑波大学附属小学校教職員
　辻　健*　佐々木昭弘　志田正訓　鷲見辰美　（＊小学生の部　責任編集）
　富田瑞枝
筑波大学附属中学校教職員
　和田亜矢子*　新井直志　井上和香　齋藤正義　（＊中学生の部　責任編集）
筑波大学附属駒場中・高等学校教職員
　真梶克彦*　今和泉卓也　宇田川麻由　（＊中・高校生の部　責任編集）
　梶山正明　高橋宏和　吉田哲也
筑波大学附属高等学校教職員
　岡部玉枝*　小澤　啓　勝田仁之　古寺順一　（＊高校生の部　責任編集）
　松下朝子　柳澤秀樹　山田　剛
前筑波大学附属高等学校教職員
　鈴木　亨

### 編集協力
筑波大学教授　奥谷雅恵　中野賢太郎　野村港二
筑波大学講師　木村範子　橋本幸男　百武篤也
筑波大学附属坂戸高等学校教職員　中臺昇一
筑波大学附属桐が丘特別支援学校教職員　小山信博



もっと知りたい！「科学の芽」の世界 PART 7

2020年6月30日　初　版　発　行

監　修　永　田　恭　介
編　者　「科学の芽」賞実行委員会

発行所　筑波大学出版会
〒305-8577
茨城県つくば市天王台 1-1-1
電話（029）853-2050
http://www.press.tsukuba.ac.jp/

発売所　丸善出版株式会社
〒101-0051
東京都千代田区神田神保町 2-17
電話（03）3512-3256
https://www.maruzen-publishing.co.jp/

編集・制作協力　丸善プラネット株式会社
装丁・デザイン　中村慎一郎＋スタジオ・マイ
中扉イラスト　高橋由為子＋スピーチ・バルーン



組版／月明組版　印刷・製本／富士美術印刷株式会社
ISBN978-4-904074-56-5 C0040